JN048175

〈世界史〉をいかに語るか

グローバル時代の歴史像

〈世界史〉をいかに語るか

グローバル時代の歴史像

成田龍一・長谷川貴彦 編

岩波書店

まえがき

一

二一世紀はじめのいま、世界史がひとつの焦点をなしている。たとえば、ジャレド・ダイアモンド(一九三七年—)やユヴァル・ノア・ハラリ(一九七六年—)らの著作が次々に翻訳され話題となり、テレビや新聞などマスメディアも彼らの議論を紹介する光景を指摘することができる。ビジネスパーソンが読む雑誌もまた「世界史」の特集を組み、さまざまな世界史にかかわる情報がビジネスの世界でも求められ、大きな渦をなしている。これは、経済のグローバル化に対応して、世界各地の文化や歴史への理解が吃緊の課題となっているからであろう。ことは日本の現象にとどまらず、世界的に見られる動きとなり、同時に歴史学というアカデミズムの枠を超えて、各界で世界史が大きな話題となっている。

むろん歴史学のあらたな動きもうかがえる。グローバル・ヒストリーという言い方で、従来のワールド・ヒストリーとしての世界史とは異なる営みが活発である。あらたな歴史学を探る動きであり、一国史の枠を超え、世界的な視野と視点のもとで歴史—国民史の語りを探ろうとしている。たとえばフランスでは、パトリック・ブシュロンが編集した『世界のなかのフランス史』(二〇一七年)が一〇万部を超えるベストセラーとなり、評判をよんでいる。これはフランス史を世界のなかで再把握しようという営みであるが、人びとの関心があらたな歴史の解釈を求め動き出している。

歴史学もまた、歴史と人間の関係の大きな変化が実感されるなか、大きく変わりつつあるのだ。歴史認識の局面におけるグローバル化――グローバリゼーションとして喧伝されている事態の認識面での現れとみることができる。持続可能な社会が探索される一方、アジアがあらたに台頭するなかで、「ユーラシア」規模での考察が必要となり、アフリカが動き出し「アフラシア」との概念も提供されていることなどが背後にあろう。

二

雑誌『思想』(二〇一八年第三号)で、特集「〈世界史〉をいかに語るか」を組んだ背後には、かかる認識があった。特集での柱は、グローバル・ヒストリーをそのひとつとして、歴史学の動きを検討した。岡本充弘「グローバル・ヒストリーの可能性と問題点」は、グローバル・ヒストリーを具体的な対象としてその論点を探り、長谷川貴彦「物語論的転回2.0」は、あらたな歴史学の胎動として検討し「転回」として根底にある論点を把握した。また、キャロル・グラック「転回するグローバル・ターン」(訳＝梅﨑透)は、その「転回」という論点を、大きな絵柄のなかで説明して見せた。

第二の柱は、このように整理しうる、あらたな世界史の叙述・実践の紹介とその学説の検討をおこなった。岸本美緒「グローバル・ヒストリー論と「カリフォルニア学派」」は、グローバル・ヒストリーの流れを作り出したひとつ、カリフォルニア学派を批判的に検討した。また、あらたな世界史の語りを実践する、スヴェン・ベッカート「綿と資本主義のグローバルな起源」(訳＝竹田泉)とディペシュ・チャクラバルティ「気候と資本」(訳＝坂本邦暢)を翻訳・紹介した(なお、翻訳論稿の選出に当たっては、岡本充弘氏の教示を得ている。また「解題」も執筆いただいた)。他方、ゼバスティアン・コンラート『グローバル・ヒストリーとはなにか?』は、グローバル・ヒストリーを正面から扱った著作だが、書評の形式で紹介をおこなった(評者＝小田原琳)。

そして、第三には、歴史教育の観点を入れた。世界史の焦点化をテコとする歴史の語り方の再検討は、歴史教育の領域においても同様である。日本では、高等学校で科目として、長らく「世界史」と「日本史」が分けられていたが、二〇二二年から施行される新学習指導要領では、それを一体化した新科目「歴史総合」が設置される。これまで国民国家を単位として認識されていた歴史が、あらためて世界的な視野で考えられ、世界的な視野のもとでの歴史が探求されている。その問題の提起と開示を、小川幸司・成田龍一・長谷川貴彦による冒頭の鼎談「「世界史」をどう語るか」でおこなった。

幸いこの特集は評判となり、多くの方々が手に取ってくださった。歴史教育に携わる教師の方々にも熱心に読まれた。そして装いをあらたに単行本としてお手元に届けることとした。

単行本化に当たっては、さきの特集のラインアップに加え、あらたに井野瀬久美惠・川島啓一の対談「世界史をどう教える／学ぶか」を収め、歴史教育にかかわっての問題意識、およびジェンダーの視点をより深めた。さらに、リンダ・コリー「イギリスとイスラーム　一六〇〇—一八〇〇年」(訳＝長谷川貴彦)、デイヴィッド・アーミテイジ「コスモポリタニズムと内戦」(訳＝石川敬史)の論稿をあらたに訳出し、グローバル・ヒストリーを実践する叙述に厚みを加えた。

三

あらためて近年の世界史の語りにかかわる歴史学の試みを探ってみると、『新しい世界史へ』を表題とする羽田正(一九五三年—)の著作が刊行されたのは二〇一一年のことであった。羽田は「地球社会の世界史」を標榜し、その前年には、水島司(一九五二年—)による『グローバル・ヒストリー入門』も出されている。このあたりから、グローバル・ヒストリーの動きが紹介され実践されている。羽田や水島は世界のなかでの動きを見据えながら議論を組み立てているが、その後、あらたな世代の歴史家たちが動きに加わっている。

また、羽田を含む編集委員たち(そのほか、秋田茂、永原陽子、南塚信吾、三宅明正、桃木至朗ら)による「MINERVA世界史叢書」の初巻は、『「世界史」の世界史』(二〇一六年)と題され、さまざまな世界史像とその近現代における展開が綴られる。さらに、山下範久編著『教養としての世界史の学び方』(二〇一九年)も同様に、世界史がいかに書かれてきたかをひとつの柱としており、こうした世界史の語りにかかわる動きが奔流のように動き始めている。

本書でも論稿を訳出したデイヴィッド・アーミテイジ(一九六五年―)は、あらたな世代のなかでこうした動きを推進するひとりで、より若いジョー・グルディと共著で『歴史学宣言』を上梓している(原著二〇一四年、日本語訳は、『これが歴史だ!』と題し、二〇一七年)。『歴史学宣言』は、グローバル・ヒストリーへの転回宣言であるが、史学史のなかで自らの役割を説き、アーミテイジらは、『歴史学宣言』冒頭に「短期という妖怪が暴れまわっている」と書き付ける。グローバル・ヒストリーを掲げ、これまでの時間・空間の枠組みを拡大することによって、既存の歴史学の転回を図る。それは、英語圏におけるミクロ・ヒストリー批判であり、「短期的過去」を対象としていることを批判するが、社会史研究を担ってきた先行世代への批判となっていることが特徴的である。

この営みを、アーミテイジは同時に、専門主義―専門職化による歴史学の周縁化への批判として認識し、「これまで以上に短い時間尺度で考察した格段に狭いテーマについて仲間うちでしか話さなくなるにつれ、歴史家はますます、専門家ではない読者層から切り離されていった」という。

こうしたアーミテイジの主張の背後には、ビッグ・データへの関心が胚胎している。ビッグ・データを使用し、そこに歴史家に新たな役割を求める。つまり、歴史家を、「まとめ役」と「調停役」とし、グローバル・ヒストリーへの転回を主張するのである。

羽田や水島は一九五〇年代初めの生まれだが、アーミテイジは一九六〇年代半ばの生まれで、おなじグローバル・ヒストリーといっても、それぞれの世代的な課題は異にし、方法・認識も異っていることに留意しておきたい。

一九七〇年代後半に社会史研究が登場し、日本を含め世界的に歴史学のあり方を問い、歴史学の状況を大きく塗り替えていった。同じような大きなうねりが、二〇一〇年ころから動き出しているように見える。若手の動きが目につくが、文化史研究の延長線上にグローバル・ヒストリーを構想する年長の世代のリン・ハント(一九四五年―)が『なぜ歴史を学ぶのか』(原著二〇一八年、日本語訳二〇一九年)を上梓した動きもみられる。

かくように、歴史と歴史学があらためて再考されている。その動きは、歴史学の状況を問い、歴史学の改変を促すとともに、ビジネスの世界の関心を呼び起こし、歴史教育の領域の動きとも共振している。さきの『思想』特集からさらに増補をした本書を、ぜひ手に取っていただければと思う。

雑誌、単行本化にあたり、執筆者をはじめ、翻訳者の方々、書評者、対談・鼎談への参加者、また編集を担当された『思想』編集部(当時)の吉川哲士さん、渕上皓一朗さんに深くお礼申し上げます。

二〇一九年一二月一〇日

成田龍一
長谷川貴彦

歴史に対する主権

岡本充弘

立憲主義の問題がさかんに議論されるようになっている。執拗に繰り返されてきた保守的な憲法改定論が現実化していくのではという危機感からである。現行憲法を改めて新しい憲法を制定するというのであるから、法による統治という立憲主義そのものが否定されるわけではない。しかし、改定論者が示す案は、国家の主権性を前面に出した、言い換えれば人民主権という考えを後退させたものであり、いわゆる権威主義的体制を生み出す危険性が高い。その意味では、日本の社会は政治的民主主義の後退という大きな危機を迎えている。

現行憲法は、第一条において国民主権を規定しているとされる。条文は、「天皇は、日本国の象徴であり日本国民統合の象徴であって、この地位は、主権の存する日本国民の総意に基く」と記している。明治憲法の最初に置かれていた、天皇が先祖から継承した「大権」という規定に代わって、象徴天皇制を容認しながら、主権は国民にあるとする考えが成文化されている。

現行憲法の成立以来、主権は国民の側にあるという考えは日本の社会に定着してきた。主権は国民の側にあり、人々の意思によって民主的に作り出された機関のみが権力を行使する正当性を有することは、現在では多くの人の合意するところである。しかし、本当に人々の意思は、国家とされるものに反映されるのだろうか。個々の人が主権を持つという考えは、そもそも国家という単位と両立することができるのだろうか。そのことを、歴史を例にとって考えてみよう。

歴史という言葉で多くの人々がまず思い浮かべるのは、日本史と世界史という言葉だろう。学校教育をとおして教えられてきたからである。その基本的な形式は、先史時代に始まり現代にいたるという通史という形態をとっている。戦前には国史、西洋史、東洋史と区分されていたが、通史という形態は変わらない。通史に組み込まれている個々の事実を正確に認識することが、学校教育における歴史の授業をとおして人々に求められることである。さらに踏み込んで言えば、国家を単位とした歴史教育をとおして、「国民」が求められてきたということである。こうした歴史的に見れば「特殊」な歴史のあり方は、近代国民国家の成立にともなって形成されることになったものである。

もともと主権という言葉は、大日本帝国憲法にも明示されていたように、一定の領域への支配権を行使する国王や領主が教皇や皇帝、あるいは対抗する国王や領主、ならびに支配する領域に住む住民に対して行使できる権限を意味した。主権を保持していたのは国王であり、領主であって、そこから転じて彼らが支配する地域の独立性を意味するものとして、国家主権という言葉も生じた。

このような意味内容を転換させたのが、人民主権という言葉である。アメリカの独立、フランス革命などをとおして、一定の領域を支配する国家の主権性を前提としながら、その主権を絶対的な権限を持つ特定の個人にではなく、民主主義的制度を媒介に、その国家を構成する人々に置くという考え方である。広義に言えば、大日本帝国憲法から現行憲法への転換もこうした流れのなかから生じたものである。現行憲法では主権在民が明確に規定されている。

しかし、そうした主権を私たちは歴史に対して行使しえているのだろうか。多くの国々においてそうであるように、日本においても近代国家の成立以降、歴史は「国民」の歴史だった。それは戦後においても変わらない。しかし、「国民」の歴史をとおして、私たちは歴史に対する主権を行使しえているのだろうか。「国民」の歴史という言葉は、「国」の「民」であることをとおして、私たちと歴史の関係が成立していることを意味している。別の言い方をすれば、共同化されたものを媒体として歴史は理解されている。

そうした歴史は二つの点から批判されてよい。一つはナショナルな枠組みのもとで共同化された歴史が、たとえば国家間戦争へと国民を動員するにあたって無視できない役割を果たし、ホブズボームが言うところの「極端な時代」に生じた膨大な殺戮の誘因になったことである。現在でも多くの国において、あるいは多くの人々の間で一般化しているこのような歴史が生み出す実際的な弊害はあまりにも大きい。

もう一つは、個人個人の過去はけっして単純に「国」の歴史と結びつくものではないことである。わかりやすい例として、両親の生まれ育った国がそれぞれ異なる個人という例を取り上げてみよう。かりにその人物がある国籍を現有しているとしても、その個人の過去は彼・彼女の国籍のある国の過去にとどまるわけではない。もし彼・彼女が特定の国の歴史の共同化のみを強制されるなら、彼・彼女の歴史に対する個人的な権利は損なわれていることになる。こうした歴史への権利の喪失という問題は、植民地支配のもとにあった人々、労働力として強制的な移動を強いられた、民族的少数派として統合された人々にもあった問題である。そのような強制のもとにあった人々にだけではなく、自発的な移動、通婚をした人々にも生じた問題である。

制度的民主主義の確立に並行するかたちで一般化した国民主権という言葉は、二つの意味を内在させていた。個々人の国家に対する権利の確立と、国家によってその権利が代行されるという問題である。

近代国民国家の形成以降、義務的な教育と集中性を高めたメディアによって共同化した歴史もまた二つの意味を内包させていた。近代歴史学の発展に支えられて個々人の過去認識がより合理的なものとなったということと、にもかかわらずその認識は圧倒的にナショナルな枠組みを単位としていたということである。そのなかで人々は歴史に対する権利を国家に委ねがちだった。

ナショナリズムは人々が歴史への主権を放棄し、それを国家に委ねたことから生じた。そのことが、他国民への少数派への敵対意識を生み出し、戦争や差別の誘因となった。歴史のネガティヴな実用性である。

国民主権という言葉が国家にではなく国民一人一人に主権があるということを意味するというのなら、私たちは歴史に対する個人としての主権をもまた行使すべきである。そのようななかで作り出される歴史は、これまで私たちが常識的に受け入れてきた歴史とは、かなり異なったものになるはずである。

目次

まえがき　岡本充弘

歴史に対する主権

〈鼎談〉
「世界史」をどう語るか　小川幸司・成田龍一・長谷川貴彦　1

グローバル・ヒストリーの可能性と問題点
――大きな歴史のあり方　岡本充弘　26

物語論的転回2.0――歴史学におけるスケールの問題　長谷川貴彦　48

転回するグローバル・ターン　キャロル・グラック（訳＝梅﨑透）　63

グローバル・ヒストリー論と「カリフォルニア学派」　岸本美緒　76

綿と資本主義のグローバルな起源　スヴェン・ベッカート
（訳＝竹田泉、解題＝岡本充弘）　97

気候と資本――結合する複数の歴史　ディペシュ・チャクラバルティ（訳＝坂本邦暢、解題＝岡本充弘）　113
〈書評〉
誰のために歴史を書くのか――ゼバスティアン・コンラート『グローバル・ヒストリーとはなにか？』　小田原琳　141
〈対談〉
「世界史」をどう教える／学ぶか――歴史教育とジェンダー史の視点を中心に　井野瀬久美惠・川島啓一　150
イギリスとイスラーム　一六〇〇―一八〇〇年――差異に関する多様な視座　リンダ・コリー（訳・解題＝長谷川貴彦）　169
コスモポリタニズムと内戦　デイヴィッド・アーミテイジ（訳・解題＝石川敬史）　188
執筆者・訳者紹介　211

鼎談

「世界史」をどう語るか

小川幸司
成田龍一
長谷川貴彦

1　動き出す「世界史」

「世界史」の動向――リン・ハント『グローバル時代の歴史学』

成田　『思想』は歴史学の動向に敏感で、歴史学の重要な節目に発言し、新しい課題や方法を紹介したり、問題を提起してきました。たとえば、「社会史」の特集(一九七九年第九号)は、いまだに言及されるものとなり、国民国家と歴史についても「特集　近代の文法」(一九九四年第一二号)をはじめ、さまざまに言及してきました。

　さて、今、「世界史」が動いているという認識が共通にあります。そこでは、どのような議論がなされ、何が課題とされているか。歴史を〈語る〉――世界史像を描くという営みに焦点をあて、歴史学の現在のさまざまな試みを史学史さらに歴史教育を視野に収めながら考えてみたいと思います。イギリス史の長谷川貴彦さん、歴史教育について活発な発言をされている小川幸司さんと、日本史に足場を置いている私と、三人で議論をしてみたいと思います。

　「世界史」が動いていると言いましたが、そのことは近年の出版物の傾向にうかがえます。評判を呼んだ、マクニールの『世界史』(中央公論新社、二〇〇一年／二〇〇八年)やダイヤモンドの『銃・病原菌・鉄』(草思社、二〇〇〇年／二〇一二年)といった著作も、さまざまな問題を、世界史という射程で考えなおそうとする試みのひとつでしょう。世界があらたな段階に入っているという認識のもと、それを歴史の射程で把握し、世界史として議論をするということです。歴史学以外の分野、例えば、社会思想を鋭敏に考察している人たちも、世界史を焦点化しています。日本の社会思想・哲学について問題提起をしてきた柄谷行人さんは、『世界史の構造』(岩波書店、

成田龍一氏

二〇一〇年／二〇一五年)、『帝国の構造』(青土社、二〇一四年)という書物を出しました。また、幅広い視野を持つ社会学者の大澤真幸さんも宗教をはじめとする人類の営為を「〈世界史〉の哲学」として長大な時間的・空間的射程のなかで探り、浩瀚な著作を刊行し続けています(1)。

ビジネスマン向けの雑誌から一般書、歴史学の動きも活発です。でもが世界史に着目していますが、歴史学以外の学知まで、たとえば、すぐに「グローバル・ヒストリー」という潮流が想起されます。まずは、長谷川さんが訳されたリン・ハント『グローバル時代の歴史学』(岩波書店、二〇一六年)を入り口にして歴史学の動向を考えてみましょう。

長谷川　仰るとおり、アカデミズムの内外で世界史ブームと言ってよい状況だと思います。成田さんが挙げられたもの以外でも、ミネルヴァ書房から出ている「世界史叢書」は外せません。グローバル・ヒストリーの系譜の研究者や、植民史研究の研究者など、多様な研究者が集まって、世界史をテーマに大部のシリーズの刊行が始まっています。あるいはユヴァル・ノア・ハラリ『サピエンス全史』全二巻(河出書房新社、二〇一六年)が翻訳されて三〇万部、あるいはデヴィッド・クリスチャンらの『ビッグヒストリー――われわれはどこから来て、どこへ行くのか』(明石書店、二〇一六年)は宇宙の歴史ですが、世界史を人類史、あるいは宇宙の歴史まで含む、「大きな物語」として語り直そうとする試みが進んでいます。こうした一種の「世界史ブーム」は、時代状況というだけでなく、歴史研究の現状から、一種の必然性を持った動向として出てきているように思います。

その背景が、ハントの『グローバル時代の歴史学』でよく分かります。ハントによれば、今の歴史学は、かつてあった四つのパラダイム――マルクス主義、近代化論、アナール学派、そしてアイデンティティーの政治――が文化史に取って代わられた、といいます。

文化史自体は一九世紀にすでに存在しているのですが、それはエリートの文化、教養の文化が対象であって、その後次第に民衆の文化、民衆の日常性に関心が移っていく。この辺りの流れは、ピーター・バーク『文化史とは何か』(法政大学出版局、二〇〇八年)に詳しく展開されています。

文化史が主流となった背景には、人文学全体で起こった「言語論的転回」があります(2)。ハントは一貫してポスト構造主義に依拠した言語論的転回・文化論的転回を主導してきましたが、そうした問題提起を受けて一九七〇年代、八〇年代以降の歴史学全体の動向も、文化史に移行していったわけです。

しかし、ハントによれば、それもまた限界にぶつかっている。一つは、その文化史というものが文化決定論、つまり今までの経済決定論とか社会決定論を引っくり返しただけではないか、ということです。そうなると、文化や言語が、今度は経済に代わって規定的な役割を果たすようになります。そういう単純な還元論的アプローチに帰結してしまった。もう一つは、対象の断片化ないしはミクロ化です。食事の歴史とか、日常生活の細部へと関心が吸い寄せられ、「大きな物語」や「パラダイム」が消失していきました。

社会史から文化史にいたる流れの中で、こうした袋小路に入りこんだ歴史研究への応答として、グローバル・ヒストリー、ディープ・ヒストリー、そしてビッグ・ヒストリーというカタカナ語の「大きな物語」が復権を進めてきており、「パラダイム」を提供する存在になっている。これがハントの整理です。

「転回」の複数性とグローバル・ヒストリー

成田 あらためてふりかえると、グローバル・ヒストリーについて、『思想』は、すでに二〇〇二年第五号で特集を組んでいます。フランスの『アナール』誌のグローバル・ヒストリーの特集(二〇〇一年)に基づく特集でしたね。また、もう少し後になりますが、水島司『グローバル・ヒストリー入門』(山川出版社、二〇一〇年)が出されました。日本語でのグローバル・ヒストリーに関する早い時期の代表的な案内で、目配りよく代表的な著作をとりあげ、的確な整理と評価がなされています。

水島さんは、グローバル・ヒストリーは、(これまでの歴史に対し)時間と空間を大きく広げ、戦争や政治、経済活動や文化など広範な事象を扱い、疾病や環境、人口や生活水準といった新しいテーマを対象とすると述べています。そして、ヨーロッパ中心的な認識を相対化し、地域間の連環—相互関連・相互依存を扱う地球規模の新たな歴史学のパラダイムである、と説明しました。

小川 グローバル・ヒストリーが、これまでの世界史像が西洋中心史観に陥っていたことを批判してきた意義は非常に大きいと思います。西洋近代が普遍的で、かつそれが正常な歴史発展であるという世界史像を批判したウォーラーステインが登場し、そのウォーラーステイン自身も実は西洋中心史観の一変種なのではないかという批判とともに、アジア経済の世界史的意義に着目する世界史像が、ポメランツや日本の研究者、特にアジア史やイギリス帝国史の研究者たちから提示されてきました。こうしたグローバル・ヒストリーは実証的な経済史研究による空間論的な転回であるとともに、これまでの歴史学が拠ってきたパラダイムを転回させたという意義があるでしょう。

成田 さきのミネルヴァ書房の「世界史叢書」も、小川さ

長谷川貴彦氏

んが指摘されるように、ヨーロッパ中心史観を崩す方々が編集委員として加わっています。桃木至朗さんは東南アジア海域という課題設定をし、南塚信吾さんは東ヨーロッパの領域から考え、羽田正さんはイスラム社会から接近することによって、ヨーロッパ中心主義を見直しています。

単に相対化するという以上に、それぞれの地域世界とヨーロッパ社会との接触、そこでの相互の変容を指摘します。ですから、秋田茂さんはイギリス史が専門だけれど、アジア経済とイギリス経済との関連を考えており、意欲的な方々が集合した、壮大なプロジェクトとなっていますね。

ただ、以上の流れの中では、ハントが強調する「転回」は焦点化されておらず、いや、関心すらないようにみえます。このことをどう考えたらよいでしょうか。

長谷川　グローバル・ヒストリーについて、リン・ハントは、いくつかの潮流があることを指摘しています。

ひとつは、トップダウン型と呼ばれる、ウォーラーステインやグンダー・フランク、あるいはポメランツらによる経済史です。彼らが、数量的なアプローチから資本主義の発展を説明するある種の近代化のストーリーを描いている。これに対して、近代に必ずしも直接つながるものではない文化現象を含んだ、近世を中心としたトランスナショナルな動きを描き出そうとする、ボトムアップ型と呼ばれるようなグローバル・ヒストリーがあります。

いずれも、世界的な規模で「大きな物語」を描こうとしている試みである点では共通しますが、言語論的転回や文化論的転回を唱導してきたハントから見れば、これまで日本に紹介されたグローバル・ヒストリーは、主として「上から」のトップダウン型の経済史だということになるでしょうね。これに対して、経済的な現象を理解する上でも、嗜好や識字率などを含めた文化から捉え直す、あるいは「主体」というものを組み込んだ形でのボトムアップ型のグローバル・ヒストリーないしはトランスナショナル・ヒストリーを強調しているのがリン・ハントなわけです。

そのことを、別のかたちで論じているのが、『アメリカン・ヒストリカル・レビュー』の二〇一二年の特集です。その中で、ゲイリー・ワイルダーというアメリカの人類学的な帝国史家が、「転回」の複数性を論じています。例えば、文化論的な転回、言語論的な転回、あるいは空間論的な転回

小川幸司氏

（そこにグローバル・ヒストリーや帝国史等も含まれると思うのですが）、それらが個別に転回していく。しかし、そうなると、空間論的な転回という意味でグローバルな視座からものを見た場合、他の転回は組み込まなくていいのかという問題が出てくるわけです。実際、あるひとつの転回だけを強調して、帝国史だ、グローバル・ヒストリーだと言ったところで、しかしその中で使われている手法を見れば、多くはやや古風な政治史や経済史的なアプローチに留まっているのではないか、とワイルダーは批判しています。「転回」は、複数の転回が相互に影響し合いながら進んでいく。この視点というものは、欠かすことができないだろうと。

そういう意味で、文化史研究、あるいは文化論的転回に基づく成果を踏まえたグローバル・ヒストリーでなければ、過去の研究の成果と切断されてしまいます。そういう危険性もはらんだものとしてグローバル・ヒストリーを見ていく必要があるだろうというのは、ハントやワイルダーなどに共通した見解と言っていいと思います。

小川　ハントのグローバル・ヒストリー批判は、大変重要な論点を出していますね。ハントは、グローバル・ヒストリーがパラダイム・チェンジをしてきたのだといっても、実はグローバリゼーションと近代における西欧の支配を所与の前提として、近代産業資本主義への道のりの中で誰が成功して誰が失敗したのかということを、近代国民国家のリストのなかから選ぶことと大差ない結論になってしまうのではないか、と言うのです。ただし、日本のグローバル・ヒストリー研究は、欧米の歴史を理念化した「近代化」モデルを相対化するような、近代以前のアジアの個性的な政治社会の形成のあり方を描き出す、岸本美緒さんや宮嶋博史さんの近世アジア史研究と接合しています。必ずしもハントが言うような近代化の成否さがしに収斂してしまうわけではありません。

でも、私はこうも考えます。グローバル・ヒストリーが描く世界史像のように歴史像が大きくなればなるほどに、読み手の側は歴史家が提示する歴史像を受け身で消費するだけになり、その結果、歴史と自己が離れてしまう逆説がおこるのではないでしょうか。読み手の側が、グローバル・ヒストリーを「アジアの奇跡」の背景を説明してくれるサクセス・ストーリーとしてのみ受容する可能性も否定できないと思います。

あらためてハントに戻るならば、長谷川さんも指摘した、複数の「転回」の接合が必要だという議論は、非常に意義深いことだと、私も思います。ハントは、あらためて「社会と自己の再考」(第三章)というテーマを立てて、「身体化された自己」という視座から自己とグローバル・ヒストリーが接触する多様なありようを考えていき、そこに「下からの」グローバル・ヒストリーの可能性を見ようとします。二項対立して乖離しているかのように見える事象が、実は構造的に関係しあっていることを見つめていく。この点が、非常に新鮮です。

長谷川　ハントの書の最終章「フランス革命・再論――新しい「身体化された自己」へ」は、彼女の歴史理論に基づいた試論です。グローバル・ヒストリーや「身体化された自己」の議論を組み込みながら、宗教改革からフランス革命に至るプロセスを再考しようとしています。

グローバル化の中で、コーヒーや奢侈品に刺激を受けながら、「新しい自己」というものが形成されていく。それが、コーヒーハウスに集う人々の身体的な状況を規定し、そうした人々がコーヒーハウスなどの場を通じて意見を表明して、アンシャン・レジームに対する対抗的言説を形成していった、と。

小川　歴史を分析するスケールを時間的、空間的に拡張していくときに、その空間や時間で動く人間＝主体をどう捉えるかという問題ですね。

長谷川　その点について、『グローバル時代の歴史学』は、ニューロ・ヒストリー(神経史学)に注目して、人間の「主体性」や「自己」を心理や意識の次元の問題として展開しています。

これまでの「人間」概念というのは、社会的に構成された概念として個人が社会契約の基盤となるものとして語られてきました。そうした近代的な人間観ではなく、現在では身体化されたところで、脳の意識や心理・情動などの内面に注目しようとする動きが登場しています。

この書物では、その繋がりが少し分かりにくいかもしれませんが、このニューロ・ヒストリーは、ディープ・ヒストリーの台頭と関連があります。ディープ・ヒストリーは、冒頭で紹介したハラリの『サピエンス全史』が典型的ですが、いわゆる文字資料を持たない先史時代を含めた人間の歴史というものを、人類学あるいは脳科学に依拠しながら分析しようとするものです。ディープ・ヒストリーの基礎にある脳科学の知見をもちいて、「「自己」の系譜」として個人や主体の在り方を問い直す議論も、ハントの書の重要な一部となっています。

小川　そうした主体の在り方の問い直しとグローバルな視点が結びついていくところが面白いですよね。人と人が出会って、そこに間主観性が生じるところに権力作用が生じます。その権力作用の連鎖に着目することでグローバル・ヒストリーのさらに新たな可能性が広がります。非常に面白い議論だと思いました。

長谷川　そうですね。そこに主体として埋め込んで、どういうふうに動いていくかという、そこもまた問題になってくるっていう。

成田　「主体」については、さまざまに議論が積み重ねられてきました。かつての「主体と構造」という問題の立て方から、主体化に伴う秩序への従属―服属をいうフーコーの議論を経て、「歴史の主体」と「歴史を語る主体」との関係への着目まで、たくさんの論点が出されています。

また、エージェンシーという議論も重要です。これまで、主体といったとき、しばしば歴史家にとって都合のよい主体―アクターがとりあげられてきました。しかし、単純に能動性／受動性と振り分けられない主体として、エージェンシーの議論が持ち出されます。

加えて、歴史を語る主体という論点も入り込み、「主体」は、歴史叙述のかなめとなるのですが、歴史教育においては生徒たちに目の前で歴史叙述を実践することになり、論点がいっそう凝縮して出されてくる場となってきますね。

2　「世界史」はいかに語りうるか――歴史叙述と教育

歴史叙述の新地平――小川幸司『世界史との対話』

成田　考えてみると、世界史の見直しは、日本だけでなく、アメリカをはじめ世界的にも、歴史教育と結び付きながらなされています。油井大三郎さんが会長を務める歴史教育を考える高大連携歴史教育研究会も、二〇一五年に結成されています。

日本における歴史教育と世界史の見直しの系譜を辿ると、近年多くの言及がなされるようになっていますが、上原専禄編『日本国民の世界史』(岩波書店、一九六〇年)が重要な役割をもつでしょう。上原さんの営みを、吉田悟郎さん、鈴木亮さんらが引き継ぎ、その延長線上に、現在の歴史教育と連動した世界史の見直しがあるとすらいえます。

他方、指摘することにとどめておきますが、世界史認識ということをやや巨視的に見たとき、大塚久雄さんを出発点に置き、江口朴郎さんを挟んで、世界システム論を基盤とした川北稔さんの議論があることと対応しているようにみえます。

つまり、歴史学の世界史認識―方法の問題と、教育における世界史―叙述の課題を追究する潮流があります。戦後からはじまる歴史認識の方法論的な転換・変遷と、教育の場で模索されてきた試みの系譜がそれぞれにみられるなか、その合流した地点に位置するのが、小川さんの大著、『世界史との対話――七〇時間の歴史批評』(全三巻、地歴社、二〇一一―二〇一二年)である、というのが私の見立てです。世界史の大きな流れと、世界史認識の多様性が、深く練られた方法と周到な叙述によって大河のように提供されています。こうした営みを個人でなされたのは驚異的なことで、圧倒されます。

小川さん自身の言を借りれば、この営みは、三つの層を持って世界史を描き出すということになります。第一の層が「事実関係」を示し、第二の層はそれを「解釈」し、第三層はそれに「批評」を加えるということ。大方の歴史書は、出来事―事実を説明し、それに解釈を加えて叙述としますが、それに批評を加えたうえで、世界史叙述としています。ここに、小川さんの方法―叙述の特徴があります。

本書が提起する論点は、四つあると思います。まずは、「世界史」という領域を浮上させたことです。小川さんは「はさみとのりでもって世界史というものを描いた」――つまり、一次史料を使う歴史研究としての世界史と区別し、みずからの世界史叙述を規定します。世界史の研究を解読し、再解釈し、あらためて総合的な叙述を行う営みですね。歴史学は、個別の問題意識に基づき、個別の事象を取り上げ分析をおこないますが、小川さんはそれらを集合させ、あらたな認識と問題意識により世界史として再構成し叙述していきます。

一次史料を解釈するだけでは、世界史はそもそも構成できない――いや、そもそも一次史料と二次文献とを分節する必要があるか、ということも連想させる問題提起＝営みです。つまり、世界史を問い、世界史を叙述することは、研究と叙述のあり方を見直す試みに他ならないことを、本書は示しています。これが第一点です。

二つ目の論点は、叙述の主体にかかわる問題です。章（講）ごとに工夫された叙述の一つひとつに、小川さんの世界史の解釈と再解釈が組み込まれていますが、これは批評であると同時に認識であり、さらにそれが叙述になっています。この作法が世界史という領域を浮上させる一方、世界史を語る「私」を織り込む叙述となりゆきます。（解釈を介して）世界史を語る主体である「私」を明示するとともに、「私」がいかなる問題意識をもつかが語られ、ときに自らの成長過程を記し、そのことにより、いかに世界と向き合うことになったかということ自体が問題化されます。第一の点と響きあい、方法や問題意識が異なる多様な世界史研究を、「私」が再解釈、総合化する際の問題意識を明示し（自らの歴史といまを組み込みながら）、世界史叙述を遂行していきます。小川さんは、方法それ自体を目的にするのではなく、叙述として実践していることが特徴的です。

そのため、『世界史との対話』は、世界史研究のさまざまな分析手法、さまざまな叙述を参照し組みあわせていますが、もとの研究の祖述とは異なっています。小川さんによって召喚されたさまざまな主体が登場し、あらたに動き出します。本書全体を通じて、「読ませる」歴史書となっています。

このことは、第三である、叙述の工夫につらなります。小川さんは、出来事を理解するのに必要な事項を情報として書き込み、出来事を連接し、接合し、組み合わせて歴史像へと紡ぎ合わせていきます。具体的な対象はある事件であり、しばしば一人の人物です。小川さんは対象にぐっと接近し、その事件なり、人物をとりまく歴史的な文脈を構成し、論点を提示します――本来ならば、ばらばらなものを自身の歴史認識によって総合化し、叙述しています。ちょうど映画が、カットを重ねてシーン、そしてシークエンスを作り上げる際に、モンタージュの手法を用いることを思い起こさせます。

いまひとつ、さまざまなスケールによる叙述が登場することも指摘することができます。ある場合には個人を扱うのですが、別の章では地域や国家、ある章では海域を対象とします。導入の章などは、宇宙が扱われています。さまざまなスケールでの叙述が重層化し、相互の関連も語られることとなります。この点は、またあとで議論いたしましょう。

四つ目は、語り手の位置を意識するがゆえに(と、言ってよいでしょう)、「日本」にかかわる叙述が組み込まれていることです。世界史叙述がしばしば日本への言及を欠くとき、本書は日本にかなりの紙数を割きます。自身を語るとともに、日本もまた語り込まれています。

別の観点からいえば、これまでの世界史では組み込みにくかったり、対抗し排除しあっていた対象を包括する叙述になっているということです。マクロとミクロ、ローカルとグローバル、ナショナルとインターナショナル、そして歴史の方法と歴史の叙述にいたるまでが、『世界史との対話』では扱われています。歴史理論＝論理の次元では対抗し、対立するはずの対象―関係が同居しているのですね。歴史学が抱え込んでいる理論的対抗の隘路を、叙述として解消しようという試みであり、歴史教育が持つ可能性を示しているとの感を強くします。

世界史研究は視点の一貫性を強く求めるため、対抗関係の一方の項からのみの解釈―ストーリーを浮き立たせますが、世界史教育は多様な視点を織り込むということになるでしょう。こうして、『世界史との対話』は、戦後の歴史学と歴史教育の歩みの交差点にあると思うのです。

小川　拙著をこのように批評していただいて、こんなに嬉しいことはありません。

歴史教育に携わってきた私の問題関心は、上原専禄の「鋭くされた問題意識と、強められ豊かにされた生活意識から再出発して、世界史認識のための努力を続けていくならば、われわれはいっそう鋭い問題意識と、いっそう強い豊かな生活意識とをもつことができるようになる」(『日本国民の世界史』)という構想、つまり問題意識・生活意識と世界史認識との往還関係をつくる構想を、どのように現実の歴史教育の場で実践するかということです。というのも、上原の構想が日本の世界史教育でどれだけ実現されてきたかについて、私はかなり懐疑的なのです。

確かに、上原を中心とする『日本国民の世界史』は、ヨーロッパの歴史発展を普遍的なものと見ることへの反省から、さまざまな地域の歴史を対等に重視しようとしました。これは日本の世界史教育にも大きな影響を与え、欧米と中国だけに偏ることなく多様な諸地域世界が高校生に教えられるという一大特色になったと思います。しかしながら、網羅的な歴史事象が所与の知識として高校生に教え込まれているので、学びの主体である高校生は暗記地獄に呻吟することになります。高校生の問題意識・生活意識が世界史認識との豊かな往還関係を形成しているとはとても言えません。それは同時に、みずからの生み出した成果を啓蒙という姿勢でしか市民に示せない歴史学自体の一つの限界が、ここに表れているのではないかと私は考えます。

知識を暗記させる客体ではなく、歴史事象を考える主体として高校生をとらえたときに、世界史叙述をどのように変えなければならないかを、私は模索してきました。そのためには、私という主体がどのように形成されてきて、その私が世界史をどう論じているのかということを、生徒一人ひとりの主体に投げかけて考えてもらうという構造を、世界史という枠組みで実現することが、拙著の目的となったのです。もちろん実際の授業では生徒の側からの応答・発言も大切になってきます。そして生徒自身が世界史を見つめる自分自身を対象化し、主体化していくのです。

成田さんの仰る通り、これは歴史教育の試みであるとともに、歴史学の試みでもあると意図していました。「はさみとのり」でできた歴史という言葉を使いながら、そもそも世界史というのは何がしかそういうものではないのか、という問題提起をした次第です。

成田　必修や受験という制度を離れたとき、世界史は生徒にとって、どのような意味があるか、という問いかけですね。教室という場に集う生徒は、それぞれが背景を持ち、いくらか大仰に言えば、それは世界の現状・状況に通じています。生徒の一人ひとりが、世界史を媒介にして、世界に開かれていくことを、いかに可能とするか……。

グローバリゼーションのもとでは、「いま・ここ」が重視され、歴史が捨象され、歴史を共有する「共同性」は根拠を失っていきます。歴史を伝達するという点からいうと、啓蒙ではない教授法が探られることになります。伝えることにより、生徒が学び変わるとともに、「私」自身も変わり、あらたな共同性をつくりあげる――「変わる」ということを相互に分け持つかたちでのありようの模索となるでしょうか。

小川　歴史叙述の問い直しをすることは言語論的転回を肯定することになり、これに対しては、「構築主義は歴史を恣意的に解釈する歴史修正主義を許容する」という批判が当然出てくるでしょう。しかし、私たちが歴史事象の解釈を行うときには、今の問題関心からふさわしい事実を取りあげて事実間の解釈をして歴史叙述をする、現在から過去への問いかけと、さまざまな過去の事実や史料群から解釈をして歴史叙述をする、過去から現在に向かう問いかけの二つがあります。大切なのは二種類の問いかけどうしのあいだでの応答＝対話を行い、最終的には「現在から過去への問いかけ」のほうを鍛えていくことです。これは、かつて二宮宏之さんが問題提起した「二重のオペレーション」(「歴史の作法」、『二宮宏之著作集一』所収)です。二宮さんは「二重のオペレーション」によって過去が再構築され、物語られるのだと、言語論的転回をふまえて論じるとともに、今の高校世界史は「天から降ってくる歴史」であり、「歴史の客観性という神話の戯画化された姿」であると痛烈に批判しています。私は、宇宙から現在までの長い時間的射程と、地球全域という広い空間的射程をもつ世界史だからこそ、「二重のオペレーション」を高校生とともに試みられると思っています。

「歴史家」とは誰か――保苅実『ラディカル・オーラル・ヒストリー』

小川　本書を著すうえで私は、成田さんの『〈歴史〉はいかに語られるか――一九三〇年代「国民の物語」批判』(ちくま学芸文庫、二〇一〇年)に大きな影響を受けています。この著作は、言語論的転回の手法を、一九三〇年代日本の歴史記述に対する分析に見事に結実させています。その際に、歴史記述を歴史研究だけではなく小説やルポルタージュや教育実践等に広げて対象化しています。そして、それら歴史記述の生まれる現場というものを重視しています。そのうえで一九三〇年代において、日本社会がそれまで追求してきた近代というものの成果が形になるとともに、近代の行き詰まりが露わになってきたとき、当時の様々な歴史記述はその矛盾に気付きながら、逆にそれを隠蔽していくことになった。それはなぜかということに、本書は分析の焦点をしぼります。

私にとってとくに印象深かったのは、その歴史記述者が現場の当事者と読者の双方に対して二重の啓蒙をしようとしたことが、現場の「いのち」の質感への感性を失わせ、さらには読者の「いのち」に対しても鈍感になっていった点です。

実は、現在の歴史教育が同じ構造をもっているのではないでしょうか。つまり、教室という現場で出会う生徒たちにもっと違う世界史学習があるべきだと思いながら、大学入試(ひいてはそれに対応できる学力をつけられたかどうかが自分の評価になること)とか国民の基礎教養の必要性とか、別の要素を基軸にすえて、生徒を前にした時の自分の懐疑に蓋をしてしまっているわけです。この問題に共通する根本には、歴史記述者がもつ啓蒙的なスタンスというものがあります。私は自分のことを抉られているように感じながら、成田さんの著作を読みました。

もう一つ、早くに亡くなられた保苅実さんの『ラディカル・オーラル・ヒストリー』(御茶の水書房、二〇〇四年)が、私の中では成田さんの本と緊密に結び付いています。昨年、歴史学研究会が刊行した『第四次　現代歴史学の成果と課題』全三巻(績文堂出版、二〇一七年)でも随所で本書は言及され、特に第三巻では「歴史実践の現在」と、サブタイトルに保苅さんの言葉が冠せられました。

保苅さんは、日常的実践において歴史と関わりを持つ諸行為を「歴史実践」と呼び、その歴史実践を行う主体どうしがいかに対等でありうるかという問題意識を持っています。今までの歴史研究者であれば、たとえ白人の侵略の歴史に批判的なスタンスであったとしても、文字史料や非文字史料を読み込みながら客観的で正しい歴史を知っているという立場でアボリジニに対して臨んできました。その西洋近代の系譜につらなる啓蒙的な生き方を、保苅さんは拒否するわけです。ケネディが自分達のカントリーに来たとか、事実としてはあり得ない歴史認識を持っているアボリジニたちを、「間違い」として問答無用に否定することなく、そのアボリジニの歴史実践がほかならぬ保苅さんにとってどのような意味を持つのか、という問題の立て方をします。そうすることで、自分たち歴史研究者の限界を発見し、現場で向き合うアボリジニの歴史実践と自分の歴史実践との接続可能性を探っていきます。この本は、言語論的転回の成果を歴史教育にどのようにつなげていくかについて、とても大切な示唆を与えてくれていると、私は思います。

先ほども少し言いましたが、構築主義の立場に立つと歴史修正主義を是認してしまうという理由で、言語論的転回を拒否する論調があります。切実な問題意識から発せられているわけですが、しかしそれは、「正しい歴史」はあるのであり、日本社会で生きていく高校生は、それをまず「知る」べきだという発想とも容易に接近します。権力と結びついた歴史修正主義を否定する一方で、自分の啓蒙的立場によって高校生に真理の強制をする権力構造がずっと続いてきたのではないだろうか。そのアイロニーについて、言語論的転回をふまえたメタレベルの反省が必要ではないかと、私は考えています。

長谷川　言語論的転回について、少し整理する必要がありますね。言語論的転回には、幾つかの系譜があると思います。歴史家の叙述とか語りというものを対象化する場合は、物語論的な転回というふうにもいわれます。先ほど小川さんが言われていた構築主義という形で批判される場合は、おそらくこの流れです。ヘイドン・ホワイト『メタヒストリー』(原著一九七三年／作品社、二〇一七年)もこちらの系譜に属すると思いますが、歴史家の語りの問題ですね。

それに対して、先ほど私が挙げたハントの研究のように、文化や言語が社会的実態に対して相対的に自律性をもっている点を強調する研究に顕著ですが、語り手ではなく、分析対象のほうに言語論的転回の分析手法を持ち込むというような潮流もあります。思想史で例えば、ステッドマン・ジョーンズの研究に見られるような、階級という言語とイギリスの当時の階級の実態が齟齬をきたす、その軋轢なり緊張関係なりを描くようなアプローチがありますけども、そういう対象の分析に用いる場合の言語論的転回というのもあると思われます。

日本では、言語論的転回の紹介のされ方に問題があって、近年の慰安婦問題が典型的ですが、自由に好き勝手に物語を構築できるという意味で受容され、歴史修正主義的な「国民の物語」を創出するために利用されてきました。真摯な歴史家が、それに対して強い反発、批判を行ってきたのは確かです。

しかし、そのような物語論的転回は、一九世紀末からランケの実証主義批判のために出てきたベネデット・クローチェやR・G・コリングウッドのような歴史哲学へのゆがめられた回帰だと思うんですね。こうした実証主義と歴史哲学の対立は、二〇世紀半ばにマルク・ブロックとかE・H・カーなどが、過去と現在との対話という形で、それを止揚したわけです。おそらく、現在の歴史学の成り立ちに関しては、カーやブロックが述べた構図から逃れることはできなくて、言語論的転回もその枠組みの中で再解釈されるべきではないかと思います。

それは先ほど小川さんが言ったような形の研究史との、あるいは事実との向き合い方ということに絡んでくるのでしょうけども、そういう流れで、もう一度言語論的転回を総括する必要があるかなと思います。

小川　言語論的転回を受けた戦後歴史学の再定義を、遅塚忠躬さんが『史学概論』(東京大学出版会、二〇一〇年)の中で試みました。事実立脚性と論理整合性を基軸にして、反証可能性に歴史記述を開いていくべきだと、説得力をもって論じられました。さらに遅塚さんの論点を深めるならば、立脚すべき事実はその確からしさが千差万別であり、遅塚さんの言う「揺らがない事実」だけで歴史記述はできません。多くの「揺らぐ事実」を導入しながら事実立脚性はどう担保されるのか。他方で、保苅さんの問題関心に立って言えば、論理的思考そのものが持つ権力性と論理整合性という参照基準が、どのような関係にあるかも考えるべきです。従って、歴史記述の存立条件には、事実立脚性と論理整合性に加えるべき別の何かがあるのではないでしょうか。

私は、歴史記述を反証可能性に開くという遅塚さんの視点を継承し、歴史実践をしている自分自身を対話によって開いていくこと、つまり対話性をプラスアルファにあげてきました。私と生徒との対話、そして私と歴史事象との対話という、二重の対話性があるかどうかということです。

保苅さんは、歴史への「真摯さ」を大切にしたいと繰り返します。ケネディが来たというありえないことを語る歴史実践が、そう語る人間の「いのち」の軌跡(保苅さんの言葉を使えば「経験」)のなかから紡ぎ出された重みをもっていることを真摯にとらえることで、相手と自分との接続可能性をうみだすのです。しかし、歴史への「真摯さ」という言葉が、保苅さんの歴史実践をうまく表現しているかというと、私にはそうは思えません。たとえば慰安婦問題に顕著なように、「真摯さ」そのものが、歴史をめぐる政治的な争奪戦の対象になってしまうからです。双方が相手の「真摯さ」の欠如を攻撃することになります。

成田さんの著作に立ち返るならば、歴史とは「出来事の意味を他者との関係性の中で記述する」ことを忘れてはならないという表現が、そのまま保苅さんの歴史実践にあてはまるのかもしれません。保苅さんの本は、出会ったアボリジニの人々との対話によって生まれ、そして末期癌の病床で行う自分自身の歴史記述そのものを、人々との対話に開いていきます。その対話の進行そのものがメタレベルの歴史記述となって、つまり声の複数性が歴史記述を構成するという、実に独特な本のスタイルに結実したわけです。だから私は、保苅さんが「真摯さ」と呼んだものは、歴史実践の二重の対話性ではないかと考えます。世界史を、過去に生きた人々の「いのち」と、歴史記述を届ける人々の「いのち」との二重の対話性に開くことです。

結論がきまっていて論理をこじつけるだけのホロコースト否定論は「歴史学」ではなく、「別のジャンルの言説」にすぎないという議論もありますが(3)、私自身は、歴史修正主義もひとつの歴史実践であることは認めたうえで、それがもつ様々な問題点を事実立脚性・論理整合性・「いのち」との対話性において分析し、そして自分の分析を聞き手に開く形で伝えていったほうがよいと考えます。これも実は二重の対話を目指そうとする歴史実践でしょう。

歴史教育においては、知識を教えて啓蒙するといういとなみのすべてを否定しないにしても、しかし最終的には教師の歴史実践と生徒の歴史実践が、対等な主体どうしとして二重の対話に開かれるということを目標にすることが、より一層大切になってくるはずです。主体どうしが対話を行うとき、その素材となる自分の歴史に対する構えについてもメタ次元から対象化される(自分の構えがより慎重になって対話性を帯びる)からです。こうして世界史を叙述する歴史研究と歴史教育の双方が、相互に影響しあいながら、世界史叙述のスタイルを深めていくことが必要だろうと思うのです。

学問と教育をめぐる二重の対話性

成田　歴史の生成の把握と、それを生徒に伝達すること。そのことを歴史の現場と伝達の現場という二重の現場での出来事として認識し、かつ実践すること――この営みを歴史の語りという問題系として整理し、また開くことをめぐっての議論であったと思います。

歴史は「事実」に基づくとされますが、「事実」が決して単純ではないことが明らかにされたのち、どのように事実を確定し、いかにして伝達が可能であるか、という課題が出されました。ことばを換えれば、歴史学／歴史教育が、「戦後歴史学」として人びとを「啓蒙」するありようから、「民衆史研究」による双方向の関係性が模索されたあと、転回後の歴史学／歴史教育としてのあらたなありようが問われているということです。そのキーワードを小川さんは「対話」とするのですね。

このことは、長谷川さんが指摘する、言語論的転回の二つの次元に対応しています。叙述レベルにおける言語論的転回の自覚とともに、史資料のなかにすでに埋め込まれている論点を抉り出すための言語論的転回の実践の双方を、ともに言語論的転回として、方法論的にも認識論的にも自覚しなければいけないということですね。二つの次元における言語論的転回によって、より豊かな叙述と分析が有効であり、可能となるというのは、あざやかな指摘です(4)。ただ、双方は別ものではないでしょう？　この二つを分節することで問題はよりよく見えるけれども、実際のプロセスとしては、重なって現れるのではないですか。

長谷川　それは重要な問題です。先ほど述べた言語論的転回が影響を与えうる二つの領域（叙述と資料解読）は、実際の歴史家のオペレーションのなかでは、重なっていて中間的な形態を取る。常に歴史家は解釈しながら、その資料と向き合って読み込んでいく。ですから、その重なり合う領域が一番重要であり、歴史家の実践も、中間的領域でおこなわれているのですね。具体的な資料に取り組むなかで、歴史家がどういう思考のプロセスをたどったかを問題化するところに、言語論的転回の影響が現れてきているというのが、歴史研究の現状と言えると思います。

例えば、カルロ・ギンズブルグがヘイドン・ホワイトと論争する中で、資料を読むときにも解読のプロセスの中に歴史家の主観が入ってくるという点を強調して、歴史家の実践に即しながらホワイトを批判しましたが、同じようなことが、今、私が言語論的転回の二つの類型として挙げたものの重なり合う領域で、歴史家の実践に入り込むかたちで出てきている。

今はおそらく、そういうところで言語論的転回の有効性が評価されるという段階に来ているのではないかと思います。言語論的転回にイエスかノーかじゃなくて、それを前提としながら、資料解読や叙述のところでどういうメリットがあるかを示す段階に来ている。そういうことが、アカデミズムの歴史家の最先端のところでは言えるのではないでしょうか。

成田　となると、小川さんの「二重の対話」の提起と、長谷川さんの「言語論的転回の二つの次元」の分析は重なってきますね。授業実践の場においても、歴史学の叙述の提供においても、それらが融合する中間領域的な場を設定することが可能であるように思います。

小川　歴史実践の主体どうしの対話は、それぞれの主体の歴史の構築の仕方を議論することになります。では、生徒と歴史との対話はというと、これを成立させるためには、長谷川さんが言われた対象自体にかける言語論的転回を、教育の場でもせざるをえなくなります。具体的には「天から降ってくる」通史が展開する教科書ではなく、過去を素材にいくつもの問いを考える思考の誘発装置としての教科書への転回です。教科書又は教材の転回は必須でしょう。

現在、アクティヴ・ラーニングへの転換が流行です。それは私も否定しませんが、形式だけで解決するわけではなくて、空疎な議論を延々とする危険性もある。大切なのは、あくまで対話の質です。討論型でなくても旧来型の講義にアレンジを加えることでいくらでも対話は可能になるはずです。このような世界史の授業の地平は、皆さんがおっしゃる中間領域的な場の創出につながるのではないでしょうか。

成田　そうですね。『世界史との対話』は言ってみれば講義型ですね。形式的にいえば、討議型の方が生徒の実践―主体を前面に出しているように見えるけれども、いやいや、講義型でもその可能性が追求できるということですね。ことは、形式に単純に還元されるのではない、ということになります。

保苅さんの議論と重ねて言えば、彼がアボリジニの老人たちの話に寄り添ってしまえば、彼らの物語に自らの主体を投げ出すということになります。そうではなく、その物語を主体的に受け止め、そのことにより彼らとの対話のきっかけをつくるということ。保苅さんが直面した課題は、研究論文／授業という歴史叙述の実践の場でともに問われています。

3　世界史のなかの「世界史」
――新しい語りの陥穽と可能性

歴史は総合化しうるか――「通史」をメタ的に問い直す

成田　最後にもう一度「世界史」に戻って、議論を整理しましょう。ひとつは、小川さんが言われた過去から／現在からという双方からの問い掛け――（過去から問うことで）恣意的でなく、（現在から問うことで）完結した事項としないということです。現在と過去との対話をしていけばいくほど、総合的なものにならざるを得ないということがあります。

歴史で総合的といったとき、「通史」がすぐに想定されます。歴史は最終的に叙述だというときに、しばしば「通史」という叙述形態を取ることとも重なります。通史は、歴史叙述の、あるいは歴史家としての最後の目標であるとも言われてきました。しかし、小川さんの著作は対話の集積であり、通時的ではありますが、慎重に通史となることを回避しています。つまり、通史的な把握に必要な知識はちりばめられていますが、それを通史として制御することを目的としていません。「二重のオペレーション」により対話を積み重ね、そこから課題を開き、問題を探るところに力点があるように思います。小川さんは、通史についてはいかがお考えでしょうか。

小川　そもそも人は、思考の枠組みがあると安心します。世界史教育の枠組みは、東アジア史・南アジア史・ヨーロッパ史といった諸地域世界のなかに、日本史・朝鮮史・フランス史といった各国史が時代区分の目盛りをもって分立する、入れ子短冊型通史＝マトリクス網羅型通史です。そこに歴史事象をシール貼りのように位置づけて歴史認識をするのです。マトリクス網羅型通史が暗記したシールでいっぱいになるほど、「よく世界史を勉強したね」と評価されるのです。私はこうした世界史教育を「素朴な分類学」と呼んできましたが、これらを私たちはいったん相対化すべきだと考えています。

成田　戦後の歴史教育はまさに通史教育で、個別の事象を通史に位置付けることによって、そのもつ意味を明らかにするという作法を有していました。しかしあらためて歴史―世界史の史学史を振り返ると、一九九〇年代から二〇〇〇年代にかけ、通史と異なる叙述の試みがなされています。ある地域のある出来事をモノグラフとして語ることによって、世界―世界史を語るという方法で、『新しい世界史』（全一二冊、東京大学出版会、一九八六―一九八九年）や『歴史のフロンティア』(一九九三年―　、山川出版社。二〇一一年までに二〇冊を刊行)といったシリーズは、ドイツのライン川のほとりのある出来事を語ること、あるいは、インドのある村の事件の顚末を描くことが、世界史を語ることとして提供されました。一つの地域、一つの出来事、あるいは一人の人物のなかに世界史が体現しており凝縮している、という発想に貫かれています。そのとおりであると思いますけれども、小川さんの『世界史との対話』は、それとも異なっていますね。

小川　ここは難しいところなのですが、既成の入れ子短冊型通史を相対化する歴史研究が、そもそも入れ子短冊型通史の予備知識がないところで同じような知的インパクトをもてるのかという問題です。拙著では、高校生のための世界史という観点から入れ子短冊型通史の枠組みはそのまま残し、それをマトリクス網羅型通史とイコールにすることを避けました。

成田　確かに、一つの出来事が単なるエピソードでないという認識は、通史的な知識に支えられています。通史によって、個別性が普遍性へと転化させられます。ですから、この点は本当に難しい。通史的な知識がないと、一つひとつの出来事は個別の出来事に解消され、世界史のなかでのエピソードのひとつであったということになりかねない。しかし、それを枠付けると、それはもう通史的な発想の始まりとなります。「戦後歴史学」は、このことを強く意識するがゆえに、典型に着目し通史を重視してきたと思います。

しかし、その通史が、いまや制度化され、個別性を解消して一つの流れのなかに回収することに忙しくなっています。個別性―個性を統御するという局面があらわになり、そのことを理由の一つとして通史に対する疑念が出され、通史が揺らいでいるというのがこの間の動きであると思います。

けれども、ローカルなものをローカルな文脈で理解すればいいかといえばそうではありません。小川さんは、ローカルのなかから生み出される共通性(普遍と言ってしまうと、またことばがずれてきてしまいます)とその差異を見出す営みをされています。相互に共通するものと、はみ出していくものを見出し、共通性が地域的に、また歴史的に形成されて来る過程を個別的に描く営みということです。別の言い方をすると、比較という概念と方法の「転回」ということになるでしょう。「比較」は歴史学の根幹をなす方法ですが、比較のための視点=軸もまた、歴史から離れてはあり得ません。比較をするための視点そのものも、歴史的に関係的に形成されて来るということです。小川さんは、「戦後歴史学」が方法化していた「比較」に対する批判をおこない、したがって、歴史を通ずる視点=軸の形成それ自身を描き出そうとされていると思います。

「通史」に話を戻せば、通史と書かれたものが通史であるのではなくて、「メタ通史」なるものが恐らくあって、メタ通史の文脈を理解するために叙述の工夫をしているのが『世界史との対話』であるように思います。したがって、各章のなかで重層的な叙述がなされるとともに、各章ごとが上書きをされていくような流れを作っていると読めます。

小川　メタ通史ですか。いつも成田さんには自分が無意識に目指していたものを言語化してもらっていますね。

私は、歴史教育の世界史は、入れ子短冊型通史の枠組みをもちながらも、それが人々によって構築されたものにすぎないことを学ぶことが大切ではないかと考えます。拙著では、短冊そのものが複雑な形をしていること、短冊相互の重なり・融合があること、短冊の境界を超えて展開されるいとなみがあり、その歴史解釈が可能であることを考えてみました。既存の通史を俎上に乗せて、現在からの問いかけや過去からの問いかけをもとに、自分たちがさらにどのような通史(＝メタ通史)を描けるかを生徒とともに考えてみる。そのときの仕掛けが、成田さんから指摘していただいたように、ローカルとグローバルの構造的な連関をみていくことです。「自分―ローカル―ネイション―リージョン―グローバル」という同心円的な星雲状の歴史叙述を短冊型通史枠のあちらこちらに置いてみて、その星雲どうしのあいだを星座的に結びながら、通史を描く自分自身をも対象化するようなメタ通史を試みるのです。「同心円的」とは、ある問題設定に重層的な地域が貫かれていることの表象です。メタ通史とは、モンタージュのような構造になる。これならば、高校の世界史学習であってもできるだろうと思うんです。

長谷川　「大きな物語」としての通史を描くということには、ひとつには因果関係をどのように捉えるかという、歴史学にとって最も重要な問題があると思うのです。これはリン・ハントの本の中でも若干問題にされていますが、かつては、アナール学派だったり、マルクス主義だったり、近代化論であったり、非常に大きなパラダイムが、首尾一貫性をもった理論によって因果関係の枠組みを提供してきました。

しかし今は、それが消滅しているわけです。歴史家は、硬直したパラダイムを提示するのではなくて、緩やかに因果関係によって結ばれる「大きな物語」を提示せねばなりません。そうした志向性が、歴史研究者の間で弱まってきているのではないかと思うのです。

この因果関係の問題に関しては、冒頭で紹介した『アメリカン・ヒストリカル・レビュー』でも、昨年、特集も組まれて考察が進んでいます。そうした問題とも呼応しながら、あえて明快な回答を出すのではなく、実践者としてやれるだけのことはやってくださっている。そういうご本ですよね。

成田　アカデミズムとしての歴史学には、方法を厳密にすればするほど、射程や分析の対象が短く小さく狭くなり、理論が整備されればされるほど個性やローカルな文脈が消されていってしまうというジレンマがあります。そうしたなかで、一見矛盾するものが入り込んでくるような叙述の在り方を通じて、歴史を描くことの原点を考えていく契機が小川さんの仕事のなかにうかがえます。歴史教育のもつダイナミズムと可能性であり、歴史学が考えるべき課題でもあります。

「射程」と「主体」をめぐる研究と教育

成田　ここまで充分に深められていない主題は二つ、「射程」と「主体」です。

長谷川　まず射程のほうで申しますと、この鼎談でも何度も言及しているハントの本に加えてもう一つ、欧米の歴史学会で今、非常に注目されている書物があります。それが、デイヴィッド・アーミテイジとジョー・グルディ『ヒストリー・マニフェスト』で、ハントの本と同じく二〇一四年に刊行されました(5)。

この書物の現状認識は、最初にご紹介したハントとかなり重なるところがあります。一九七〇年代までの歴史学は基本的には長期の視点を取り扱っており、それこそ因果関係の思考が明確で、さらに言えば、そうした歴史認識に基づく現実への問題提起、時には政策提起等も行ってきたが、この二、三〇年それがかなり衰えているという話です。アーミテイジの表現を借りれば、歴史学は「近視眼的な症候群」に陥っている、と。しかし現実には、格差や貧困の問題であるとか、環境問題であるとか、グローバル・ガヴァナンスの問題であるとか、非常に長期的で広い視座を必要とするような諸問題を我々に突き付けているのに対して、歴史学はどうするのか、という問いかけです。これがアカデミズムの研究者だけではなくて、学生、公務員や専門職など多くの人々に読まれているという状況が生まれています。

アーミテイジ自身は政治思想史の研究者で、イギリスのホイッグ史観と呼ばれている一国史的な歴史叙述を帝国レベルで再解釈しようと、空間論的な転回を遂げています。最近の関心は、時間的なスパンを広げる方向に向いているようです。たとえば、最近出た *Civil Wars: A History in Ideas.* (New York: Alfred A. Knopf)でも、内戦の問題を、古代ローマから現代のイラク戦争まで論じています。つまり、思想史研究者として言語論的転回を出発点にしながら、さらに空間的・時間的転回を有機的に結びつけることで、歴史学の現状を批判しながらスケールの射程を拡大して、歴史学の刷新を試みています。

一方、「主体」、特に歴史学における「語り」の主体の問題は、分析のスケールと密接に関係していますが、どのレベルに依拠しながら世界史を語っていくかについて、さまざまな研究が出てきています。

例えば、リージョン。これは「地域」や「圏域」と訳してもいいかと思いますが、ポメランツやグンター・フランクなどのように、ヨーロッパとアジアという地域圏を比較の対象に設定していく。また、ディペシュ・チャクラバルティは、「ヨーロッパを脱中心化する」という形で、かねてから問題提起をしていましたが、ヨーロッパ中心史観を脱構築して、彼はアジアだけではなくアフリカなども念頭に置きながら、ポストコロニアルな視点を提示してきたわけですね。

そういう地域(リージョン)のレベルで比較のように、グローバル・ヒストリーを語る主体を設定するのか。あるいは、「国民」というレベルで設定するのか。例えば、日本という場から世界史を捉え直していくという実践がありました。

先ほど成田さんから、大塚さんに始まり、江口朴郎さんの世界史があり、川北さんの世界史の語りもあるといわれました。この点に関して、イム・ジヒョンという韓国の歴史家は、こうした世界史の系譜というのを、日本と韓国との比較で探っています。韓国や日本という国民国家が主体となって世界史を問い直す歴史研究は、幾つかの波をともなって行われてきました。

例えば、日本では、近代文明の最終ゴールとしてのヨーロッパ近代を目標としながら、それらにキャッチアップするための日本や韓国を描くような、啓蒙主義的な世界史というのもあったし、戦間期、「大東亜共栄圏」と関わって、欧米を超克する形で「日本」を設定する、「世界史の哲学」というのもありました。戦後の歴史学では、再び欧米というものにキャッチアップするような大塚久雄の「横倒しの世界史」もありましたが、基本的には、日本なり国民国家を「主体」として問い直すようなものだったように思います。それを批判するかたちで、従属論や世界システム論、そして現在のグローバル・ヒストリーが登場してくると思われます。

もう一つは、ローカル。リージョン、ネイション、ローカルという形での重層的な構成の末端の方です。例えば、北海道でもいいですし、長野県から見た世界史でもいい。

それから、一番末端まで下りてきて、個人ですね。実際には、家族という関係性もあるでしょう。最近、個人を起点としたグローバル・ヒストリーは、移民史研究などではよく行われているところで、移民の個人史を検討することによって、例えば大西洋を挟んでアメリカに渡ったイタリア移民にとっては、離れていても家族として認識されていたことがわかってきています。離散的な存在であっても家族であるという観念をもっていたとか、また、その移民の経験を語る場合でも、男女、ジェンダーにおいて差異が見られたとか、移民の主観性(subjectivity)に注目しながら、個人のレベルからグローバル・ヒストリーや世界史を語り直すモノグラフが、産出されてきています。

世界史を語る主体はどこにあるのか。リージョンなのか、ネイションなのか、ローカルなのか、個人なのか。そういう歴史のスケールをめぐって、幾つかの実践例というのが登場してきています。語りの主体をめぐって、空間論的な転回を遂げているということなのでしょう。

小川　中野聡さんの『歴史経験としてのアメリカ帝国――米比関係史の群像』(岩波書店、二〇〇七年)は、「歴史経験」に焦点をあてて、アメリカ人、フィリピン人、移民であるフィリピーノ・アメリカン、日本人といった位相を縦横無尽に分析し、「帝国としてのアメリカ」を乗り越えるための道とは何なのかを、模索しています。世界史を語る主体をずらし、比較することで、未来をさぐるたいへん刺激的な試みです。

いっぽう、高等学校の歴史教育では、平成三四年度より実施される新学習指導要領で、世界史の必修がなくなるかわりに、日本史・世界史という区分を取り払った「歴史総合」という科目が新しくでき、しかも必修になります。「歴史総合」では学ぶ対象がローカル、ネイション、リージョン、グローバルと位相を変えていきます。それは同時に歴史を学ぶ主体である自分が、ローカル、ネイション、リージョン、グローバルと拠って立つ足場を変えながら思考するレッスンが可能になってくる。本来の世界史とは、このようなものでしょう。そういう意味でも、歴史教育というものが今、大きな転換期にあり、歴史学の動きと非常に密接な関係にあるのだということを改めて思いました。

成田　歴史の主体／歴史を語る主体については、先にも議論をしましたが、歴史の転換期には必ずと言ってよいほど浮上してきます。いまもまた、そうした過程にあるということですね。

そのときに、ローカル―ネイション―リージョン―グローバルが二重の主体を取り巻きますが、ネイションとリージョンのあいだに海域という新たな領域が設定されたり、個人とローカルのあいだの家族に注目が集まるなど、必ず結節になる領域が同時に浮上してきます。その意味で、これらは同心円的に見えながら、重層的であり、はみ出す領域もみられ、複雑な構成を有するでしょう。さらに歴史の現場といったとき、板垣雄三さんがかつて提起した「n地域」論は、枠組みを固定することを拒否した提言で、あらたな接合と結合の可能性を希求しています。

見逃せないのは、「帝国」をめぐる議論です。かつての帝国主義認識から、ポストコロニアル理論と結びつきながら帝国という把握に推移しています。植民地が独立し事態が完了したのではなく、帝国的な構造や要素、あるいは物的・人的な遺産が存続しており、それを前提に人の移動などが議論され、さらに重層的、継続的に帝国―植民地関係をとらえ、主体の混淆にも着目していきます。こうしたなかでは、歴史を語る主体の立ち位置もあらためて問われ、帝国史を論ずるとき、教室で、教師が誰を代表しながら語るか、歴史叙述において、歴史家が誰を代理して記すかが問題となります。「日本」という場の設定は、この語りの位置にかかわってきます。

さきに言及したように、小川さんの『世界史との対話』には、日本が構造的に組み込まれ、桃木さんや秋田さんたちの大阪大学歴史教育研究会編『市民のための世界史』(大阪大学出版会、二〇一四年)も日本史を融合的に組み込んでいます。このとき、現下、両極的な立場が提出されています。一つは羽田正『新しい世界史へ——地球市民のための構想』(岩波書店、二〇一一年)における「世界市民」という立場で、日本が論議の対象とはなりにくい問題提起となっています(6)。もう一つが、日本という主体を前景化したような過剰な語りで、こちらは枚挙に暇がありません。歴史修正主義の立場からも、また世界史を再構成する立場からも過剰な日本があふれかえっています。冒頭で挙げた柄谷行人さんは、日本を「亜周辺」と位置付けており、示唆的です。

「世界史」のポリティクス

長谷川　「日本」をどのように位置づけるのか、というのは世界史が孕むポリティクスの問題でもあるのでしょう。アカデミックなレベルで空間的・時間的射程を広げていくために、さまざまな方法論的「転回」が付随していかなくてはなりません。それとはまた少し違う話として、歴史教育のレベルでは、それが根本に置いている価値を洗い流してしまっていいのかと言えば、必ずしもそうではない。たとえば、「シティズンシップ」や「デモクラシー」といった価値や理念を消去する形で主体を設定することは、昨今の世界的な状況の中では、いささか問題があると言わざるを得ないのではないでしょうか。

たとえば、「商人」や「エリート」を基軸として世界史をグローバルに語り直すといった時に、帝国主義批判、エリート史観批判などの文脈で取り上げられてきた「民衆」のような存在は、どこかに行ってしまうのではないか。これまでの通史が前提としてきたような価値理念が薄らいでいることに、疑問を感じないではありません。漠然とした感想で恐縮ですが……。

成田　いや、とても重要な問題だと思います。「シティズンシップ」「人権」とか「民主主義」などに対し充分な吟味もないまま限界をあげつらうことへの危惧ですね。むろん、世界史研究のいまの関心は、「シティズンシップ」「人権」などの概念が「西洋」起源をもち歴史的に形成されており、普遍的な価値とはなりえないということにあります。確かにその通りで、これらが自明の絶対的な価値であると思われていた時期には、有効であり必要な考察であったでしょう。しかし、その議論がある程度浸透した今は、その論点を組み込んで、あらたに「シティズンシップ」「人権」を再構成することが肝要であると思います。

かつて世界史は、「階級」と「民族」を自明の前提とし、「生産」と「抵抗」を軸にしており、その視点と叙述は、一九七〇年くらいまではリアリティを有していました。しかし、現在では、その視点から紡ぎだされる世界史像がリアリティを減じ、交換とか交易、あるいはモノやヒトの移動を軸とする叙述がストレートに伝わってくる状況です。このとき、交易や移動に一挙に軸足を移してよいのか。換言すれば、「階級」や「民族」のリアリティは失せ、そうした概念は失効したのか、ということになります。いまだ、「階級」や「民族」を用いずして世界史叙述はできないでしょう。

私は、いまは叙述のなかでリアリティが試され、歴史叙述、それも現在の状況に敏感な生徒や学生に対する歴史叙述の実践としての歴史教育が、その試金石となっていると思います。さきほどの帝国史の話につづければ、帝国史に対する、木畑洋一さんの異議申し立ては重要であると思っています。

「戦後歴史学」は、前近代における帝国の解体から国民国家が出来することを「近代」とし、その国民国家が帝国主義化するとしました。しかし、一九八〇年代に国民国家が揺らぐなか、中心を持たない再編を主張し、ネグリ＝ハートが『帝国』(原著二〇〇〇年／以文社、二〇〇三年)を記します。ポストコロニアリズム論も、こうした帝国論に棹差しています。

対して、木畑さんの『二〇世紀の歴史』(岩波新書、二〇一四年)は、グローバリゼーションの時代を、帝国主義の終焉後として位置づけています。どういう形態での統合になるか現時点で不可視であるため、木畑さんは、帝国主義の相互の争いの下で絶えず被侵略の側に置かれた、アイルランド、南アフリカ、沖縄を通時的に叙述に組み込みます。この定点観測を接点に、帝国主義国同士のパワーポリティクスを考察し二〇世紀の歴史を記します。支配と被支配の複雑な重層性は、たしかに見にくくなるのですが、「人権」や「抵抗」の概念の有効性を示しています。

小川　冷戦の終焉と植民地体制の払拭をもって、帝国世界の時代であった「長い二〇世紀」が終わるという通史を、木畑さんは描きました。これに対して栗田禎子さんが、帝国主義は過去のものになったわけではないと批判しています(『第四次　現代歴史学の成果と課題』第一巻)。「長い二〇世紀」終焉時の「定点観測」において、アイルランドと南アフリカに大きな変化がおこったのに対して、沖縄では「大きな変化とは結びつかなかった」のはなぜか、比較に関わる理論的展望を示してほしかったと、私も思います。しかし、木畑さんは、帝国世界の終焉後に「帝国的構造」が現実には残存していても、「人々の平等性についての国際規範」が決定的に変化したことを重視します。支配されてきた側が歴史の中で手にした希望のあり方に着目するわけです。これには感銘を受けました。

こうした希望のあり方の変化は、世界史のパラダイムを揺さぶるでしょう。例えば、現代の帝国主義支配と近代の植民地進出のあいだに倫理的な境界線を引いてきた世界史の見方を根底的に批判する、永原陽子編『「植民地責任」論』(青木書店、二〇〇九年)は、世界各地でおこされている植民地主義の責任追及と響き合っています。

グローバルというものに着目すればするほど、そこで取り上げる事実は極限化されるとともに、限定化されてくるアポリアがあります。木畑さんや永原さんの世界史は、そのことをどう乗り越えるかということを私たちに問題提起していると思います。

成田　同感です。どのような出来事に、いかなる視点から接近し、叙述を構成するかということですね。

小川　そのことへの反省は、やはり絶対必要です。私たちがどんなに価値中立的に歴史解釈を行っても、歴史実践は最終的には倫理的行為になります。しかし、だからと言って自分自身の倫理的な正しさを掲げて、聞き手を啓蒙しようとするのでなく、自分を相対化しながら互いの倫理的実践を交流し合う、対話し合うような開放性をもつことが、人々の歴史離れを防ぐためにも必要なのではないでしょうか。

成田　小川さんは実践のなかで、「いのち」という視点を提起され、そこから一人ひとりの経験とつながる可能性を探っています。「いのち」もまた歴史的に考察するとき、現在は、その「いのち」に序列が付けられる世界になっていることに気づきます。保護すべき人と、それに値しないとされた人とのあいだに線引きがなされ、人が序列化される掛け金として「いのち」がさらされています。

先の「民主主義」や「人権」と同様に、「いのち」ですらストレートに抵抗の根拠とはなりにくい状況になっています。このことは、叙述の文脈次第では、フーコーのいう「生政治」に加担することになりかねないということです。とくにグローバリゼーションのなかでは、これまでの概念は文脈を変えて来ていることを自覚しなければなりません。小川さんは、「世界史との対話」とは、「過去に生きた人々のいのちの環に耳をすますこと」と的確に述べられています。肝要なのは、「いのちの環」から声を聞き取ることなのですね。こうして、誰が、誰にむかって、誰の経験を、どのように代表し、世界史を語るかをめぐっては、ますます繊細な議論が要請されてきています。

このとき、「日本」もけっして自明ではなく、構成されたものですから、国民国家の集合体としての世界史が成立しないとともに、（日本の立場からという）発話の主体ともなりえません。世界と対話し、世界史に組み込むときには、日本の再定義をくり返しながら叙述していくことになるでしょう。再定義や再解釈の契機をもった問い掛けを含まないと、固定した日本がますます野放図になりゆき、世界史像は硬直してしまうということです。

凡庸な言い方となりますが、再定義を伴いながら叙述を行うこと――このことが、いま世界の認識の変化のもとで、世界史の動きとして対抗的に必要な営みとなるのではないでしょうか。

小川　そのためにも、絶えず世界史を語る主体についての言語論的転回をふまえた点検が必要だと思います。それは、自分の専門性を脱構築していくことです。

夏目漱石が書いた「素人と黒人」（一九一四年）という評論は、今も示唆に富みます。漱石は、黒人（玄人）は輪郭から局部に集中し、局部を見極めていくから輪郭がわからなくなるが、素人の目は全体の把握力について「糜爛した黒人の眸」よりも溌溂としていると、専門家なるものを戒めました。今までの思考の枠組みが通用しない事態の中で様々な自己点検をするとき、夏目漱石の「自分が新しく門を立てる以上、純然たる素人でなければならない」という言葉を、私は嚙みしめたいと思っています。

（二〇一七年四月二九日、於岩波書店）

（1）「古代篇」（二〇一一年）、「中世篇」（同年）に加え、「東洋篇」

(二〇一四年)、「近世篇」(二〇一七年。以上、いずれも講談社)が刊行されている。

(2)　詳しくは、長谷川貴彦「物語論的転回2.0——歴史学におけるスケールの問題」、本書所収参照。

(3)　たとえば、フランスの古代ギリシア史家であるヴィダル＝ナケは、ホロコースト否定論者を論じた『記憶の暗殺者たち』(人文書院、一九九五年)の中で、「スペースシャトルの乗員が数グラムのロックフォールチーズを月に置き忘れてきた」ことをもって「月はロックフォールチーズで出来ている」と結論する人々との「対話」などありえないと論じている。

(4)　長谷川貴彦「ニューレフト史学の遺産」(G・ステッドマン・ジョーンズ『階級という言語』日本語訳への解題。刀水書房、二〇一〇年)

(5)　邦訳は、『これが歴史だ！——二一世紀の歴史学宣言』平田雅博・細川道久訳、刀水書房、二〇一七年。

(6)　もとより、このことは羽田が日本を対象外としているということではない。羽田のグローバル・ヒストリー構想のなかでは、日本も扱われている(羽田正編『グローバル・ヒストリーの可能性』山川出版社、二〇一七年など)。

グローバル・ヒストリーの可能性と問題点
――大きな歴史のあり方――

岡本充弘

「大きな」歴史が関心を集めている。デヴィッド・クリスチャンらが中心となって推進してきた、歴史の始まりをビッグバンにおくコスモロジカルな「ビッグ・ヒストリー論」の翻訳はベストセラーとなった。このことは、ジャレド・ダイアモンドの『銃・病原菌・鉄』、ウィリアム・マクニールの『世界史』に示された関心と同様に、一般の読者の間におけるマクロ的な歴史への関心の高まりを示している(1)。

学問的な場でもマクロ的な歴史への関心は高い。全般的な叙述だけではなく、個別研究を全体的な歴史とのかかわりからどのように論じていくかという問題は、とりわけグローバル・ヒストリー(global history)という言葉が、従来の世界史(world history)に並行して、あるいはそれに代わるものとして登場して以来、しきりに論じられている。それを代表するのが、幅広い領域にわたる国内の研究者の論稿を集めて進行中の「ミネルヴァ世界史叢書」である。おそらくこの叢書やその他の試みをとおして、歴史研究への豊かな可能性が提示されていくだろう(2)。

筆者は一九九三年という早い時期に、『国境のない時代の歴史』という著作を刊行し、グローバリゼーションが進行するなかで、歴史のあり方にどのような問題が生じるかを論じたことがある。またその後もいくつかの機会をとおしてグローバリゼーションと歴史の関係を論じてきた。これらの機会をとおして筆者は、日本の歴史研究や歴史意識がモダニティとナショナリティという枠組みに大きく規定されていること、したがってその枠組みを変化させつつあるグローバリゼーションの進行に伴って、歴史のあり方も変容せざるをえないことを指摘した。またあわせて、ナショナリティに歴史を枠づけたことが必ずしも望ましい結果を生み出さなかったように、モダニティの延長に位置すると考えられるグローバリゼーションに全面的に歴史を枠づけることは、必ずしも望ましい結果をもたらさないのではと論じた(3)。

こうした立場にもとづきながら、本稿ではグローバル・ヒストリーという言葉によって総称されるような近年の歴史研究、歴史論について、そこに見られる歴史へのアプローチが、現在的にはどのような可能性と、そして同時に問題を含んでいるのかを、最近の著作をふまえて検討していく。

一

グローバル・ヒストリーの意味を筆者はかつて小論で、「一、従来の世界史の多くが、自国や自文化の外延に「世界」を措定することによって成立しており、しばしばナショナルな枠組みや、あるいは近代においてヘゲモニックな地位にあった西洋中心主義的な枠組みをもっていたことへの批判。二、地球(グローブ)の歴史という表現にも含意されるように、人類の歴史を巨視的なパースペクティヴから、気候や自然条件などの環境や他の生物・生命体との関係から捉えていくことを一つの重要なテーマとしていること。三、従来の世界史には世界史の基本的法則といった議論などに典型的なように、字義どおり世界を一元的に、包括的に捉える傾向があったのに対して、多元的な視点、いわゆるネットワーク論的な視点から地域、あるいはモノやヒト、さらには情報などの交錯といった問題に着目していること。四、以上の諸点と重なる点もあるが、グローバリゼーションをめぐる様々な萌芽的な議論を試論的に取り入れていること」として整理したことがある。また別の小論で、グローバル・ヒストリーは、世界史(ワールド・ヒストリー)と比較すると、使用される頻度、使用されはじめた時期という点で、新しい言葉だと指摘した(4)。

グローバル・ヒストリーを論じるにあたって基本的なことの一つは、言葉の新しさである。グローバル・ヒストリーという言葉は、グローバリゼーションの進行、当然それはグローバリゼーションという言葉の使用の一般化とも重なるわけだが、現代の世界の変化を端的に示す言葉として一九六〇年代に生じたグローバリゼーションという言葉の使用が一般化するようになった後を受けて、一般化した(5)。グローバリゼーションという言葉は、学問的には社会学や経済学によって先行的にもちいられはじめた。現代の社会において、モノの消費や生活様式の共通化、情報や技術の広がり、これらと関連する資本や商品の国際化、そして多国籍企業の発展などが地球全体に及んだことへの自覚が、この言葉が広く使用される契機となった。グローバル・ヒストリーは、こうした過程の起源や歴史に着目するものとして生じた。

グローバル・ヒストリーについてのバランスのとれたコンパクトな史学史的考察を書いたドミニク・ザクセンマイアーは、一九六二年のハンス・コーンによるものなどを、学問的な意味でのグローバル・ヒストリーという言葉の最初の使用例としてあげている(6)。その後この言葉が学問的な用語として定着するようになるのは、一九九三年にブルース・マズリッシュ、ラルフ・ブールチェンズが編集した『グローバル・ヒストリーの概念(化)』が刊行されて以降のこととしてよい。初期的な段階のものであるにもかかわらず、この論文集に寄せられた論稿は、それぞれ「生態系」「環境」「第三世界」「普遍史」「ポストモダン時代」「移住」「経済」「人権」「音楽」「グローバル・ヒストリー」とグローバリゼーションの関係を、歴史的な枠組みから考察していた。現在のグローバル・ヒストリーでも論じられている基本的な問題が、早くからこのように整理されたかたちで提示されていたことは注目してよい(7)。

同じことは、マズリッシュが入江昭とともに編集し二〇〇五年に刊行したグローバル・ヒストリーをそのタイトルとした最初のアンソロジーについても言える。このアンソロジーに抜粋紹介された二八篇の文章には、早くは一九八二年に書かれたものも含まれていて、そのすべてが必ずしもグローバル・ヒストリーを直接論じたものではない。しかし、編集にあたってとられた「時代区分の問題」「時間と空間」「情報革命」「多国籍企業」「移住」「消費主義」「自然環境」「人権」「非政府組織」「国際主義」「グローバルな文化」「疫病のグローバル化」「テロリズム」「総合化と結論」という区分けは、現在グローバル・ヒストリー論が論じている問題とその多くが共通する(8)。

このようにグローバル・ヒストリー論をめぐる議論が早くから整理されたものとなっていた大きな理由は、グローバル・ヒストリーがグローバリゼーション論の枠組みを基本的には継承するものであったからだろう。両者が関心の対象とするところには、共通するものが少なくない。それは二〇〇二年に刊行されたA・G・ホプキンス編の『世界史におけるグローバリゼーション』からもうかがうことができる。グローバリゼーション論をテーマとしているとはいえ、ここで扱われている個別的事例は、実際にはアフリカ、南米、中東、アジアなどの世界各地にわたる「グローバリゼーションのグローバル・ヒストリー」である(9)。また二〇〇六年にホプキンスは、『グローバル・ヒストリー』と題された論文集を編集・刊行している。収められているのは、主として一九世紀から二〇世紀にかけてのグローバル化の過程でのそれぞれ異なる社会における個別的事例である(10)。グローバル・ヒストリーは、このように本来は世界の(あるいは地球の)ありかたがグローバリゼーションという言葉で言い表されるようになった現在が生み出した歴史研究である。しかし、研究の進展にともない、グローバルな結びつきが時代的にも地域的にも多様なかたちで存在していたことが議論されるようになった。『グローバル・ヒストリー』にもそうした傾向が見られる。最近刊行されたマキシーン・バーク編の『グローバルなものの歴史を書く』、タイトルとしてはワールド・ヒストリーという言葉が含まれているがその内容には最近のグローバル・ヒストリーと重なるものが多いダクラス・ノースロップ編の『世界史の手引き』、あるいはグローバル・ヒストリーを扱った最新の論集の一つであるジェイムズ・ベリッチらが共編した『グローバル・ヒストリーの将来的可能性』、といった論集に寄せられた諸論文にも、そうした傾向がうかがえる。グローバル・ヒストリーを論じるときにまず基本的な前提とされなければならないのは、このことである(11)。

二

既にふれたように、言葉としてはグローバリゼーションは新しいが、歴史的に見てグローバリゼーションがいつ始まったかについては様々な議論が可能である。人類が出現しそれが全地球化したことに基準を置けば、はるかに遠い時代にさかのぼれる。ローマ帝国や地中海世界に起源を置くこともできる。イスラーム社会の影響や中国を中心とする広がりに力点を置けば、それぞれに異なった理解が可能である。さらには二〇世紀以降の変化を強調する考えもある(12)。しかし、現在の段階で広く受け入れられている一つの考え方は、批判もまた少なくないが、ヨーロッパの世界進出が現在のグローバリゼーションの起点となったという考え方である。この考えにしたがえば、人々のグローバルな結びつきの広がりを決定づけたのは大航海時代であったとされる。地球が球体であることを確認した大航海は、ヨーロッパとアフリカ、アジアへの結びつきをより緊密なものとし、さらにヨーロッパを新大陸へと結びつけた。非ヨーロッパ社会もまたヨーロッパをその認識の対象として取り入れるようになった。ヨーロッパと世界とのこうした結びつきは、ヨーロッパの経済的変化、さらには社会的、文化的変化を生み出した。植民地化した地域をはじめとする新しい世界とのかかわりは、ヨーロッパにおける資本主義の形成と工業化の起点となった。工業化を媒体としながら、多くの国々は自らを近代国民国家として組織するようになった。そしてその一部は帝国化し、被支配地域の政治的、経済的、そして文化的自律性を剝奪した(13)。

近代的な歴史学は、そうした近代国民国家において成立したとされる。したがって近代的な歴史学は、モダニティとナショナリティをその基本的要素としていた。科学性とか客観性という近代の言説をその根幹に置くと同時に、近代世界において大きな役割を果たすことになる近代国民国家との一体性を抜きがたく保持していた。近代国家の庇護のもとに置かれた大学などの研究機関において、実証にもとづく事実の記述を基本として発展した近代歴史学は、モダニティが生み出した思考様式を根拠としながら、実際には驚くほどナショナルな空間において営まれた(14)。アイロニカルなことに、「科学性」や「事実性」を根拠にミクロ的なレベルまで実証が深められれば深められるほど、そこから生み出されるミクロ的事実は、単一のマクロ的なナショナルなものを単位とする歴史の一端を構成するものとして嵌め込まれていった(15)。

世界史はそれを補完する役割を果たした。そのあり方は、それぞれの社会が世界史にどのように位置づけられるかによって異なった。近代を結果的には中心的に推進することになる欧米においては、しばしば世界史は自らを中心として、その外延部に周縁的な社会が取り込まれていく過程を説明するものとなった。対して、この過程の外延部に置かれた社会では、自ら自身の歴史とは異なるものとして世界史が並置された。日本における日本史と世界史の区分はその代表的なものである。しかし、いずれにせよ歴史はきわめて自己中心的なものとして構築された。欧米では、自ら以外の社会の歴史はさほどの関心の対象とはならなかった。自ら以外の社会を関心の対象とする場合でも、それらはむしろ地域研究や人類学の対象となった(16)。欧米以外の社会では、世界史は近代化の過程に自らを序列化させるものとなった。そうしたハイアラーキーは、外国史研究にも反映された。一方では欧米が先進の規範とされ、それ以外の社会は発展において劣位にあるものとされた(17)。このように世界史は、実際にはそれぞれの世界に根差した自己中心的な、その点でそれぞれに異なったものであった。それぞれの地域にある世界史を、一つのものとして統合しようとする試みが成功しなかったのはそのためだろう(18)。

歴史学は近代以降、このようなかたちでモダニティとナショナリティに支えられながら近代的学問として自らを確立した。しかし、歴史の意味は限定的な学問的世界にあるだけではなく、同時に教育や大衆的な文化空間をとおして、とりわけナショナルな場において幅広い影響をもっているということである。学問的に確立されたとする事実は、ナラティヴとして構築された教科書をとおして、そしてさらにはいっそうの脚色を交えた通俗的な知識として、パブリックな場へと投げ出されてきた。そして国民の歴史意識を作りだしてきた。パブリックな場もまたナショナルな枠組みによって統御されていたからである。学問的な歴史もまたそうしたものとのレシプロカルな関係において成り立っていた。

三

おそらくは大きな歴史への関心の広がりは、パブリックな場における歴史に対する現在的な関心の一つのあり方を反映するものなのだろう。グローバリゼーションが進行するなかで、人々の日常のあり方が変化し、そのことを受けて、歴史をナショナルな枠組みを超えて、地球や人類あるいは地域という枠組みから捉えていくことへの関心が高まったからである。では歴史学はそうした関心のあり方をどのようなかたちで反映しているのだろうか。そのことを考えていくためには、大きな歴史を意味するものとして早くから使用されてきた世界史という言葉と対比させながら、新しい言葉であるグローバル・ヒストリーの意味を考える必要がある(19)。

既に記したように、グローバル・ヒストリーは世界史と比較して言葉としては新しい。とりわけ日本ではそうなる(20)。したがって、しばしば議論されることの一つは、両者の関係である。同義なのか、ではないとしたら何が異なるのか、とりたててグローバル・ヒストリーを論じることにはどういう意味があるのか、といった問題である。しかし、この議論には難しさがある。その理由は、世界史もグローバル・ヒストリーも多義的にもちいられているからである。たとえば小山哲が「ランケをとおして「世界史」の概念を学んだ日本の歴史家」と論じているように、世界史という考え方が日本の歴史研究において一般化する契機となったのは、ランケ史学が弟子のリースをつうじて、日本の近代歴史学の形成に影響したためだとされる。それ以前はむしろ万国史が一般的だった。南塚信吾は、二〇世紀にはいると万国史に代わって世界史という言葉を冠する著作が刊行され始めたが、同じ時期に三史区分が導入されたことによってその学問的影響は限定的であった、と主張している(21)。

世界史という言葉が学問的に一般化したのは、第二次大戦後にそれまでの国史、東洋史、西洋史という区分に代えて、教科として日本史・世界史という区分が歴史教育に導入され、それが歴史研究にも影響するようになったからである。また第二次大戦後の第二の近代化ともいうべき状況のなかで、戦前の過剰なナショナリズムへの批判が広まったことは、ナショナリズムと関連づけられがちであった従来の世界史(22)に代えて、より幅広い枠組みから世界史を論じるべきだという議論を高めた。そして世界史にはより高い位置が付与された。世界史をめぐる議論は学問的世界や歴史教育の場の中心に位置するようになり、多くの研究者や教育者は積極的に世界史を論じた(23)。日本史を含めて個別的な研究は、世界史に自らを位置させようと試みた。その媒体となったのは、マルクスやマックス・ヴェーバーの「科学的」な歴史理論であった。あるいは近代化論であった。個別的な出来事は、世界史のなかに位置するものとして論じられ、そのそれぞれの意味を付与された。実証的な個別研究は、全体的な枠組みを担保とすることによって意味をもつことが常識的なものとして強調された(24)。

しかし、英語でいうワールド・ヒストリー、とりわけアメリカにおけるワールド・ヒストリーはやや異なっている。その代表的な事例は、ワールド・ヒストリーの国際組織である世界史学会(WHA)である。この学会が形成されたのは一九八二年、その機関誌である『世界史ジャーナル』(*Journal of World History*)が刊行され始めたのは、一九九〇年のことである。現在はその国際化を推し進めているとはいえ、世界史学会は当初はアメリカの高校や大学などの教育機関の世界史教師を中心としたものであって、必ずしも学問的な国際的組織として認知されていたわけではなかった。パブリックな場に対して世界史を提示することは、必ずしも学問的営為とみなされていなかったからである。また史料の乏しさ、直接的なアクセスの困難さという点で外国史研究が学問的に劣位にあったからである(25)。一次史料の渉猟・分析に基づく事実としての歴史をその基礎に置いていた近代歴史学の立場からは、直接一次史料に触れずに、論として、あるいは物語として展開される歴史は、枠組みの周縁にあるものとされざるをえなかった(26)。

しかし、この組織は現在では学問的なものとして次第に国際的に認知されつつある。それは、ナショナル・ヒストリーに枠づけられがちであった個別実証的な歴史研究の外に置かれていた世界各地に対する地域研究が、世界史との関連をふまえて歴史的に論じられるようになったからである。ここで付言すべきは、世界史学会形成の因となった世界史教育は、それまでアメリカの高等教育の主要なコースであったヨーロッパ文明論に代わってカリキュラムに取り入れられるようになったということである。つまりワールド・ヒストリーにはヨーロッパ中心的な思考に対する批判という意味があった。世界史がしばしばヨーロッパ中心的な思考を内在させがちであった日本との対照を考えるとこのことは興味深い(27)。

以上ごく限定された例を取り上げたが、このような例をとっても「世界史」の多義的な意味内容を理解できる。グローバル・ヒストリーにもこうした多義性がある。そもそもグローバル・ヒストリー(global history)を「地球の歴史」と訳すか、そのまま「グローバル・ヒストリー」とするかでは、日本語では意味内容に差異が生じる。前者は字義通り地球の歴史、つまり気候や生態系や、それらとの人類のかかわり、あるいは地球の他の天体や宇宙全体との関係、つまりビッグ・ヒストリーが論じているような問題を前景化する。一方グローバル・ヒストリーと表記すると、同じカタカナ表記であるグローバリゼーションという言葉のもつ意味内容が前景化する。すなわち経済、政治、文化などの「グローバル化」とのかかわりに力点が置かれる。前者への関心を含む海外のグローバル・ヒストリー研究と、後者に傾きがちな日本でのグローバル・ヒストリー研究にやや異なるところがあるのはそのためかもしれない。

四

このようにグローバル・ヒストリーは多義的なものだが、いわゆるグローバル・ヒストリーが一定の広がりを見せているのには、基本的にはいくつかの理由がある。一つは、近代以降の歴史学に近代国民国家を単位とする傾向が強かったことへの批判からである。そうした歴史は、一つの国の歴史を独立したものとして描きがちだった。しかし、国民国家自体が「グローバルな動きの結果」として生じたものだった。グローバリゼーションの進行によって国家の紐帯が弱まり、多くの国家がその変容を迫られているとしても、そのことはむしろ国家とグローバルな動きとの関連を証明するものだろう(28)。

もう一つは、マルクス主義や近代化論に代表される、これまで世界史認識の枠組みを提供してきた包括的な歴史論が批判され、個別実証を結びつける新しい枠組みが求められているからである。もちろんそうした試みは、これまでにも存在していた。『アナール』の試みである。歴史にかかわる時間の多様な設定、とりわけ中・長期的な視点、ナショナルな枠にとらわれない空間の設定、さらには環境や地理的要件への着目、社会史的、人類学的、文化史的視点は、現在のグローバル・ヒストリー研究と多くの点で共通するところがある。その代表的事例が、ブローデルの「地中海」世界の理解である。マルクス主義や近代化論もまた現在のグローバル・ヒストリーの流れになお影響を残している。I・ウォーラーステインやA・G・フランクなどの世界システム論や従属論はその例だろう。また批判的な意味合いが多く含まれているにせよ、グローバリゼーション論の多くは、近代化論との相関において成立した。グローバル・ヒストリーにそうした影響を見出すことは難しくない(29)。

補足すると、しばしば欧米的枠組みへの同一化を論じたものとみなされやすいグローバリゼーション論の起源は、むしろ欧米中心主義的な思考への批判にあった。このことはウォーラーステインやフランクが本来はアフリカやラテンアメリカの研究者であったことに端的に示されている。グローバリゼーションという言葉自体が、実はアジアやアフリカが政治的に自立し、ポスト・コロニアリズムという言葉が使用されるようになったことを受けて論じられるようになったことにもそのことは明らかである。グローバル・ヒストリーはそうした欧米中心主義的な歴史観への批判的意識を内在させている(30)。またリン・ハントの考えを借りて長谷川貴彦が強調しているように、グローバル・ヒストリーは文化史の流れをふまえた下からのアプローチという視点を含むものでもあるということも忘れられてはならない(31)。

したがってグローバル・ヒストリーの中心的な枠組みは、ヨーロッパ中心主義的な歴史への批判、地球への関心、ネットワーク論的な視点、そしてグローバリゼーション論にもとづくアプローチという点にある。グローバル・ヒストリーへの関心が、ヨーロッパ中心主義的な視点を批判する非ヨーロッパ地域の研究者や、自然科学とも関わる学際的な領域に関心を抱く研究者、欧米、アジア・アフリカ、あるいは新大陸それぞれの間のネットワーク的な関係を重視する研究者、そしてグローバリゼーション論、経済史的な、社会学的な、あるいは文化的アプローチにもとづくグローバリゼーション論に関心をもつ研究者によって中心的に推進されたのはそのためである。海外のグローバル・ヒストリー研究者に共通するのはそうした視点である。日本において、非ヨーロッパ地域の歴史研究者や、ネットワーク論的なアプローチからの経済史を試みていた研究者、あるいは文化史的アプローチ、科学史的アプローチを重視する研究者がいちはやくグローバル・ヒストリーに関心を示したのは、あるいはグローバル・ヒストリーとの高い親和性を示したのは、そのためだろう。

五

繰り返すことになるが、グローバル・ヒストリーはグローバリゼーションという言葉の一般化に対応して生じた。それではグローバリゼーションという言葉にはどのような意味内容が含まれているのだろうか。グローバリゼーションはグローブ(地球)にアイゼーションという語尾を付した言葉である。アイゼーションという語尾が付された言葉は、基本的には統合的なものへの定方向的な同一化を示す。マクロ的な変化を示す用語として歴史叙述においてこれまでもしばしばもちいられてきた。文明化(civilization)、近代化(modernization)、工業化(industrialization)というようにである。これらは基本的にはヨーロッパ中心的な観点から歴史の発展を説明するものであった。たとえば日本では、ある時期までこうした言葉は欧米を近代以降の歴史変化の主体とする思考として、別の言い方をすれば、自らが客体として欧米に同化した過程を示すものとして、もちいられた。

しかし、最近では、これらに関してマルティプル(multiple)とかプロト(proto)、さらにはアルカイック(archaic)という言葉を接頭語として付してもちいられることが多い。マルティプルは、たとえばマルティプル・モダニティーズといった用例にあるように、欧米中心主義的な視点に対して起源、さらには現在的あり方の多元性、多様性を示すために、プロトとアルカイックは、その起源を早い時期に遡行させることによって時間的な広がりを示すためである。モダンが付されるのは、それが近代以降に生じたことを強調するためである(32)。このことはグローバリゼーション論にも共通する。グローバリゼーションもまた、アルカイック・グローバリゼーション、プロト・グローバリゼーション、モダン・グローバリゼーション、さらにはポスト・コロニアル・グローバリゼーション、コンテンポラリー・グローバリゼーションとして説明されることをとおして、その多様性や時期的な広がりが現在では強調されている(33)。

またグローバリゼーションを単なる収斂化(convergence)としてではなく、発散・分岐(divergence)の双方の面から捉える見方も多い。グローバル・ヒストリー研究者の多くもまたこうしたアプローチを採用している。その理由は、アイゼーションという語尾を伴う言葉が一面的な統合化を含意しがちなことに対して、その起源の歴史的多様性を示し、そのことをとおして統合性を強めているかに見える現在の世界にあるレシプロカルな多様性を示すためである(34)。

そうした説明を助けるものとして、従来からも使用されていた「比較」(comparison)と並んでグローバル・ヒストリー研究でもちいられるようになっているのが「結びつき」(connection)という分析方法である。比較は歴史研究・叙述において、たとえばイギリスと日本の近代化の比較というようなかたちで広くもちいられてきた。しかし、比較はいくつかの点から批判されてきた。しばしば比較される単位をまとまりのあるクローズドなものとする傾向があったからである。さらには比較されるものが限定的に選び出される厳密な根拠はあるのかということへの疑問からである。対して結びつきは、対象とされるものを固定的なものとしてではなく流動的なものとして、その相互間の実際の関係を、その推移をとおして捉える。地球上の様々な場で、ヒトやモノが早い時期からそうした関係にあったことを明らかにすることをとおして、実際の個々の場やヒト、モノを研究対象としていて、実証的な歴史研究の手法との齟齬がなく、専門的歴史研究者にとって違和することは少ない。また比較が区分された空間的単位たとえば国家や都市、あるいは包括的な時代区分に基づきがちであったのに対し、議論がより精緻化するという点でも、実証というレベルでは優れた研究視角といえるだろう(35)。

六

以上、グローバル・ヒストリーが登場する過程とその基本的な内容を簡単にたどった。論じてきたように、グローバル・ヒストリーの基本的視角は、歴史研究の新しい方向として評価されてよい。しかし、批判的にみるとそこにはいくつかの疑問が生じうる。以下、行論の都合上最初に紹介したような「大きな歴史」、あるいは「地球の歴史」とは区別されるかたちで遂行されているグローバル・ヒストリーに焦点を絞ってその功罪についての議論を進めていこう。歴史研究者、とりわけ日本の専門的な歴史研究者が推し進めているのは、そうしたグローバル・ヒストリーだからである。

手始めにそうしたかたちで営まれているグローバル・ヒストリーの評価すべきことを簡潔にあげてみよう。まずあげられることは、研究が文字通りグローバルに進められていることである。羽田正らが参加する東京大学、プリンストン大学などによる共同プロジェクト、秋田茂らが参加する大阪大学、オックスフォード大学、シンガポール南洋理工大学などによる共同プロジェクトをはじめとして、グローバル・ヒストリー研究は現在多くの国の大学によって構成される共同プロジェクトとして行われている。その中では東京大学、復旦大学、プリンストン大学共同プロジェクトのように、成果をそれぞれに異なる言語で発表することをとおして、研究の国際化が付随させがちであった欧米中心主義を克服しようとする試みもなされている(36)。これまでも歴史研究の国際化は様々なかたちで試みられてきたが、以上のようなグローバル・ヒストリーのプロジェクトほど、歴史研究の国際化を明確に志向したものは少ない。

次に評価してよいのは、グローバル・ヒストリーがその言葉通り、歴史研究・叙述に伴う新しい空間的枠組みを重視していることである。従来のナショナルな枠組み、あるいはこれまで論じられてきたような世界史の枠組みに代わる空間・場から歴史を論じていくという方向である。海域論に代表されるような広域的世界、これらとは逆にきわめて限定された地域などである。こうした空間・場への着目は、ヨーロッパ中心主義的な視点を極力排した、ネットワーク的な、多中心的な視点を重視するという問題関心から生じている。またモノや文化への着目は、現在世界的に一般化した多くのモノや文化がけっして欧米のみに起源をもつものではなく、様々な地域に出自をもつものであることを明らかにするものとなっている。こうした歴史へのアプローチが、長くモダニティやナショナリティという枠組みにとらわれてきた歴史に代わる歴史を生み出す可能性を内包させていること、そのことは否定されるべきではない(37)。

　またこのこととも相関するが、歴史に対する時間認識のありかたに変化をもたらしていることも評価されてよい。歴史認識の重要な柱は、時間に伴う変化を重視する時系列的な理解であった。しかし、このことにはいくつかの問題があった。一つは、それが限定された空間・場における変化を、直線的なタテの時間の流れをたどって説明する叙述に陥りがちであったということである。事実多くの歴史はそうしたものとして表されてきた。ナショナル・ヒストリーはその代表である。空間が広く措定された場合でも、通史として書かれた多くの包括的歴史は、「近代のメタナラティヴ」として批判されるような一面的な歴史理解を生み出してきた。そうした歴史は、しばしば進んだものと遅れたものの間を差別化するものであった。しかし、前述のような地域間のネットワーク的な関係を重視し、共時的なものとして歴史を認識することは、歴史理解に転換をもたらす。ヨコの関係性を重視した視座の形成である。こうした視座には世界を平等に見ていくという可能性が内在している(38)。

　くわえて「大きな歴史」、あるいは「地球の歴史」とは区別されるかたちで遂行されているグローバル・ヒストリーの利点は、専門的な歴史研究者にとっても、きわめて受け入れやすいことである。実際にはナショナルな枠組みに大きく拘束されているにせよ、その枠組みから離れて科学的なものとして歴史を論じることを、多くの歴史研究者は基本的な任務としてきた。また前述のような時間軸や空間軸の設定、とりわけナショナルな枠とは異なる地域的空間を設定することや、個別的なモノ、ヒトの結びつきを取り上げることは、近代歴史学がその基本として設定した実証とは齟齬しない。さらには限定的なナショナルなものではなく、より優位性をもつと思われる空間的な枠組みに個別実証を枠づける。そのようなかたちで、個別実証の意味をさらに高めるという期待を抱かせるからである。あるいは既に論じたように、比較や結びつきを軸とした方法論的転回を試みていることも、グローバル・ヒストリーの長所としてあげてよい(39)。

七

　では逆にこうした利点をもつグローバル・ヒストリーの問題点は、どういう点にあると考えられるのだろうか。これもまた簡潔に提示してみよう。

　まずもっとも基本的なこととしてあげておきたいことは、流行語としてあまりに一般化したグローバルという言葉に対する批判的意識の有無である。グローバリゼーションは現実の動かしがたい趨勢である。またそれがナショナルな枠組みへの批判として生じたことは、肯定的なものとされてよい。

ナショナルな枠組みへの人々の統合が、大きな災禍を引き起こしたことは歴史的な事実だからである。ナショナルな歴史意識は、国家間戦争に国民を動員するにあたって大きな役割を果たした。しかしまた同時に、グローバル化は、文明化、近代化、工業化と同質的な、あるいはそれ以上の問題を内包している。たとえば、日本において過剰なほど論じられているグローバリゼーションへの同調論は、かつての文明化、近代化論と同様に、日本のナショナリズムの特徴である、欧米を一つの規範とするナショナリズムとして立ち現われている。ザクセンマイアーやゼバスティアン・コンラートが強い批判を投げかけているように、近代以降の歴史学・歴史認識はヨーロッパを中心とするハイアラーキーによって支えられていた(40)。グローバル・ヒストリー論者がそのことへの批判を留意していることは確かだが、現実に遂行されているグローバル・ヒストリーに欧米中心主義的な傾向がなお強く存在していることもまた否定できない。

次にあげられることは、グローバルという概念が、融通無碍に時間的にも、空間的にも拡延されて使用されがちなことである。たとえば、単一起源論にしたがえば、人類は文明の形成以前に特定の限られた地域から地球全域に移動していたこととなるし、文化的な影響などの形跡をとおして古代ローマと漢が早くから結びついていたと論じることもできる。同様に白鳳文化にヘレニズムとの結びつきを見出すことができる。なによりも現在の世界にある政治的・経済的・文化的システムはマクロ的にもミクロ的にもそうした結びつきの延長に成立したものであると論じることができるし、多くのモノ、たとえば多くの食材や特定の生活文化のあり方が世界的に共通化していることがそうした結びつきの結果であることを指摘することができる。限定的な地域にある特有のものが、実はグローバルなあるいは地域相互間の結びつきによって生じたと論じることもできる。史料や痕跡をたどることをとおして、その多くが事実であることを証明できるからである。実際グローバル・ヒストリーは批判的に言えば、「あらゆる事実」がグローバルであることを実証的に証明することに向かおうとしている(41)。

しかし、現在の世界が様々なグローバルな結びつきによって形成されたことが事実であるとしても、それはどの程度の時間的経過を経て行われたのかという問題が看過されるべきではない。たとえば文明の形成以前の人類のグローバルな広がりといってもそれが全地球に及ぶには数万年を要したし、ヘレニズムが白鳳文化と結びつくには千年ほどの時間を要した。実際のモノやヒトの異なる場への移動も、その要した時間の単位は現在のそれと比較するにははるかにかけ離れたものであった。グローバリゼーションにかかわる時間のあり方は、現代とそれ以前の時代では大きく異なる。そうした「グローバリゼーションの時間」を看過して、グローバリゼーションがいかなる時代にも通有する現象であったとして歴史を論じることは、たとえそれが事実であるとしても、逆にグローバリゼーションという言葉が急速に一般化するようになった現代社会の意味、とりわけそれに対する批判的理解を見失うことになる。

多くの歴史研究者はグローバリゼーションを遡行させ、その歴史的過程を重視する。逆に現在的な側面を過度に強調することには批判的である。歴史研究者である以上、そのことは当然のことかもしれない。しかし、グローバル・ヒストリーは現代のグローバリゼーションの進行に伴って、世界史という言葉に代わるものとしてもちいられはじめた言葉である。そしてグローバリゼーションという言葉自体新しい。その言葉がとりわけ近年急速に一般化した大きな理由は、結びつきのあり方が質的に、そしてその速度の点で、従来とは大きく異なるものとなったことが意識されるようになったからである。交通の拡大、そしてそれ以上に電信システム、コンピューター技術の発展によって、情報の伝達速度とその量が急速に拡大し、相互の結びつきのあり方に大きな変化が現代社会では生じている。そうした社会の急速な転換から生じた、その意味では現在的なアクチュアリティから生じた関心を、時間的にも空間的に無限定に拡大して使用することに問題はないのだろうか。

さらには、歴史をグローバルな側面からのみ論じ、国家中心的な歴史を超えようとすることが、赤子を湯水とともに捨て去ることを意味してはならないという批判もある。とりわけ近代史においては、国家や国民とその形成がきわめて重要であり続けたからである(42)。シュテファン・ベルガーらが組織した研究プロジェクトが明らかにしたように、多くの国では歴史はなおナショナルなものを枠組みとして、ナショナル・ヒストリーを中心として営まれている。その根強さの根拠は、ナショナル・ヒストリーはナショナルな空間というそれが提示される明確な場をもつからである。ナショナルなオーディエンスを持つからである(43)。

ではグローバル・ヒストリーにはそうした場があるのだろうか。誰に対して語られているのだろうか。たとえばナショナルな枠組みを越えた広域的な地域に提示されているのだろうか。あるいはグローバルなオーディエンスに対して語られているのだろうか。コンラートはインターナショナル・ミドルクラシズという言葉をもちいて、歴史研究の読者は限られた仲間ではないにしても、その日々の生活がますますグローバル化されつつある、経済的な、あるいは社会的・知的な一定の能力をもつ人々となっていると指摘している。グローバリゼーションがそうした知的な層を国際的に生み出しているのは確かかもしれない。しかし、それはなお限定的なものにとどまっている。そしてそうした場がなお英語を中心とした言語的ハイアラーキーによって支えられていることも忘れてはならない(44)。

最後に論じることになるが、グローバル・ヒストリーの利点として既に挙げた実証との親和性もまた、別な意味では現在的な問題点であると論じることができる。実証に基づく事実を根拠として立論する思考は、それ自体としては合目的的なものである。近代以降歴史学はそうした思考を重視し、大学、博物館、史料館をはじめとした専門的研究機関に身を置く専門的研究者によって営まれてきた。古くは個別叙述的、法則定立的として整理されたものが、歴史叙述・理解の二つの軸であった。その相互的関連については絶えず論争があり、力点の置かれ方は変動したが、個別的なものを包括的なものとどう関連付けるかは、歴史学においてつねに問われてきたことだった。しかし、個別的な事実を意味づけるものが世界からグローブに代わるだけなら、旧来使用されていた世界史とグローバル・ヒストリーとはどう違うのか。具体的な例をあげると、「茶の世界史」と「コーヒーのグローバル・ヒストリー」とはどう違うのだろうか。おそらくはそうしたことへの戸惑いが、グローバル・ヒストリー研究の国際プロジェクトを推進している羽田正が、その著作にグローバル・ヒストリーという言葉の使用を避けて、「新しい世界史」という言葉をもちい、また羽田に秋田茂、桃木至朗らを編集者として加えたミネルヴァ書房の叢書が、「世界史」という旧来の言葉を使用していることの理由なのだろう(45)。

その羽田は、「時代が先に進んでいるのに、なぜか歴史研究者の多くは二、三〇年前の立ち位置にとどまったままでいるように思える。研究テーマは細分化され、本人以外はほとんど誰も読まない論文が次々と生産されている。かつては重要だった研究の視点が、現在ではその意味を失っていることがままある。研究の枠組みや問題関心は既に過去のものになっているとすれば、その上に何を積み重ねても、一般の人々の関心をひくことはないだろう。なぜそのテーマを研究するのか、現代においてそのテーマを研究する意義は何か、という点について、歴史研究者は十分自覚的でなければならない」という言葉で、現在的な意義を見失った実証に沈潜する傾向のある歴史研究の現状を厳しく批判している(46)。ジェリー・ベントリーもまた、大きな物語への批判がミクロ的な物語へ向かうことを批判し、ヨーロッパ中心主義的な歴史理解を超える有効な方法を確立することの必要を論じている(47)。こうした批判は、グローバル・ヒストリーが向かっている一つの方向への警句としても読み取れるかもしれない。グローバルに名を借りた自己目的的な実証に堕するならば、それはグローバル・ヒストリーが本来目的としたものとは異なっているからである。

八

以上グローバル・ヒストリーをテーマとして、近年の歴史研究、歴史論についての問題点を整理してみた。とはいえ、最初にも述べたように、グローバル・ヒストリーとされるものについての議論を現在の段階で整序的に行うことは難しい。行論の過程で記したように、グローバル・ヒストリーという言葉は多義的に使用されているからである。本稿ではそのことを前提としながら、グローバル・ヒストリーの可能性とその問題点を論じてみた。最後に簡単に結論を論じておこう。

「ミネルヴァ世界史叢書」の編集委員会は、実証に特化する傾向のある現在の歴史研究への懸念を表明し、「二一世紀を見通せるアクチュアリティをもった世界史」を目指すことを宣言している(48)。歴史にとって重要なことは、アクチュアリティへの関心であることはつねに論じられてきた。しかし、アクチュアリティは時代によって変化する。かつて上原専禄は太田秀通、野原四郎と共同執筆した文章をとおして「一体としての人類の歩みとあり方」を扱う「人類史」に対して「世界史」を対置し、「生活現実」に基づいて「日本国民」が「現代」の世界史的現実に対して自覚的、主体的に働きかけることを可能とする歴史認識を主張し、「歴史的認識の主体として一挙に人類というものを措定することは、日本の国民大衆の一人としての私の問題意識にかけていうと、無理だ」と論じた(49)。対して羽田正は、「人間集団化の関係性や相関性への注目」「中心性の排除」そして「地球の住人としての共通点」から歴史を捉えることを主張している(50)。

この違いは、上原らと羽田が位置したそれぞれの時代が歴史研究に求めたアクチュアリティの違いに起因するものだろう。本稿でも論じたように、現在はグローバリゼーションの進行が多くの人々によって明確なものとして認識されるようになった時代である。また同時にそうしたなかで、国家的枠組みを越えた人類や地球という視点から、思考の枠組みを形成していくことの必要性が論じられるような時代である。しかし、にもかかわらず、他方では世界的にも、とりわけ日本の社会では、歴史をナショナルな枠組みに包摂しようとする動きが拡大している。さらには、ナショナリズムの過剰化が進行している。そして多くの社会において、こうした流れは深刻な政治的劣化を引き起こしている。

ナショナリティへの歴史認識の統合化は、近代国民国家形成にともなって現象したことである。そのことを本来的な目的とした「国民」に対する歴史教育はもとよりのこと、客観性や事実性を根拠としたはずの歴史研究も、こうした歴史認識の統合化に対して無縁ではなかった。むしろそれを助長する役割を果たした。グローバル・ヒストリーへの関心は、そのことへの批判的な問題意識によって生み出された。そのことは評価してよい。しかし、「国家」を越えたより大きな歴史を生み出すことは、より大きな枠組みへと人々の歴史認識を統合していくことをも意味する。その過程で、ナショナリティ同様に様々な問題を生じさせたモダニティへの統合化が安易にすすめられるなら、私たちはその一歩前で立ち止まって批判的な考察を加える必要があるはずである。

大きな歴史を重視した「地球の住人としての共通点」から歴史を見ていくことそのものを否定する必要はない。しかし、村井章介が述べているように、「歴史認識が行われる場は、歴史を見る主体である「私」のもつアイデンティティの多様性に応じて、広がりにおいても、性質においても、無限に多様でありうる」という視点もまた歴史の統合化がナショナルなものからグローバルなものへとさらに進行している時代には必要だろう(51)。グローバリゼーションの進行のなかで、地球を単位とした共通の、普遍的なものとして歴史を作り出そうとする流れが生じていることは確かである。しかし、ホプキンスが主張するように、普遍的なものは差異や他者に寛容であるべきである。人々が共通の課題とするようになったアクチュアルなものとのかかわりのなかで、歴史は個人個人の責任において多様な認識として形成されていくべきものだろう。それが近代以降の社会において、少なからず濫用され誤用されてきた歴史に代わるものを提示していくことになる(52)。

このように考えるとグローバル・ヒストリーの現在的な課題が理解できる。越国家的な歴史理解は、人々の移動が活発化し、そうした人々にとって必要な歴史の必要が生じる過程において生み出されたものである。本来はルネサンス史研究者であったベントリーが、移住によって生じた人種の混淆の地であるハワイ大学に職を得たことを契機に、グローバルな視点からの世界史を世界史学会の組織化をとおして推し進めるようになったことに、そのことは端的に示されている(53)。グローバル・ヒストリーを論じるさいに忘れられるべきではないのは、一般の人々のあり方の変化が、グローバル・ヒストリーが生み出される根拠となったことである。グローバル・ヒストリーにとって重要なことは、そのオーディエンスを地域的にも、層的にもどれほど広がりのあるものとして設定していくのかということだろう。

そうした幅広いオーディエンスとのかかわりという点から、冒頭に触れた「大きな」歴史についての関心について付言しておこう。その例としてハラリの『サピエンス全史』を取り上げておきたい。ハラリが指摘していることは、多様な生命体が存在し続けた数十億年にわたる地球の歴史において、人類が登場してわずか数十万年で、他の生命体を飼育・栽培し始めてからわずか数万年で、そして文明を発達させるようになってからわずか数千年で、そして近代科学を利用するようになってからわずか数百年で、多くの他の生命体を絶滅させ、地球全体の自然や生態系のあり方を一変させてしまったことである。人類がグローバルな存在になったことが、まさにグローブのあり方を一変させたことである(54)。

比喩的に言えばハラリの論は、地球上に人類が生じたという「事件」を扱った事件史である。百億年を超える宇宙の歴史から見れば、人類の誕生というのは、さらにはその文明の形成というのは、本当に短期的な、瞬間の事件である。しかし、その短期的な事件が、これも比喩的に言えば、地球環境という「長期持続」を、様々な生命体の相互的関係という「状況」を、一変させてしまった。さらにはこれもまた人類の誕生以来の歴史、あるいは従来の歴史が対象としていた文明の形成に比較すればきわめて短い時期でしかない、この数十年間の変化、コンピューター使用と遺伝子工学の利用に伴う変化は、遠い将来にではなく、きわめて近い将来において、まったく異なる人類のあり方、そのなかには、現生人類とは質的に大きな内容をもつ生命体の出現を含めた変化を生み出していく可能性があるとハラリは論じている。豊富な歴史的事例を根拠としているように、この議論はけっして非歴史的なものではない。

ジョー・グルディとデイヴィッド・アーミテイジは、コンピューターによって歴史研究者がビッグデータを扱うことが可能となったことが、時間的にも空間的にも研究対象を限定化したミクロ的な実証への傾向を強めていた歴史研究を、ふたたび長期的な、あるいはグローバルなものへと向かわせるだろうと論じ、大きな反響を呼んだ(55)。その主張が人間の社会にとって持つ歴史の有用性をあらためて論じるものだったからである。歴史を語るさいには、現在と未来に対する鋭敏な意識は欠かせない。グローバル・ヒストリーは、ややもすれば実証に沈潜し、方向性を失った歴史研究の延長に漠然と措定されるものであってはならない。新しい時代の変化に対応した、文字どおりグローバルな、さらには人類史的な視野を持つものであるべきである。その時にはじめてグローバル・ヒストリーは、地球の様々な場に生きる幅広い人々の関心を取り入れた全世界的な有用性をもつものとなるだろう。

(1) デヴィッド・クリスチャン他著、長沼毅日本語版監修『ビッグヒストリー　われわれはどこから来て、どこへ行くのか――宇宙開闢から一三八億年の「人間」史』明石書店、二〇一六年(David Christian, Cynthia Stokes Brown & Craig Benjamin, *Big History: Between Nothing and Everything*, McGraw-Hill Education, 2014)、ジャレド・ダイアモンド『銃・病原菌・鉄――一万三〇〇〇年にわたる人類史の謎』倉骨彰訳、上下巻、草思社、二〇〇〇年(Jared M. Diamond, *Guns, Germs, and Steel: The Fates of Human Societies*, W. W. Norton, 1997)、W・H・マクニール『世界史』増田義郎他訳、新潮社、一九七一年(上下巻、中公文庫、二〇〇八年。W. H. McNeill, *A World History*, Oxford University Press, 1967)。

(2) 秋田茂・永原陽子・羽田正・南塚信吾・三宅明正・桃木至朗編著「MINERVA 世界史叢書」全一六巻予定、ミネルヴァ書房、二〇一六年―。

(3) 岡本充弘『国境のない時代の歴史』近代文芸社、一九九三年、同『開かれた歴史へ――脱構築のかなたにあるもの』御茶の水書房、二〇一三年、同「歴史にグローバルなアプローチはあるか?」、『歴史学研究』第八七八号、二〇一一年四月号、三〇―三六頁。

(4) 岡本充弘「読書案内―グローバル・ヒストリー」、『歴史と地理――世界史の研究』六六一号、二〇一三年二月号、山川出版社、三五―三八頁。

(5) ロジャー・ハートは*OED*にしたがってグローバリゼーションの初出を一九六一年としている。Cf. Roger Hart, 'Universals of Yesteryear: Hegel's Modernity in an Age of Globalization', in A. G. Hopkins ed., *Global History: Interactions between the Universal and the Local*, Palgrave MacMillan, 2006, p. 87.

(6) Dominic Sachsenmaier, *Global Perspectives on Global*

History: Theories and Approaches in a Connected World, Cambridge University Press, 2011, p. 68. なお同年にグローバル・ヒストリーをタイトルに含むものとして刊行されたスタブリアノスらの編著(Leften Stavros Stavrianos *et al.* eds., *A Global History of Man*, Allyn and Bacon)は、人類の過去全体を描いた教科書的なものであり、現代的意味を含んでいたコーンの著作とは内容の異なるものであったとされている。

(7) Bruce Mazlish & Ralph Buultjens eds., *Conceptualizing Global History*, Westview Press, 1993. 編者であったマズリッシュは、グローバル・ヒストリーを単一のものとしてではなく、多様な人々の経験を描き出すべきものであると論じている(Mazlish, ‘An Introduction to Global History’, ibid., pp. 1-24, esp. p. 4)。こうしたグローバル・ヒストリーに対する考えが、ポストモダニズムとの関連から論じられていることは注目されてよい(Idem, ‘Global History in Postmodernist Era?’, ibid., pp. 113-127)。

(8) Bruce Mazlish & Akira Irie eds., *The Global History Reader*, Routledge, 2005. このアンソロジーはギデンズやアパデュライなどの論稿を含み、この時点でのそれぞれのテーマについてのグローバリゼーション論を集めたものとして有用。とくに近年の電子メディアの発達と大量の人々の移動が、文化内容を変化させたことを論じたアパデュライの議論の紹介は、興味深い(Arjun Appadurai, ‘Cultural Dimensions of Globalization’, ibid., pp. 276-284)。

(9) A. G. Hopkins ed., *Globalization in World History*, Pimlico, 2002. 編者であるホプキンスは、この本の意図を「グローバリゼーションの本当のグローバル・ヒストリーへの道を指し示すことを期し」、「グローバリゼーションの歴史が単に西洋の興隆のストーリー、別の呼び方では残りの地域の没落のストーリーであることを妨げることにある」としている(‘Introduction: Globalization-An Agenda for Historians’, ibid., p. 2)。

(10) Hopkins, *Global History*.

(11) Maxine Berg ed., *Writing the History of the Global: Challenges for the 21st Century*, Oxford University Press, 2013; Douglas Northrop ed., *A Companion to World History*, Wiley Blackwell, 2015; James Belich, John Darwin, Margret Frenz & Chris Wickham eds., *The Prospect of Global History*, Oxford University Press, 2016.

(12) 一例をあげるとスターンズは、グローバリゼーションの開始された時期を、それぞれ紀元前一二〇〇年―一〇〇〇年、紀元一〇〇〇年、一五〇〇年、一八五〇年、一九四〇年代に置く説明を試みている。Peter N. Stearns, *Globalization in World History*, Routledge, 2010 (revised ed. 2017).

(13) こうした考えに対しては、近代化をヨーロッパを中心として説明するもの、あるいは「中心」を措定して歴史を論じローカルな視点を欠くものとして、現在では批判も少なくない。Cf. Anne Gerritsen, ‘Scales of a Local: The Place of Locality in a Globalizing World’, in Northrop, *Companion to World History*, pp. 213-226, esp. 216; 羽田正『新しい世界史へ――地球市民のための構想』岩波書店、二〇一一年、など。

(14) Benedikt Stuchtey & Eckhardt Fuchs, ‘Introduction. Problems of Writing World History: Western and Non-Western Experiences, 1800-2000’, in Benedikt Stuchtey & Eck-

hardt Fuchs eds., *Writing World History 1800-2000*, Oxford University Press, 2003, pp. 1-44, esp. p. 5; Jerry H. Bentley, 'World History and Grand Narrative', ibid., pp. 47-65, esp. p. 51; A.G. Hopkins, 'The History of Globalization — and the Globalization of History?', in Hopkins, *Globalization in World History*, p. 13; Dominic Sachsenmaier, 'Why and How I Became a World Historian', in Northrop, *Companion to World History*, p. 38; idem, *Global Perspectives on Global History*, p. 21; パトリック・マニング『世界史をナビゲートする――地球大の歴史を求めて』南塚信吾・渡邊昭子監訳、彩流社、二〇一六年(Patrick Manning, *Navigating World History: Historians Create a Global Past*, Palgrave Macmillan, 2003)、三二一―三三三、四八三頁。

(15) この問題については贅言を要しない。多くの日本史に関わる実証論文はそうしたものとして書かれている。

(16) トレヴァー・ゲッツは、アメリカでは歴史が、合衆国、ヨーロッパ、世界の歴史に三区分され、世界史は「残余のための学問的ゲットー」(an academic ghetto for "the rest")であったことを自らの大学での経験をもとに記している。Trevor Getz, 'Teaching World History at the College Level', in Northrop, *Companion to World History*, p. 130.

(17) イム・ジヒョン「国民史の布石としての世界史――日本と朝鮮における「愛国的世界史」と、その結果として生じるヨーロッパ中心主義について」、『思想』第一〇九一号、二〇一五年、六―三二頁、同「グローバルに連鎖するナショナルヒストリーに現れた東洋と西洋――北東アジアにおけるナショナルヒストリーの記述」岡本充弘・鹿島徹・長谷川貴彦・渡辺賢一郎編『歴史を射つ』御茶の水書房、二〇一五年、一一〇―一三六頁。

(18) Poul Duedahl, 'Selling Mankind: UNESCO and the Invention of Global History, 1945-1976', *Journal of World History*, vol. 22, no. 1, March 2011, pp. 101-133.

(19) Bruce Mazlish, *The New Global History*, Routledge, 2006, esp. p. 106; idem, 'Comparing Global History to World History', *Journal of Interdisciplinary History*, vol. 28, no. 3 xxxviii: 3 (Winter, 1998), pp. 385-395; Wolf Shäfer, 'Global History: Historiographical Feasibility and Environmental Reality', in Mazlish & Buultjens, *Conceptualizing Global History*, pp. 47-69; Dominic Sachsenmaier, World History as Ecumenical History?', *Journal of World History*, vol. 18, no. 4, 2007, pp. 465-489, esp. p. 465; idem, *Global Perspectives on Global History*, pp. 70-78. マズリッシュはグローバル・ヒストリーが'history of globalization'であることを強調する。シェイファーもまたグローバル・ヒストリーは「現代史のグローバルな過程の研究への新しいはっきりと異なったアプローチ」であるとする。対してザクセンマイアーは、グローバル・ヒストリー、ワールド・ヒストリー、トランスナショナル・ヒストリーを明確に区別することに批判的である。

(20) グローバル・ヒストリーという言葉が一般化する以前から「グローバル」な視点から歴史を考えるという論点が日本でなかったわけではない。たとえば成瀬治は、江上波夫や梅棹忠夫らによってそうした議論が行われていたことを、「グローバルな人類史」「グローバルな社会史」「グローバルな文明史」という言葉で論及している。成瀬治『世界史の意識と理論』岩波書店、一九七七年、一一三、一一五、一九一頁。

(21) 小山哲「実証主義的『世界史』」、秋田茂・永原陽子・羽田正・南塚信吾・三宅明正・桃木至朗編著『「世界史」の世界史』ミネルヴァ書房、二〇一六年、二七二―九二頁、引用箇所は一八一頁。南塚信吾「近代日本の『万国史』」、同書、二九三―三二〇頁、とくに三一六頁。

(22) 高山岩男『世界史の哲学』岩波書店、一九四二年、はその例としてしばしば取り上げられる。高山への批判は少なくないが、その地理学的アプローチは注目されてよい。

(23) 代表的なものが歴史学研究会を中心とした議論であり、歴史学研究会編『世界史の基本法則――歴史学研究会一九四九年度大会報告』岩波書店、一九四九年となる。なお成瀬は歴史学研究会の動きは、「高校教育における『世界史』の設置などとは無関係な、戦後日本のマルクス主義史学の発展から論理必然的に生み出されたもの」としている。成瀬、前掲書、六八頁。

(24) 太田秀通『世界史認識の思想と方法』青木書店、一九七八年。吉田悟郎『世界史の方法』青木書店、一九八三年。成瀬、前掲書。

(25) マニング、前掲書、一〇七―一一三、一一五―一二一、二二一―二二四頁。

(26) 大きな物語としてのワールド・ヒストリーが、H・G・ウェルズなどの専門的歴史研究者以外の文学者、思想家、政治家などによってしばしば書き表され、パブリックな場に対して開示されてきたのはそのためであった。トインビーなどの歴史家によって書かれた著作も、学問的な世界において高い評価を受けてきたわけではない。

(27) Barbara Weinstein, 'History without a Cause? Grand Narratives, World History, and the Postcolonial Dilemma', *International Review of Social History*, vol. 50, no. 1, 2005, p. 80.

(28) 秋田茂・桃木至朗編著『グローバルヒストリーと戦争』大阪大学出版会、二〇一六年、引用は一〇頁。

(29) 水島司『グローバル・ヒストリー入門』山川出版社、二〇一〇年、一三―一四頁、七二―七六頁。

(30) そうした観点からポスト・コロニアリズム的な立場に立つ歴史を論じた著作家としては、本書でも論文が翻訳紹介されているディペシュ・チャクラバルティ。他にアリフ・ダーリク、ヴィナイ・ラルらの議論も注目されてよい。なお最近ラナジット・グハの著作も翻訳出版された。Arif Dirlik, 'Confounding Metaphors, Invention of the World: What Is World History for?', in Stuchtey & Fuchs, *Writing World History*, pp. 91–133; Vinay Lal, 'Provincializing the West: World History from the Perspective of Indian History', ibid., pp. 271–289; ラナジット・グハ『世界史の脱構築――ヘーゲルの歴史哲学批判からタゴールの詩の思想へ』竹中千春訳、立教大学出版会、二〇一七年(Ranajit Guha, *History at the Limit of World-History*, Columbia University Press, 2002)。

(31) リン・ハント『グローバル時代の歴史学』長谷川貴彦訳、岩波書店、二〇一六年(Lynn Hunt, *Writing History in the Global Era*, W. W. Norton & Company, 2014)。長谷川貴彦『現代歴史学への展望――言語論的転回を超えて』岩波書店、二〇一六年。

(32) Sebastian Conrad, *What Is Global History?*, Princeton University Press, 2016, pp. 57–61.

(33) こうしたアプローチからグローバリゼーションのグローバル・ヒストリーを論じた論稿を集めたのが、二〇〇二年に刊行されたホプキンス編集の前述の論文集。A. G. Hopkins, 'The History of Globalization — and the Globalization of History?', in Hopkins, *Globalization in World History*, pp. 11-46 を参照。具体的個別論考としては同書所収の, C. A. Bayly, '"Archaic" and "Modern" Globalization in the Eurasian and African Arena, *c.* 1750-1850', pp. 47-73; Amira K. Bennison, 'Muslim Universalism and Western Globalization', pp. 74-97; Tony Ballantyne, 'Empire, Knowledge and Culture: From Proto-Globalization to Modern Globalization', pp. 115-140 など。同じくホプキンスが二〇〇六年に編集刊行した前掲(注5)の『グローバル・ヒストリー』と題する論文集も, グローバルとされるものが, それがグローバル化される過程で, それぞれの地域の特質性に合わせた多様性を含むものであることを指摘する論稿によって構成されている。

(34) クロスリーはこうしたカテゴリーを分析の中心に据えた。パミラ・カイル・クロスリー『グローバル・ヒストリーとは何か』佐藤彰一訳, 岩波書店, 二〇一二年(Pamela Kyle Crossley, *What Is Global History?*, Polity Press, 2008)を参照。

(35) ノースロップ編集の『世界史の手引き』は, 第二章である「範疇と概念」(Categories and Concepts)を「枠づけ」(framing)とともに, 「比較」と「結びつき」にあててそれらの問題を論じている。Cf. Northrop, *Companion to World History*, pp. 227-388. この両者についての議論は他に, Diego Olstein, *Thinking History Globally*, Palgrave Macmillan, 2015, pp. 24,141; James Belch, John Darwin & Chris Wickham, 'Introduction: The Prospect of Global History', in Belch *et al.*, *Prospect of Global History*, pp. 3-22, esp. pp. 10-21 をはじめとして数多く繰り返されている。またグローバル・ヒストリーにおける比較の有用性を論じたものとしては, Prasannan Parthasarathi, 'Comparison in global history', in Berg, *Writing the History of the Global*, pp. 69-82 がある。

(36) 羽田正編『グローバルヒストリーと東アジア史』東京大学出版会, 二〇一六年。

(37) ここでは逐一その例を挙げることはできないが, モノの移動とグローバル化をテーマとする文献は, 近年かなりの点数が刊行されている。

(38) 羽田『新しい世界史へ』前掲。海外でもこうした立場からグローバル・ヒストリーを論ずる議論は多い。最近の例としては, R. Bin Wong, 'Region and global history', in Berg, *Writing the History of the Global*, pp. 83-105.

(39) 必ずしも厳密なものとは言えないが, 一つの例はオスターハメルによるグローバル・ヒストリー, ワールド・ヒストリーを, comprehensive histories, universal histories, movement histoires, competition histories, network histories, connection histories の六類型に分類する試み。Cf. Jürgen Osterhammel, 'Global History and Historical Sociology', in Belch *et al.*, *The Prospect of Global History*, pp. 23-43, esp. pp. 31-35.

(40) Sachsenmaier, *Global Perspectives on Global History*, passim; Conrad, *What Is Global History*, esp. pp. 214-219.

(41) Belch *et al.*, 'Introduction', *The Prospect of Global History*, esp. p. 10.

(42) Peer Vries, 'Writing the history of the global and the state' in 'Panel discussion: ways forward and major challenges', in Berg, *Writing the History of the Global*, p. 205.

(43) Stefan Berger *et al.* eds., *Writing the Nation : National Historiographies and the Making of Nation States in 19th and 20th Century Europe*, 8 vols, Basingstoke, Hampshire, 2008-2015.

(44) Conrad, *What Is Global History*, pp. 209, 214-223.

(45) 羽田、前掲書。秋田・永原・羽田・南塚・三宅・桃木編、前掲叢書。

(46) 羽田、前掲書、七頁。

(47) Jerry H. Bentley, 'World History and Grand Narratives,' in Stuchtey & Fuchs, *Writing World History*, pp. 47-65.

(48) 編集委員会「われわれが目指す世界史」秋田・永原・羽田・南塚・三宅・桃木編『「世界史」の世界史』三九一―四二七頁、引用は四一〇頁。

(49) 上原専禄・太田秀通・野原四郎「歴史認識の主体性確立のために」『歴史評論』一六五号、一九六四年五月号、九頁。吉田悟郎はこの主張をふまえ、上原が人類史一般からのアプローチより、日本国民を歴史認識の主体とすることを重視していたと論じている(吉田、前掲書、三六―三七頁、四三―四八頁)。なお上原は同様の主張を、『日本国民の世界史』岩波書店、一九六〇年でも行った。それは上原が「われわれ自身の生きた生活意識に基づいて「あった世界史」を主体的に構成すること」(同書三頁)をアクチュアルな課題としていたためである。上原は「人類史」と「世界史」を区別する立場に立っていた。この点については、成瀬、前掲書、一四九―一五四頁を参照)。

(50) 羽田、前掲書。

(51) 村井章介「古琉球から世界史へ――琉球はどこまで「日本」か」、羽田正責任編集『地域史と世界史』ミネルヴァ書房、二〇一六年、一七頁。

(52) Hopkins, *Global History*, p. 28; 岡本『開かれた歴史へ』一八―二〇頁。

(53) Jerry H. Bentley & Karen Louise Jolly, foreword by Alan Karras, 'In Search of a Global Cultural History,' in Kenneth R. Curtis & Jerry H. Bentley eds., *Architects of World History: Researching the Global Past*, Wiley Blackwell, 2014, pp. 215-237, esp. p. 227; Kenneth R. Clark, 'Architects of World History,' ibid., pp. 1-29, esp. p. 13.

(54) ユヴァル・ノア・ハラリ『サピエンス全史――文明の構造と人類の幸福』柴田裕之訳、上下巻、河出書房新社、二〇一六年(Yuval Noah Harari, *Sapiens: A Brief History of Humankind*, Harvill Secker, 2011)。

(55) ジョー・グルディ、デイヴィッド・アーミテイジ『これが歴史だ!――二一世紀の歴史学宣言』平田雅博・細川道久訳、刀水書房、二〇一七年(Jo Guldi & David Armitage, *The History Manifesto*, Cambridge University Press, 2014)。詳しくは本書掲載の長谷川貴彦論文「物語論的転回2.0――歴史学におけるスケールの問題」を参照。

物語論的転回2.0
——歴史学におけるスケールの問題——

長谷川貴彦

一　はじめに

本稿は、現代歴史学における「スケール」の変化の問題を論じてみようと思う。しかし、このような問題の設定には、多くの読者が違和感をもたれるかもしれない。たとえば、次のような違和感が浮かんでくる。言語論的転回以降の歴史学こそが現代歴史学である。歴史学のメタヒストリー的な考察こそが、現代歴史学の特質なのである、などなど。筆者も、現代歴史学が、言語論的転回以降に提起された諸問題に応答することによって展開してきたことを強調してきた(1)。しかし、現在、「スケール」の問題は、現代歴史学を論じるうえで不可欠の重要な論点を構成しているように思われる。以下、その点について若干敷衍しておきたい。

現代歴史学の理論・方法論上の基本的特質を「転回」ないしはポスト「転回」に求めることは、いまや多くの歴史家にとって衆目の一致するところであろう。この「転回」とは、広義には、近代歴史学への再審の試みを指し、言語論的転回・文化論的転回・物語論的転回などのさまざまな形態をとってあらわれる。しかし、言語論的・文化論的転回という表現に見られるように、それらは一般には言語や文化などの記号表現の規定性を主張してきたポスト構造主義に与する知的潮流として理解されてきた。この段階での「物語論的転回」とは、ヘイドン・ホワイトの古典的作品『メタヒストリー』(原著一九七三年)(2)に見られるように、言語論的アプローチによって歴史叙述に対する自己省察的な分析を加えていく志向を表現したものである。また文化論的転回の文脈では、「ミクロストリア」のような細部に注目した物語的歴史叙述の復権を指すものとして理解されてきた。

しかし、近年、別の位相をもつ「転回」が中心的な論点として浮上してきている。ひとつは空間論的転回であり、その典型は、いわゆるグローバル・ヒストリーのなかに発見しうる。もうひとつは、時間論的転回であり、それは、歴史学が対象とする時間の射程の拡大を意味している。たとえば、ビッグ・ヒストリーやディープ・ヒストリーのように、自然科学の知見を取り入れながら、これまでの文字資料による人間の歴史を対象とした閾を乗り超えていく試みも、そこに含まれよう。もちろん、人文科学・社会科学的な歴史叙述においても時間の射程を長期に捉える傾向が見られるが、こうした空間や時間のスケールの拡大にともない、新たに「大きな物語」を希求する傾向が浮上してきている。先の言語論的・文化論的転回と親和性をもつ「物語論的転回1.0」ではなく、空間論・時間論スケールの変化を受けた「物語論的転回2.0」(ヴァージョンアップされた物語論)とでもいえようか。

本稿は、空間論的ならびに時間論的転回後の「物語論的転回2.0」ともいえる現象を、近年の歴史学の動向から抽出しようとする。それを語るうえで欠かせないといわれる二つの書物、リン・ハント『グローバル時代の歴史学』(原著二〇一四年)[3]、ジョー・グルディ&デイヴィッド・アーミテイジ『これが歴史だ!』(原著二〇一四年)[4]は、一見するとかなり異なる視点から執筆されているように見えるが、同時に通底する問題意識を形成している。前者は、アメリカを中心としたアカデミズムに内在しながら現代歴史学の全体像を描写した書物であり、後者は、同じくアメリカを中心とする歴史学の直面する諸課題を知識社会学的に考察している。そこに共通するのは、時間論や空間論の転回を受けた新たな歴史学のスケールを提出しつつ、歴史叙述(物語)の変革を試みることである。

以下では、まず、リン・ハント『グローバル時代の歴史学』を取り上げ、そこに示された現代歴史学の地平を明らかにする(次節)。ついで、デヴィッド・アーミテイジの研究の軌跡にそくしつつ、『これが歴史だ!』に示された問題意識を読み解いていく(三節)。そして、二人の描いた歴史学の風景の変化をスケールの拡大に見てとり、そこにはらまれる新たな問題を論じていくことにしたい(四節)。

二　文化史からの転回——リン・ハント『グローバル時代の歴史学』(二〇一四年)

リン・ハントは、フランス革命史家であり、言語論的転回を革命史研究に応用した『フランス革命の政治文化』(原著一九八四年)[5]を足掛りとして、文化史的な作品『フランス革命と家族ロマンス』(原著一九九二年)[6]など、フランス革命史研究に新たな境地を切り開いてきた歴史家である。ハントは、アメリカ歴史学会の会長職を歴任するなど、現代歴史学において主導的な役割を果たしているアメリカの歴史学界の中心に位置してきた。その彼女が、二〇一四年に発表した『グローバル時代の歴史学』は、文化史とグローバル・ヒストリーを軸として現代歴史学を俯瞰した労作といえる。

文化論的転回

ハントによれば、戦後の歴史学においては、四つの主要なパラダイムが解釈学的フレームワークを構築してきた。四つのパラダイムとは、マルクス主義、近代化論、アナール学派、そして、とりわけ合衆国におけるアイデンティティの政治である。これらに共通するのは、社会史的アプローチによる歴史解釈、つまり歴史変動の基底に「社会的なるもの」を措定しようとすることにある。すなわち、マルクス主義においては、階級闘争や生産力と生産関係の矛盾、近代化論では、合理化や世俗化など社会の機能分化、アナール派は「変わらざるもの」としての農民の生活世界ならびに不況と好況を繰り返す変動局面、アイデンティティの政治においては、女性や黒人などマイノリティの運動であった(7)。

こうした社会史的アプローチに基づく四つのパラダイムの有効性は、やがて失われていくことになる。その原因は、外在的なものとしては、ヴェトナム戦争、冷戦の終結、グローバル化などがあげられているが、内在的なものとしては、社会史的解釈に文化論的アプローチが取って代わったことにある。アメリカで「文化理論」と呼ばれる傾向は、言語論的転回、文化論的転回、ポスト構造主義、カルチュラル・スタディーズなどの知的潮流を総称したものであり、それらは相互に微妙な緊張と差異をはらみつつも、言語や文化などの記号表現の規定性を重視した点では共通していた。この傾向の歴史学的表現が「文化史」であり、この文化史はかつての四つのパラダイムに取って代わる歴史解釈を提供していくことになった。事実、国際的な文化史学会が設立され、文化史に関する専門誌も刊行され、文化史の入門書も多くの言語で書かれるようになる(8)。

しかし、この文化史もいくつか難題を含んでいた。たとえば、人間の主体性の消去である。ジェンダー史の領域におけるジョーン・スコットが典型的であるように、ポスト構造主義の影響下にある歴史家たちは、人間の「経験」を消し去り、言語によって主体が決定されるということに過度の信頼を置いていた。また、文化的意味を考察するうえでコンテクストを重視したために、固有のミクロな文脈への注視がマクロな構造的問題に対する関心を減退させてしまった。文化史が歴史研究の断片化を促進してきたと言われるのは、このためである。社会史的アプローチを放棄することで四つのパラダイムからの離脱を促進し、新たな領域を開拓してきた文化史であったが、その過程で因果論的思考が失われ、新たな解釈のパラダイムを構築できていない状況にある。その間隙を縫って登場したのが、グローバル・ヒストリーであった(9)。

空間論的転回

グローバル・ヒストリーの台頭は、一九九〇年代以降のグローバリゼーションを背景としている。しかし、歴史学でのマクロ史的視点への関心は、文化理論に対する不満、あるいは文化史研究者がミクロレヴェルに焦点を当てることへの批判から生じてきた。文化史は歴史的変化についての因果関係をめぐる議論を放棄することによって、既存のパラダイムが占めてきた場所に空白地帯を生み出した。文化史は個別主義的であり、特異な個人とそのミクロストリアに関心を寄せ、因果関係よりもコンテクストに関心があると見られている。現在、グローバル・ヒストリーや「大きな問題」への回帰という志向性は、この因果関係の空白を埋めようとしているのであり、事実、グローバル・ヒストリーは、その優れた「代案」として見なされるようになっている。

しかし、ハントによれば、このグローバル・ヒストリーにも二つの類型が存在しているという。すなわち、トップダウンの視座とボトムアップの視座である。トップダウンのグローバル・ヒストリーは、かつてのパラダイムのうちマルクス主義、近代化論、アイデンティティの政治の三つを吸収するかたちで発展したが、そこから、ヨーロッパ中心主義、近代主義、経済決定論などの問題を継承してしまった。トップダウン型のグローバル・ヒストリーは、古くは、ブローデル、ウォーラステイン、グンター・フランクなどの名前を挙げることができるが、最近の研究も、さまざまなヴァリエーションはあれ、資本主義の発展にいたる近代化の経済過程を再解釈しようとする試みのもとにおこなわれている。そのいずれにも、経済史的アプローチによって西洋近代の勃興を説明しようとする傾向が貫かれているとされる(10)。

これに対してハントが重視するのが、ボトムアップの視点からのグローバル・ヒストリーあるいはトランスナショナル・ヒストリーである。それは、文化論的転回の成果に依拠しながら、近代資本主義の発展史に回収されることのない「下から」の歴史を構想している(11)。アメリカの歴史家、ゲイリー・ワイルダーは、フランス植民地主義研究においてグローバル・ヒストリーへの空間論的転回が、政治史や経済史という伝統的研究手法と結びついたかたちで進行している跛行的事態を指摘している。彼はこの間、文化論的転回・言語論的転回などさまざまなかたちで進行してきた歴史学の「転回」には、ひとつの領域における転回がほかの領域での転回を排除する場合がありうることを示している(12)。ハントの指摘も同様のものであり、グローバル・ヒストリーが文化史の成果を洗い流してしまうことを懸念しているといえよう。

時間論的転回

ハントの書は、文化史とグローバル・ヒストリーの観点から現代歴史学のスナップショットを描こうとする。それは、現代歴史学を文化論的転回と空間論的転回という軸のもとで展望することを意味している。しかし、はからずも、ハントは時間論的転回の領域にも足を踏み込んでいる。歴史研究では、ビッグデータを用いた研究が盛んになりつつあり、それは人文科学・社会科学的アプローチを超えて自然科学と接近しつつある。なかでも、ビッグ・ヒストリーは、「宇宙史」とでも言える壮大な時間軸を打ち立て、遥か一三八億年前のビッグバンから宇宙の歴史を叙述しようとする試みである⒀。ビッグ・ヒストリーが「宇宙史」であるとすれば、ディープ・ヒストリーは「人類史」ともいえる時間軸で歴史を考古学的・人類学的に取り扱っている。また気候変動の歴史を射程に入れた「人新世」の歴史も登場している。ハントの書では、ディープ・ヒストリーと気候変動の歴史が中心的な話題となっている⒁。

代表的な作品としてのユヴァル・ノア・ハラリ『サピエンス全史』⒂が日本でも翻訳されて話題を呼んでいるが、ディープ・ヒストリーにおいては人間の本質そのものが異なるかたちで見えてくる。歴史家のダニエル・スメイルは「新しい神経史学」を提唱して、生物学的アプローチと文化論的アプローチを融合させ、人類の長期的な歴史(ディープ・ヒストリー)を論じている。彼によれば、長期的な視座をとることによって、「文明」というものが白人の居住した中東地域から発生したという「神話」、すなわちアフリカ系黒人に対する偏見から自由になれるという。ディープ・ヒストリーはまた、人間と動物との親縁関係を想起させる。たとえば、人間が類人猿の一種であることを強調したり、人類のほかの生物への優位性は近代がもたらした歴史的構築物にすぎないとする議論まで登場している⒃。

長期的な歴史を気候変動の観点から考察する動向もある。気候変動は過去・現在・未来の連続性を断ち切る可能性をもち、歴史の存立基盤そのものを危機に陥れるが、気候変動の歴史は人間を世界の支配者としてではなく自然界のなかでのひとつの行為主体とみなす。気候変動は、自然史と人類史との長年にわたる分離状態を意味のないものととらえ、人間が突出した生物学的主体であるという前提に異議申し立てをしているのだ。ディペシュ・チャクラバルティは、気候変動がもたらす潜在的破局の可能性を鑑みて、その脅威を認識可能なものとするために、気候変動の歴史に取り組むことになったとする。人間は、種として考え、かつ行動をしなければならず⒄、「人新世」と呼ばれる地質学的時代に突入して、地球環境を破壊する可能性のある主体としてみなされなければならないというのである。

三　思想史からの転回――デイヴィッド・アーミテイジほか『これが歴史だ！』(二〇一四年)

デイヴィッド・アーミテイジは、現在ハーヴァード大学教授、専門領域は英米を中心とする思想史研究であり、グローバル・ヒストリーを意識した「国際関係の思想史」という分野を開拓してきた歴史家である。すでに日本語でも多くの著作が翻訳され、その名は広く知られるところとなっている。そのアーミテイジが、歴史学の現状に異議を唱え、二一世紀の歴史学の進むべき方向性について提言をおこなっているのが、ジョー・グルディとの共著『歴史学のマニフェスト』である。この書物は、常に国際学会などで話題となり、ハントの前掲書とともに議論の素材を提供している感があるが、その「マニフェスト」の意味するところを、アーミテイジ自身の研究の軌跡にそくして明らかにしてみようと思う。

言語論的転回

アーミテイジの専門とする思想史研究には、いくつかの系譜がある。二〇世紀前半、アーサー・ラヴジョイらによって主導されてきた「観念史(history of ideas)」は、二〇世紀後半になると、より精緻なアプローチをとるいくつかの潮流に取って代わられることになった。ひとつは、ドイツ語圏に見られる「概念史(Begriffsgeschichte)」であり、これはラインハルト・コゼレックとその教えを受けた弟子たちが担い手となって、複数巻に及ぶ書物『歴史的基本概念(Geschichtliche Grundbegriffe)』(原著一九七二―一九九七年)として体系的にまとめられた(18)。もうひとつは、英語圏に見られる「思想史(intellectual history)」であり、これはジョン・ポーコックとクインティン・スキナー、そして彼らのおびただしい数にのぼる信奉者たちによる「ケンブリッジ学派」と呼ばれる集団を中心に実践されているものである(19)。

この思想史という領域が、言語論的転回を領導してきたことは疑いのないところであろう。事実、初めて言語論的転回を歴史学のなかに導入したのが思想史の研究であり、そこでは、ヴィトゲンシュタイン的、ソシュール的、ドイツ解釈学的アプローチなど複数の「言語論的転回」の存在が指摘されている。これら複数の「言語論的転回」は、言語の能動的機能に着目する点で共通の特徴を備えており、これら複数の潮流のうちケンブリッジ学派が主導する英米系の政治理論に対して高い評価を与えるものもいる。それは、フーコーのポスト構造主義的な思想史と比べて、主体の能動性を認めうる余地があるからだという。このケンブリッジ学派の影響力のもとに、ギャレス・ステッドマン・ジョーンズは、社会史という当時の歴史学の本流から言語論的転回を受容する作品『階級という言語』(原著一九八三年)を発表していった(20)。

アーミテイジは、スキナーやポーコックが全盛の時代に思想史研究に入っていった。しかし、アーミテイジはまた、そこに見られるいくつかの問題点にも注意を払っている。たとえば、ケンブリッジ学派のコンテクスト主義は、ラヴジョイの観念史研究に対する反論として登場してきたが、ラヴジョイが数千年単位での観念の歴史に関心をおいたのに対して、スキナーらは短期の同時代的なコンテクストでの言語ゲームや発話行為に焦点を合わせることになった。

このように、思想史という領域においても、「大きな物語」に対する不審、目的論に対する敵意、そして反本質主義などがみられ、文書資料に裏打ちされたミクロな歴史、偶発性やコンテクストを重視する近視眼的思考様式がアカデミズムを支配することになったとされている(21)。こうした研究状況に対する批判から、アーミテイジの思想史学は構想されることになる。

空間論的転回

トランスナショナル・ヒストリー一般は、一九世紀以降の歴史学の専門化(professionalization)の所産であった国民国家という歴史叙述のフレームワークに対して異議申し立てをおこなった。アーミテイジがトランスナショナルな歴史を提唱するのも、現実の歴史というものが国民国家よりも大規模な次元で生起しているという認識に基づくものである。アーミテイジによれば、世界の人口の大部分は、国民国家というよりも帝国という空間のなかに暮らしてきたという。すなわち、帝国が支配した長い歴史的スパンから見れば、近代の国民国家からなる国際関係という思考様式は周辺的なものであった。帝国から分離独立した本当の意味での国民国家は脱植民地化の過程で生じたものであり、冷戦のあとに脱国家主義が登場したこともあり、国家の歴史は一九七五年から一九八九年までのきわめて短期間に存在したにすぎないという(22)。

アーミテイジの最初の著作である『帝国の誕生』(原著二〇〇〇年)(23)は、イングランド、スコットランド、ウェールズ、アイルランドという諸国民(民族)からイギリス(ブリテン)国家が発展してくる過程が、イギリス帝国の歴史的形成と分かちがたく結びついていた点を明らかにするものであった。近代イギリス国家の形成に関する正史(official history)では、ホイッグ史観と呼ばれる進歩史観・目的論的歴史観が支配的であった。このホイッグ史観によれば、イギリスの歴史は立憲主義と議会主義が順当に発展し、一九世紀には政党政治と民主主義にいたる進歩の歴史と捉えられ、それは大陸のアンシャン・レジーム諸国とは対照的な「例外主義」を構成するものであった。この例外主義の国としてのブリテンの歴史の背後には、帝国の存在が蠢いていたというのである。

アーミテイジの『独立宣言の世界史』(原著二〇〇七年)は、この一国史を脱構築していく視点をアメリカ史に拡張したものである。イギリス帝国の支配から脱して一三州植民地の合衆国として立ち上がる「独立宣言」は、アメリカの優越性を主張する「例外主義」の基礎となる「神話」であったが、「もっともアメリカ的な文献」と呼ばれるテクストの内容や形態、そして影響という面においてトランスナショナルなものであったことが論証される。「独立宣言」のテクストは、それに先立つ二世紀にわたる人権思想の発展の成果であり、近代国家が近世の帝国秩序からの派生物であったことを明らかにしてくれている(24)。また、このテクストはその後、現在にいたるまで国民国家の独立に影響を与えてきた。空間論的な視座にたって思想のトランスナショナルな影響を考察するアーミテイジの著作は、すでにその長期的な考察という点で歴史学の時間論的な転回を内包していたのである。

時間論的転回

空間認識の拡大を企図したトランスナショナルな歴史に対

して、時間論的転回を象徴する「トランステンポラル・ヒストリー(transtemporal history)」は、いまだに馴染みのない言葉である。かつてのブローデルの「長期の持続」概念に示されるように、歴史学の強みは長期の構造的視点から事象を捉えることができることにあった。しかし、歴史研究の専門化にしたがい、研究史の蓄積と資料水準の上昇によって研究対象としての時代を狭く限定していく事態が進展していった。アーミテイジによれば、このことが「長期への恐怖」や「短期の勝利」を引き起こして、歴史学という学問が周辺化される状況を招き、歴史学が公共の問題への提言能力を喪失させていったというのである(25)。

だが最近になって、歴史学では「長期の復権」とも呼びうる現象が発生しているという。グローバル化にともなうガヴァナンスの解体状況、国家内部での格差の拡大、あるいはまた環境破壊や気候変動などの危機が浮上してきている。これらの危機の諸起源は、それぞれに諸国際機関の勃興した二〇世紀半ば、資本主義の発展が加速化した一九世紀末、「人新世」の始まりとされる一八世紀後半にまで遡ることができ、こうした諸課題を検討するには長期的視点が必要となってくる。これに対して、現在の政府や諸非政府機関は会計年度や選挙のサイクルに規定されて長期的な視座に立つことができずに、歴史的視点を欠いた専門家やジャーナリストの知見が幅を利かせることになっている。アーミテイジによれば、デジタル技術の発展によるビッグデータを踏まえた歴史学が、現実にコミットしなければならない時期が到来しているというのである(26)。

アーミテイジ自身は、『思想のグローバル・ヒストリー』(原著二〇一三年)において、思想史の国際関係論的転回を推進していったが、それは、空間論的な転回とならんで長期の復権という時間論的転回と深く結びつくものだった。彼によれば、「国際社会」という集合的表象＝「想像の共同体」の成立は、過去五〇〇年のなかでもっとも重要な政治意識の変化であった。近世に起源をもつ国際関係論的思想の影響力は、民主主義、人民主権、ナショナリズムの拡大などよりも広範なものであり、ウェストファリア体制に典型的に見られる「神話」を脱構築する思想史が求められているのだという(27)。アーミテイジの最新作『〈内戦〉の世界史』(原著二〇一七年)は、ジャーナリズムなどでも通俗的に用いられる「内戦」概念の意味するところを、古代ローマから現代のイラク戦争まで長期的な歴史的視座のもとに置くことで、抽象的な一般化に馴染まない、この概念の歴史化を図っている(28)。アーミテイジにおける長期の復権＝時間論的転回は明白である。

四　因果関係と主体性

リン・ハントとデヴィド・アーミテイジの両者が共通して指摘するのは、歴史学における時間と空間というスケールの拡大である。それは、歴史の断片化に対する反動として生じている。つまり、かつてリオタールが指摘したようなポストモダン状況下における特有な現象として、「小さな物語」へと断片化していった歴史の語りが、再び「大きな物語」への志向性をもち始めたというところであろうか(29)。しかし、そのことは同時に、新たな問題を生じさせている。時間と空間のスケールを拡大したキャンバスのもとで、どのように新たな歴史像を構築するのかという問題である。通俗的には「誰が」「どのようにして」ともいうことができるが、この問題は、「因果関係の復権」ならびに「主体の復権」という現象として立ち現れている。

因果関係の復権

ロイ・ビン・ウォンによれば、一九六〇年代までの歴史学は、フランス革命やアメリカ革命などの政治革命、あるいは産業革命などの経済発展の原因について長期的ならびに大局的な枠組みでの議論を展開してきたという(30)。こうした視点は、一九六〇—七〇年代の社会史研究によっても継承されていくが、そこでは数量的なアプローチあるいは民衆史的なアプローチを用いて、そうした革命的な事件の社会的原因が明らかにされていった。リン・ハントがパラダイムと呼ぶ解釈の枠組みが設定され、因果関係をめぐる分析は歴史学の主要な争点となってきた。しかし、一九八〇年代以降、歴史家の関心が社会史から文化史へシフトすることによって、長期的な歴史変動の問題に対する関心が薄れ、因果関係をめぐる議論は後景に退いていくことになったというのである。

この点については、日本の歴史学のなかでも確認されることになる。戦後歴史学から社会史への転換が唱え始められた一九七〇年代に、指導的な歴史家である柴田三千雄・遅塚忠躬・二宮宏之らによって、「鼎談　社会史を考える」がおこなわれたが、そこでも因果関係をめぐる点が議論されていた。同じ社会史を論じながらも、エルネスト・ラブルースの影響を受け人口動態や物価など数量的な社会史の立場に立つ遅塚と、同じく社会経済史から出発しながら、歴史人類学への傾斜を強めつつあった二宮とのあいだで、因果関係をめぐる論争が交わされていた。すなわち、経済、社会、政治といった次元の関係性を構築するにあたって、遅塚が因果関係という言葉を用いたのに対して、二宮はそれが決定論や還元主義を想起させるという点から、相互関係という言葉を対置したのである(31)。これ以降、文化史への傾斜という研究動向と相まって、日本の歴史学の風景から因果関係という言葉は急速に姿を消していくことになった。

ビン・ウォンの整理によれば、一九八〇年代以降の歴史学が経済学や政治学に代わって人類学や文学などの影響を受けるにつれて、こうした傾向は世界的なものとなり、因果関係を提示することは歴史学の中心的な関心事ではなくなったという。文化論的転回によって、ローカルな個別の事象への解釈学的関心が高まり、対象の解釈学的分析が主流となっていった。だが、空間論的転回を経て歴史研究の対象がグローバルな規模へと拡大して、個別地域の研究をグローバルな枠組みに位置づける際に、個別の事象を大きな枠組みに接合させることが問題となる。ローカルな事象を「大きな物語」に接合させる新たな因果関係を提示することが求められるようになっているのである。言語論的転回・文化論的転回を通過した歴史学においては、新たな因果関係論が構築されねばならないとされる(32)。

「因果関係」論争

実際のところ、現在の歴史学界ではいたるところで因果関係をめぐる議論が登場しつつある。二〇一五年の『アメリカ歴史評論』では因果論に関する特集が組まれているが、そこでは因果関係をめぐる昨今の研究状況が詳細に提示されている。かつて歴史変動を説明する際には、社会史のパラダイムに依拠する因果論が用いられてきた。だが、因果論の衰退は、歴史的変化に対する関心が消滅したことを意味するものではない。ポストモダン的ともいえる新たな歴史的変化の説明原理が登場してきている。言語論的転回以降の歴史学も変化の叙述を断念したのではなく、新たな変化の説明原理ないしは語りの様式を求めていたというのである(33)。またハントやアーミテイジらの著作のなかでも、因果関係論に関して間接的ながら言及されている。それらを参照しながら、いくつかの共通する論点を抽出してみよう。

第一に、物語論と因果論の対立と和解である。第二次世界大戦後、アナール学派に典型的であるが、多くの歴史家たちは、歴史学は客観的な分析にこだわるべきで、「物語」からは距離をとるべきだとした。つまり、自然科学者と同じように、体系的な数量的証拠を集めて、因果関係的な解釈を確立しようとしたのである。これに対して、文化史家は、「社会科学」としての歴史に「物語」としての歴史を対置し、「法則や因果関係」に代えて「意味と解釈」を重視したのである(34)。しかし近年では、社会史パラダイムの基盤にあった「因果関係」という言説そのものがひとつの「物語」として読み返されるようになり、「因果関係」と「物語」との和解が進行している(35)。リン・ハントによれば、緩やかな目的論的意識に規定される物語から因果論的解釈を切り離すことは不可能であり、「あらゆる因果論的説明は物語を内包しており、また逆に物語は因果論的解釈を含んでいる」とされる(36)。

第二に、言語論的・文化論的転回以降、新たな因果論が模索されていることである。これらの転回は、記号や象徴など文化や言語の規定性を強調したが、客観的なものに対して主観的なものを重視する立場をとった。それは、土台・上部構造モデルでいえば、因果関係の方向性を逆転させたものとなる。社会史家ミゲル・カヴレラは、「社会的条件が構造的なものとなり、実践の要素として機能するのは、ある程度において因果関係が意味あるものとなってからである」という。つまり、因果関係とは主観的なものによって認識されて初めて客観的な構造となる。主体が、客観的な構造と交渉しながら、一定の法則性をもって作動する力学を認識するプロセスこそが「因果関係」だとするのである(37)。これらは「構造」のもつ法則性に対する主観的な側面からの理解を誘うものであり、「構造と主体」の弁証法的関係における主体への関心の再考を促すことになった。

主体の復権

因果関係をめぐる論争のなかで主観的なものと客観的なものの和解の象徴として提出されている主体もまた、最近になって復権している概念である。それは、拡大された歴史のスケールのなかで物語を構成していく不可欠の起点となる。

第一に、主体の復権は、ポスト言語論的転回の文脈で登場する。この間の歴史学は、文化論的転回をとげ文化史研究が主流となってきたが、その導き手となってきたのがフーコーやデリダなどのポスト構造主義であった。だが最近、こうした文化史は言語や象徴による主体の規定性・拘束性を強調することによって歴史の主体を消去してしまったのではないか、との批判が加えられるようになっている。それに対して、歴史的変化を惹起する生きられた主体による経験や実践といったカテゴリーが復権してきている。構築主義といえば、フーコーの「言説による構築」論が名高いが、ミシェル・ド・セルトーは、『日常的実践のポエティーク』(原著一九八〇年)という書物のなかで、民衆が文化的レパートリのなかから選択をおこない、それらを組み合わせ、新たなコンテクストに位置づける「日常性の構築」を不断におこなっているとして、「主体の復権」を提唱していたのである(38)。

第二に、主体の復権は、ボトムアップの歴史を描くことを可能にしている。リン・ハントはグローバル・ヒストリーの系譜をトップダウン型とボトムアップ型に分類したが、ボトムアップのグローバル・ヒストリーは、ミクロストリアとの接合を意図している。ローカルな文化を身にまとって登場する行為主体を起点として、金融資本主義の運動などグローバルな構造的要因と時に対峙し交渉しながら、地域の個性が創出されていくことになる。普遍的志向性をもつグローバリゼーションは、世界の同質化を招くのではなく差異を作り上げる。この差異に基づく地域的多様性こそが、人びとの移動を促し、グローバリゼーションを活性化するというパラドクスとして現象していく。ボトムアップ型のグローバル・ヒストリーという空間論的転回の起点としても、主体は位置づけられるのである(39)。

第三に、最近の主体概念は、「自己」の内面に深化していく方向性をとっているように思われる。社会史・民衆史をになった急進的な歴史家たちは、こうした主体の心理学と自覚的に距離をとってきた。またフーコーも、身体に注目したために心理的側面を軽視してきた。これに対してリン・ハントなどは、「自己」を探求するために、心理学・生命科学・認知科学などを含む周辺諸科学との対話を進めるべきであるとしている。実際のところ、人類学的な視点から超長期的な歴史を考察してきたディープ・ヒストリーは、生命科学・神経科学の成果に依拠しながら人間の身体論的次元から歴史を巨視的に把握しようとする傾向への媒介の回路となった。こうした新興の諸科学との交流のなかから感情史・情動史などの分野が台頭してきているという(40)。したがって、時間論的転回もまた、「主体」概念の再考を促しているのである。

五　結びに代えて

歴史学におけるスケールの拡大は、いくつかの意味での研究史的状況への応答であった。リオタールのいうポストモダン状況とは社会主義や近代化といった「大きな物語」が消失して、それに代わり「小さな物語」の氾濫する状況が生まれることだが、空間論的にいえば、「小さな物語」とは分析対象の断片化によるミクロストリアへの注視といったことになろうか。また時間論の観点からは、史料の増大・氾濫や研究史の蓄積などによって研究対象が狭隘化して、歴史研究には「近視眼思考」が蔓延してきた。つまり、研究対象が断片化して、長期的・広域的視点が欠如することになり、そのことはまた歴史学の実践性の喪失へと繋がったとされている。こうした状況に対する反動として、現在、「大きな物語」(あるいはまた「大きな問題」Big Question)への回帰といった現象が生じている。物語論的転回2.0とは、「スケールの拡大」というかたちで表出される時間論的・空間論的転回のことを意味している。

アナール学派をめぐる論文集『歴史学の最前線――〈批判的転回〉後のアナール学派とフランス歴史学』に収録されたミシェル・ヴェルネールとヴェネディクト・ツィンメルマンの共同論文「交錯する歴史」は、対外関係史(外交史、国際関係史、植民史)などに見られるスケールの拡大について論じたものである。それは一見すると空間論的転回を論じたトランスナショナルな歴史(イストワール・クロワゼ)の論考に思われるが、トランスナショナルな歴史的事象を対象とすることにともなう概念の構築や研究史の理解など歴史家の作法についても紙幅をとって論じている。そこで強調されているのは、「対象へのアプローチ」(理論や方法)、「対象と研究者の関係」、「スケールの調整」など、研究対象に向かう歴史家の主体性についてである(41)。言い換えれば、歴史家の実践の構築主義的理解を試みている。

二〇一七年には、ヘイドン・ホワイトの一連の著作の日本語訳が、相次いで刊行された(42)。『メタヒストリー』のもつポストモダン的メッセージは、歴史家によって半ば拒絶され、あるいはまた批判され、その影響力も薄れていったかのようである。だが、一貫して変わらないかたちで歴史家に影響を与えてきた点がある。それは、このような歴史家に対して再帰的自己認識への視点を提供してくれたことにあるのではないだろうか。そこには、歴史家の主体性ならびに倫理性を復権し、それによって歴史学を活力のあるものにしていくという普遍的なメッセージが込められている。それは、異なるかたちでの「物語」を模索する「物語論的転回2.0」の時代を迎えても揺るぎないものとなっているのである。

(1) 拙著『現代歴史学への展望』岩波書店、二〇一六年。

(2) Hayden White, *Metahistory: The Historical Imagination in Nineteenth Century Europe* (Baltimore: Johns Hopkins University Press, 1973)〔ヘイドン・ホワイト『メタヒストリー——一九世紀ヨーロッパにおける歴史的想像力』岩崎稔監訳、作品社、二〇一七年〕.

(3) Lynn Hunt, *Writing History in the Global Era* (New York: W. W. Norton, 2014)〔リン・ハント『グローバル時代の歴史学』拙訳、岩波書店、二〇一六年〕.

(4) Jo Guldi and David Armitage, *The History Manifesto* (Cambridge: Cambridge University Press, 2014)〔ジョー・グルディ&デイヴィッド・アーミテイジ『これが歴史だ！——二一世紀の歴史学宣言』平田雅博・細川道久訳、刀水書房、二〇一七年〕.

(5) Lynn Hunt, *Politics, Culture, and Class in the French Revolution* (Berkeley: University of California Press, 1984)〔リン・ハント『フランス革命の政治文化』松浦義弘訳、平凡社、一九八九年〕.

(6) Lynn Hunt, *The Family Romance of the French Revolution* (California: University of California Press, 1992)〔リン・ハント『フランス革命と家族ロマンス』西川長夫ほか訳、平凡社、一九九九年〕.

(7) Lynn Hunt, *Writing History in the Global Era*, chap. 1〔『グローバル時代の歴史学』第一章〕.

(8) *Ibid*., chap. 2〔同書、第二章〕.

(9) *Ibid*.〔同右〕

(10) *Ibid*.〔同右〕

(11) *Ibid*.〔同右〕

(12) Gary Wilder, "From Optic to Topic: The Foreclosure Effect of Historiographic Turns," *The American Historical Review*, vol. 117, no. 3, 1 June 2012, pp. 723-745.

(13) David Christian, Cynthia Stokes Brown and Craig Benjamin, *Big History: Between Nothing and Everything* (McGraw-Hill Education, 2014)〔デヴィッド・クリスチャン&シンシア・ストークス・ブラウン&クレイグ・ベンジャミン『ビッグヒストリー　われわれはどこから来て、どこへ行くのか——宇宙開闢から一三八億年の「人間」史』長沼毅日本語版監修、明石書店、二〇一六年〕.

(14) Hunt, *Writing History in the Global Era*, chap. 3〔『グローバル時代の歴史学』第三章〕。

(15) Yuval Noah Harari [translated by the author; with the help of John Purcell and Haim Watzman], *Sapiens: A Brief History of Humankind* (HarperCollins, 2015)〔ユヴァル・ノア・ハラリ『サピエンス全史』上下巻、柴田裕之訳、河出書房新社、二〇一六年〕.

(16) Daniel Smail, *On Deep History and the Brain* (Berkeley: University of California Press, 2008).

(17) Dipesh Chakrabarty, "The Climate of History: Four Theses," *Critical Inquiry*, 35 (winter, 2009), pp. 197-222; Chakrabarty, "Postcolonial Studies and the Challenge of Climate

Change," *New Literary History*, 43, no. 1 (2012), pp. 1-18.

(18) Otto Brunner, Werner Conze and Reinhart Koselleck, *Geschichtliche Grundbegriffe: Historisches Lexikon zur politisch-sozialen Sprache in Deutschland* (Klett-Cotta, 1972-1997).

(19) Peter Burke, "The Cultural History of Intellectual Practices," in Javier Fernández Sebastián (ed.), *Political Concepts and Time: new approaches to conceptual history* (Santander: Cantabria University Press 2011), pp. 103-128.

(20) Martin Jay, "Should Intellectual History Take a Linguistic Turn?," In *Modern European Intellectual History: Reappraisals and New Perspectives*, Dominick La Capra and Steven L. Kaplan (eds.), (Ithaca, N.Y.: Cornell University Press, 1982); John E. Toews, "Intellectual History after the Linguistic Turn: The Autonomy of Meaning and the Irreducibility of Experience," *The American Historical Review*, 92/4, (1987), pp. 879-907; Gareth Stedman-Jones, *Languages of Class* (Cambridge: Cambridge University Press, 1983), chap. 2 [G・ステッドマン・ジョーンズ『階級という言語――イングランド労働者階級の政治社会史　一八三二―一九八二年』拙訳、刀水書房、二〇一〇年、第二章].

(21) David Armitage, "Horizons of History: Space, time, and the future of the past," *History Australia*, vol. 12, no. 1 (2015).

(22) *Ibid.*, p. 213.

(23) David Armitage, *The ideological origins of the British Empire* (Cambridge University Press, 2000)[デイヴィッド・アーミテイジ『帝国の誕生――ブリテン帝国のイデオロギー的起源』平田雅博ほか訳、日本経済評論社、二〇〇五年].

(24) David Armitage, *The Declaration of Independence: A Global History*, Harvard University Press, 2008 [デイヴィッド・アーミテイジ『独立宣言の世界史』平田雅博ほか訳、ミネルヴァ書房、二〇一二年].

(25) Guldi and Armitage, *op. cit.*, pp. 7-8 [『これが歴史だ!』一三―一四頁].

(26) *Ibid.*, chap. 6; Armitage, "Horizons of History," p. 223.

(27) David Armitage, *Foundations of Modern International Thought* (Cambridge University Press, 2012)[デイヴィッド・アーミテイジ『思想のグローバル・ヒストリー――ホッブズから独立宣言まで』平田雅博ほか訳、法政大学出版局、二〇一五年].

(28) David Armitage, *Civil Wars: A History in Ideas* (New York: Alfred. A. Knopf, 2016)[デイヴィッド・アーミテイジ『〈内戦〉の世界史』平田雅博ほか訳、岩波書店、二〇一九年].

(29) Jean-François Lyotard, *La Condition Postmoderne* (Paris: Minuit, 1979)[ジャン=フランソワ・リオタール『ポスト・モダンの条件――知・社会・言語ゲーム』小林康夫訳、水声社、一九八六年].

(30) Roy Bin Wong, "Causation," Ulinka Rublack (ed.), *A Concise Companion to History* (Oxford: Oxford University Press, 2012).

(31) 柴田三千雄・遅塚忠躬・二宮宏之「(鼎談)「社会史」を考える」、『思想』第六六三号、一九七九年。

(32) Bin Wong, *op. cit.*

(33) Emmanuel Akyeampong, Caroline Arni, Pamela Kyle

Crossley, Mark Hewitson and William H. Sewell Jr., "Conversation: Explaining Historical Change; or, The Lost History of Causes," *The American Historical Review*, vol.113, no. 2, 2015, pp. 393–405. ここでは、歴史的変化の説明原理としての因果論に対するオルタナティブが模索されている。因果論は社会的要因によって規定される連続的な歴史過程を発見することを目的としていたが、ミシェル・フーコーの問題提起以降、歴史的変化は、言説が再編される偶然的・蓋然的な過程に依拠していることが強調され、歴史的変化も個々の言表・言語の意味を規定するエピステーメの変化によって系譜論的に検証することができるとされている。

(34) Hunt, *Writing History in the Global Era*, pp. 123–124, 126 [『グローバル時代の歴史学』一三四、一三六―一三七頁].

(35) たとえば、中国現代史を専門とするP・K・クロスリー (Pamela Kyle Crossley) は、従来の因果関係は主観性と客観性を峻別してきたが、それは観察者の偏見を無自覚に強化してきたのであり、それを回避するために物語論の認識が採用されたとしている ("Conversation," pp. 1376–1380)。

(36) Hunt, *op. cit.*, p. 127 [『グローバル時代の歴史学』一三七頁].

(37) Miguel A. Cabrera, "On Language, Culture, and Social Action," *History and Theory*, 40 (2001), p. 86; Mark Hewitson, *History and Causality* (Basingstoke: Palgrave Macmillan, 2014), chap. 6.

(38) 拙著『現代歴史学への展望』第四章、Michel de Certeau, *The Practice of Everyday Life* (1980; English trans. Berkeley, 1984) [ミシェル・ド・セルトー『日常的実践のポイエティーク』山田登世子訳、国文社、一九八七年].

(39) Bin Wong, *op. cit.*; Hunt, *op. cit.*, chap. 4 [『グローバル時代の歴史学』第四章].

(40) Hunt, *ibid.*, chap. 3 [『グローバル時代の歴史学』第三章].

(41) ミシェル・ヴェルネール&ヴェネディクト・ツィンメルマン「交錯する歴史」、小田中直樹編訳『歴史学の最前線――〈批判的転回〉後のアナール学派とフランス歴史学』法政大学出版局、二〇一七年。

(42) ヘイドン・ホワイト『歴史の喩法』上村忠男編訳、作品社、二〇一七年。同『実用的な過去』上村忠男監訳、岩波書店、二〇一七年。

転回するグローバル・ターン

キャロル・グラック
訳＝梅﨑透

グローバル論的転回（グローバル・ターン）は、言語論的転回（リングイスティック・ターン）や文化論的転回（カルチュラル・ターン）のあとを受け、いまや歴史学界におけるもっとも新しい旋回となった。この転回が、世界史（ワールド・ヒストリー）、国境を越える歴史（トランスナショナル・ヒストリー）、グローバル・ヒストリー、そして同じようにグローバルな観点から過去を考える歴史学の試みに、いかなる影響を与えてきたのかを問うことには意味があるだろう。こうしたアプローチはけっして新しいものではない。先駆としては古代の歴史的宇宙論（コスモロジー）、近世の普遍史（ユニバーサル・ヒストリー）、ヘーゲルやマルクスの世界史（ワールド・ヒストリー）、比較文明史（コンパラティヴ・シヴィライゼーショナル・ヒストリー）などがある。それでも、現在のグローバル化のもとに書かれた歴史の発生には、何らかの新しさがある。歴史家がグローバルなるものの意味を共有しているということではなく、現在の世界文学や「惑星経済」についての学問と同じように、歴史叙述においても、なんであれ目の前の主題についてグローバルな視座にうったえることが、あたり前になっているようだ。

なぜいま世界史（ワールド・ヒストリー）なのか

世界史（ワールド・ヒストリー）（時代とともにその意味が変化してきた古い呼び名）、国境を越える歴史（トランスナショナル・ヒストリー）（二〇世紀の一時期に国際史（インターナショナル・ヒストリー）とも呼ばれたより新しい名称）、そしてグローバル・ヒストリー（一九九〇年代以降、急速に膨らんだカテゴリー）という最新の波を、歴史研究者が取り込んできた理由は三つある。一つ目は、歴史家が批判の対象として書くものであり、もっとも特定しやすい。いまだ主要な批判対象でありつづけるのは、国民史（ナショナル・ヒストリー）である。歴史家は何十年にもわたって「国境を越える」努力を続けてきた。問題となるのは、ナショナル・ヒストリーの語り（ナラティヴ）だけではなく、これに付随する歴史的な本質主義（エッセンシャリズム）であり、近代の定義にはじまり、社会と国民国家の同一視にいたる歴史分析のカテゴリーそのものに影響する「方法論的ナショナリズム」である(1)。もう一つ乗り越えるべきは、ヨーロッパ中心主義（ユーロセントリズム）である。これは、ナショナル・ヒストリーと同じく、近代史における帝国と権力の関係にも、近代歴史学にも深く組み込まれている。ここでも、問題は権力と知に及ぶ。非西洋的な知の生態系を消し去り、たとえばグローバル・サウスの過去と未来をそれ自体として知ることを許さない「認識論的虐殺（エピステミサイド）」という、「認知上の不正義」をいかにして正すのか(2)。こうして、グローバル・ヒストリーは、ナショナル・ヒストリーに対抗するものとして、また脱植民地主義（ポストコロニアル）的な枠組みよりグローバルな枠組みでヨーロッパ中心主義を乗り越える手段として想像された。

二〇世紀終わりに世界史をよみがえらせた二つ目の理由は、ナショナルな、あるいはヨーロッパ中心主義的な歴史にあらがうよりも、さらに大きな探究の領域に向かうものだった。アメリカでの地域研究、ヨーロッパのポスト帝国研究、そして比較文明史は、地域や文化を分離されたものとしてとらえる傾向があった。こうした世界の諸地域がいかに深く研究され比較されようとも、ナショナル・ヒストリーが支配する大学の歴史学科の中では、それらは端に追いやられていた。世界史は、全体像と同時に、世界のさまざまな部分のつながりと相互作用を提示することによって、「非西洋」を地域的なゲットーから救い出し、主要な歴史学の領域に入り込ませる一つの方法だったようにみえる。地域からグローバルへと向かう他の戦術には、たとえば、ウォーラステインの世界システム論、従属理論、そして、ウィリアム・H・マクニールが開拓したヒト科動物からロボットへといたる人類史のマクロ・ナラティヴに影響を受けた歴史があった(3)。

三つ目の理由は、歴史学ではなく、歴史そのものに起因する。歴史叙述におけるグローバル・ターンは、ますます強まる、もはや止めることが出来ないようなグローバル化の過程によってもたらされた、というふうに一般に主張される。これまでになく高まる統合と相互依存、新自由主義的経済秩序による支配、大規模な人、資本、イデオロギーの移動、ネーションや企業の脱領域化、そして気候変動、難民、核をめぐる安全保障といった差し迫るグローバルな問題——これら全てが、一九九〇年代には、新しい現象ではないにしても、近代経験における新たな段階を示唆すると考えられるようになった。グローバル化する現在が、グローバルな視角から過去へのアプローチを求める、新たな問題意識をもたらしたのだ。ちょうど近代の到来が、それが生み出す近代化の過程への関心を喚起したのと同じような現象といえる。こうした「歴史家とその時代」という等式化はあまりに単純ではあるが、グローバル・ターン後に歴史を研究する者は、グローバリゼーションこそが「グローバルに考える」(penser global)ための論理的根拠なのだとしばしば主張する(4)。

それはいかなる世界か

新しいグローバル・ヒストリーの論理的根拠は、その実践以上に、広く共有されている。世界史はこんにち、地理的にも方法論的にも、非常に多様である。言うまでもないが、この論理的根拠は、言うよりもやる方が難しい。多くのテーマにおいて、ナショナル・ヒストリーに抵抗して書くということは、国民国家を迂回したり、無視したりすることではない。いまだ国民国家は、法律、市民権、アイデンティティをまとめ上げる、支配的な地政学上の形態である。移住、ディアスポラ、難民は国境を越えた動きだが、ヨーロッパ、アフリカ、中東における現在の難民危機からも明らかなように、その命運は様々な国家政策が握っている。ヨーロッパ中心主義を避けることは大切だが、その認識論的な解放はそんなに簡単ではないようだ。事実、先に挙げたグローバル・サウスのための認識上の正義をうったえる研究は、ヴィトゲンシュタイン、ヘーゲル、ニーチェ、マルクス、そしてブロックらを参照して論を進めている。また、広く議論された、一八〇〇年まではヨーロッパよりも中国が経済的に進んでいたとする「大分岐」(Great Divergence)の研究は、その実、「西洋の勃興」を概念的に転倒したもので、西洋が世界だと理解する「世界史的」枠組みにとらわれたままなのだ(5)。

対照的に、ディペシュ・チャクラバルティは、広く知られることになった『ヨーロッパを地方化する』(Provincializing Europe)において、マルクスやハイデガーの普遍的なヨーロッパ中心主義的に向き合い、これらを含めた、すべての歴史経験の場所性(プレイスネス)を主張する。彼は後に、この本は「グローバリゼーションの産物である。グローバリゼーションは、その可能性の条件である」と書いたが、これはまた、「グローバリゼーションが生んだ喪失について語る立場(ポジション)」を見いだす方法でもあった(6)。ヨーロッパ中心主義に挑戦することは、立場性をめぐる問題であり、マルクスや、資本主義、市民権、あるいは主権など、ヨーロッパに由来する概念を捨て去ることではない。そうではなく、その由来による限界と、異なる地域で出現したそれらの翻訳と変容を理解することである。現在の世界文学や世界史において、翻訳が、中心的な理論的、実証的関心になっているのも、驚くことではない(7)。

しかし、その世界が、いかなるもので、誰のものなのかという問いは残る。西洋が世界だと考えるのは歴史的につくられた慣習であって、存在論的事実ではない。アメリカでも中国でも、一九五〇年代の中学校では、世界史とはほとんどヨーロッパ史のことだった。一九世紀末の日本では、日本史がアジアの歴史から引き離され、アジア史も「世界」から取り除かれて、西洋史だけがその空間に残った(8)。こうした選択の痕跡は、今日でも歴史意識の中に残っている。空間について言えることは、時間と物語（ナラティヴ）についてもあてはまる。誰の時刻表によって「不均衡発展」という物語の列車が走るのか。二〇世紀の中国に関する最近の本によれば、「経済的規範性」(economic normativity)の物語が一般的、普遍的にすらなり、その結果の一つとして「新しい中国中心主義的世界史」が生み出されたという。つまり成長、発展する中国が「発展主義者的グローバリゼーションという歴史の目的論」を見事に実証しているように見えるので、中国の国家威信が再確認されてしまうというのだ(9)。こうした世界、時間性、そして想定されるグローバルな物語の定義は、もしそれが問われることがなければ、グローバルな関心を持つ歴史家をつまずかせることになりかねない。やはりグローバル・ターンは、実践するより宣言するほうが簡単なようだ。

これに関して、グローバリゼーションという言葉自体は、概念的に姿を変えやすいものである。高まる相互依存や、資本主義のグローバルな広がりといった特質を並べることも一つだが、グローバリゼーションとは、それ以前の近代化と同じく、過程（プロセス）なのだ。そして近代化がそうであったように、グローバリゼーションは変化以上のものを示す。それは、あたかも単一の主体としての地球が共通する状況に向かっているかのような、終着点すらほのめかす。しかし、今回の終着点は近代性（モダニティ）ではない。では、何なのか。地球性（グローバリティ）とでもいうものなのか。完全にグローバル化した世界とは、実際どのようなものだろう。ガヤトリー・スピヴァクらが「グローバリゼーション」概念へのオルタナティブとして提示する「惑星的（プラネタリー）」な思考は、こうした統合論的な含意に対抗する(10)。もちろん、単一の、あるいは一点に収斂する近代性を拒否するのと同じように、現在の歴史家でグローバルなるものの目的論を前提とする人はあまりいない。しかしグローバリゼーションがなんらかの方向に向かう避けがたいプロセスであるという含意は、その概念の中に潜んでいる。近代化の教訓から学んでおきながら、なぜ歴史家は、これほどあいまいな概念をもとにした方法論的枠組みにうったえるのだろうか。

一体これは新しいパラダイムと呼ばれるべきものなのか。リン・ハントは、『グローバル時代の歴史学』において、グローバリゼーションを近代化、マルクス主義、アナール学派、そしてアイデンティティ・ポリティクスといった二〇世紀の歴史叙述のパラダイムの次に来るものとする(11)。マルクス主義とウェーバーの近代化論はパラダイムと呼べる重みを持った理論的アプローチだったと認められるだろう。しかし、他の二つはパラダイムというよりも方法論的な傾向とした方がよいだろう。しかし本当の問題は、グローバリゼーションを、マルクス、ウェーバー、フーコーらに見いだされるような分析的洞察力を歴史家に提供する批判理論としてとらえる点にあると、私は考える。理論的パラダイムなどというものは、じっさいのところ稀であり、だからこそ「パラダイム・シフト」という言葉は、脇道にそれるような変化ではなく、きわめて重大な変動を示すものだ。ハントは、「上から（トップダウン）のマクロ経済的プロセスとしてのグローバリゼーションという現在のパラダイム」を避けるために、グローバリゼーションへの「下から（ボトムアップ）のアプローチ」を提唱する。このとき彼女は、二〇世紀最後の四半世紀にでてきた、いわゆる新しい社会史や新しい文化史を想起しているのだろう。しかし、これらもパラダイムと呼べるものではなく、かつては歴史家の関心に値しないとされた主題を取り込む、方法論的拡大なのだ。

一九世紀の先駆者たちがネーションのもとに歴史を探究したように、グローバルなるもののもと、歴史を探究しよう。ただし、一九世紀の歴史家がネーションを神聖化したように、地球（グローブ）を特別扱いしない方がよいだろう。近代歴史学の初期に確立されたネーションという監獄から逃れるのに、一世紀以上かかっている。グローバリゼーションという名のもとに、同じようなカテゴリーの過ちを繰り返すのならば、それは残念な結果に終わることになるだろう。

世界史はいかになされるのか

グローバルという概念のもとで書かれる歴史学の拡大には、有効で価値ある、多様なアプローチが幅広く含まれる。一九九〇年代終わりにサンジャイ・スブラフマニヤムが展開し注目を集めた「接続された歴史」は、中世から近代初期のダイナミックな空間を解明した。そこでは、インド洋をまたぐ海洋的接続、ユーラシア大陸を横断する貿易と文化の交流、そして、あらゆるかたちの人類の交錯が、近代以前の、ヨーロッパ中心的な枠組みの外にあるグローバルなつながりをかたち作ったとされる[12]。同様の接続は、東アジアと東南アジアの「海の歴史」、大陸の境界地域、そしてジェームズ・C・スコットが描いた「ゾミア」というアジアの高原地帯にも見いだされる[13]。これらはすべて、境界で縛られた帝国やネーションという歴史空間を、その中でおこる接続、相互作用、交換によって形成される空間へと変えた。

「モノ」のグローバル・ヒストリーは、接続された歴史の中でも長い系譜がある。大西洋におけるラム酒と糖蜜、ユーラシアの大陸と海上を渡るシルクと香辛料、さらによく知られる、中国が「世界にもたらした」火薬、羅針盤、紙、印刷技術の「四大発明」、「コロンブスの交換」において「新世界」の人々を激減させた病原菌、そして言うまでもなく、国境を越えた奴隷市場における人間の商品化。最近出版された『モノの帝国』は、対象を広げ、五世紀にわたる消費の歴史における「グローバルな商品の進展」を物語る[14]。新しいグローバル・ヒストリーのもう一つの例としては、おおよそ経済的価値のある物質をとりあげ、その動きを追うことで、分析的な意味でグローバルなマクロ・ヒストリーの物語をつくったり、批判したりするものがある。スヴェン・ベッカートが書いた綿花をめぐるトランスナショナル・ヒストリーは、その経済的な重要性を詳述するだけではなく、彼の言う「戦争資本主義」(war capitalism)なるもののグローバルな性質を論じることを目的としている。資本主義についてのグローバル・ヒストリーは新しいテーマではない。しかし、あまりコスモポリタンとは言いがたいアメリカ史の専門家として訓練されたベッカートの、アメリカ、イギリス、アフリカの間のあきらかな接続を越えて「グローバルな生産複合体」を描く研究は、彼自身が、新しいグローバル・ヒストリーにおける、成長著しいグループの一員であることを裏づけている[15]。

こうした視野が広いグローバル・ヒストリーは、接続されたモノだけでなく、個人や家族についての豊富な物語も含む。国境をまたぎ文化を混淆しながらの人びとの移動は、より大きなトランスナショナルあるいはトランスインペリアルな現象を浮き彫りにする。そうした研究において、ミクロ・ヒストリーはグローバルに向かう。最近の例では、ナタリー・ゼモン・デイヴィスによる一六世紀のレオ・アフリカヌスの「トリックスター旅行」の研究や、エマ・ロスチャイルドによるスコットランドのジョンストン家とその一八世紀世界との広範な接続を明るみに出す「帝国の内面生活」についての研究もある[16]。このアプローチは、「世界史をジェンダー化する」ことを可能にし、グローバル化を下から研究すべきだと言うリン・ハントの要求にも合う[17]。

接続の次は比較だ。これは、新たに展開される古いアプローチだが、差異を強調するより、まず一緒に語られることの少ない世界の諸地域の共通性に光を当てる。まだ少ないとは言え、ますます多くの歴史家が、その地理的かつ言語的な専門領域から飛び出して、世界のところどころにある自身の関心あるテーマで世界について考察しようとしている。『グローバルな思想史』の編集者によると、比較は、「特定のケースを、共通因数を持ち、ゆえに比較可能なものとして立証するため、これらを独自で個別なものとして」扱うことができる。ジープ・スティアマンの章は、この論理に従って、ヘロドトス、司馬遷、イブン・ハルドゥーンを比較し、「定住と移住のフロンティアにおける、共通の人間性と文化的差異」という観点から「共通因数」を提示する[18]。この三つの異なる伝統における、三人の偉大な歴史家の比較が説得的かはともかく、少なくとも著者は特定の伝統を特別扱いしないグローバルな視角をとっている。さらに、比較研究においてヨーロッパ中心主義的な先入観を減じるための工夫としては、提示の順序を転倒させるということがある。例えばもし帝国がイギリスからではなくオスマンからはじまったとすれば、もし革命がフランスではなくハイチからはじまったなら、もし農業がアナトリアではなくアフリカからはじまったならば、といった具合だ。そして、波及(contagion)のグローバル・ヒストリーとでも呼べる比較研究もある。たとえば、一九世紀を通じて何百もの憲法が書かれたのは、かつてはたんに伝播(diffusion)の結果とされていた。しかし、リンダ・コリーは、新しいグローバル・ヒストリーの観点から、それはむしろ波及だと言う。憲法文書は、ローカルな政治的必要性に資するためのトランスナショナルな選択によって広まったと言うのだ。興味深いことに、もっとも影響力のあったモデルの一つはスペイン一八一二年憲法(カディス憲法)だそうだ。この憲法自体は短命だったが、その失敗が人民主権の宣言という、波及性の高い魅力を失わせることはなかった(19)。これからのグローバル・ヒストリーの研究家にとって、戦略として、比較は接続以上にリスクが確実にある。歴史家は世界を旅するとき、自国から、自明な、あるいはカテゴリーに隠された規範を持ち出してそれに依拠するため、共通性の探究としてはじめた研究も、差異の主張に終わってしまうことが少なくない(20)。

近年のグローバル・ヒストリーにおけるもっともグローバルな著作には、接続、比較、そして共通性がならんで見いだされる。二〇〇四年に出版されるやすぐに古典となったC・A・ベイリーの『近代世界の誕生、一七八〇～一九一四年——グローバルな接続と比較』はまさにそうした例で、世紀をまたいで、世界中で高まる相互依存とまだらな不均衡のグローバル化の歴史を描く(21)。ベイリーが東南アジア史の専門家であることは、ヨーロッパを脱中心化し、ネーションと帝国を位置づけ直そうとする彼の主題的アプローチに、あきらかな影響を与えている。ユルゲン・オスターハンメルによる、さらなる大著(一一〇〇頁を超える)、『世界の変容——一九世紀のグローバル・ヒストリー』は、ベイリーと同じように「水平的」あるいは「横の」アプローチをとり、やはり地球全体に広がる接続と比較を意図する。しかし、彼の研究は単一のグローバリゼーションの物語ではなく、移動、都市、辺境、革命などを含み、その後に産業、労働、階層、ネットワーク、知といったテーマがつづく、一連の「パノラマ」であると言う(22)。ベイリー同様、オスターハンメルは、変化の過程がいっそう均一化しつつある歴史を提示するが、ベイリーとは違い、ヨーロッパの経験と発展した世界への傾斜を感じなくもない。ドイツの首相アンゲラ・メルケルがこの本を非常に印象深いと言ったことは、今日のヨーロッパと世界が直面する問題にこの本が深い関わりを持っていることを示すものだろう(23)。ベイリーもオスターハンメルも、フェルナン・ブローデルの影響を受け、ともに世界史に精通している。彼らの著作は徹底的で包括的だが、おそらくある意味では幅が広すぎるといえるだろう。表現豊かな詳述ではあるが、一般化をせずにはいられない。それは、とくに彼らの大きなパノラマのなかからは比較的見えてこない世界の地域からの批判を容易に招くことになる。サハラ以南のアフリカは、いつも思い浮かぶそうした地域の例だ。

これは規模の問題である。グローバルな歴史家は、自身をどこに位置づけるのか、個人から、ローカル、ナショナル、そしてグローバルへと、いかにして規模を往来するのか。近年の、深い歴史(deep history)や大きな歴史(big history)の提唱者は、空間の規模だけでなく時間の規模も拡大し、惑星の歴史(planetary history)、人類以前の歴史(pre-human history)、そして人間の所業に強く影響された現代を指す人新世(Anthropocene)を含む地質時代の歴史(history of geological eras)などを求める[24]。しかし、たとえ浅い歴史や小さな歴史であっても、規模への注意は必要である[25]。実際、どんな歴史も、小さすぎて大きな問題を解明することができないなどということはない。だからこそ、グローバルなミクロ・ヒストリーがあるのだ。新しい世界史への挑戦は、規模の選択にある。上からか下からかではなく、その両方が必要であり、グローバルの思考と同様に関係性の思考が必要だ。グローバル・ヒストリーの多様な実践が示すように、世界を叙述する方法は一つではない。

グローバルな文脈で歴史を書く

すべての歴史家は、いまやトランスナショナルな歴史家だといわれる。歴史研究者が、グローバリゼーションの過程や、自身の研究地域と世界の比較的接続に敏感になりつつあるという意味において、これにはいくらかの真実がある。言語論的転回によって、歴史家は、知がいかに構築されたかを意識したように、グローバル・ターンは、グローバルな意識を生んだ。だがその意識を用いて何をするのか。私の控え目な答えはこうだ。私は日本という国民意識の強い国の一つを研究する歴史家である。グローバル・ヒストリーや世界史を書いたりはしない。スケールの選択としては、テーマが思想であれ、事件であれ、民衆であれ、きわめてその現場に近い。しかし、ローカルに研究すると言っても、今ではそうしながら、グローバルに思考するようになった。オスターハンメルの言葉を借りるなら、私の視線は水平に開かれ、日本以外の空間を見渡している。この歴史学的なまなざしには、二つの側面がある。それは比較の枠組みを構築すること、そして全ての問題をグローバルな文脈で見つめることだ。グローバルな文脈とは、ある瞬間に日本で起こったことが、世界にいかに関わるかを意味する。私は近代日本史の研究者であり、日本は明治以降つねに「国家の世界」の中の一国家であったので、日本の内側で起こったことに世界が関係ないなどということはほとんど考えられない[26]。比較の枠組みは、たいてい、他の社会で同じようなテーマがどのように展開するのかを検証することによって、歴史家がつくり出すものである。比較の枠組みはそれ以上のものではなく、私が取り組む日本の問題への問いに影響するが、それがページに表れることはほぼないと言っていい。私は比較の枠組みをつかって思考するが、それを使って直接比較を行うことはない。先に述べたように、それは誤解を招くものになることがままあるからだ。

　日本の第二次世界大戦の公的記憶をグローバルな文脈で考察することで分かるのは、当初から、戦争についての他国での考え方が、日本人の見解に影響を与えていた、ということだ。もちろん直接的には、アメリカによる占領を通じてだった。一九九〇年代までには、私が言う「グローバルな記憶文化」が形成され、過去の不正義に対する公式な承認、謝罪の政治、そして個々の犠牲者への補償などの規範がそこに含まれるようになった。一九五〇年代にはこうしたかたちの規範はほとんど存在しなかった。数十年かけて、多くの場合、ホロコーストの記憶が変容することによって発展したのだ。一九九〇年代、日本人が内外から、たとえば「慰安婦」が苦しんだような戦時の不正義を承認するよう求められたとき、日本人もグローバルな文脈の規範に従うことが要求されたのだ。世界大戦をめぐる記憶は、けっして一国の問題ではない。比較の枠組みとして、私は他国でいかに戦争の記憶が形成され変化したのかを検証した。それは日本との実質的な比較のためではなく、二〇世紀終わりの、マスメディアの社会において、いかに公的な記憶がはたらくのか理解するためだった。私がその枠組みから導き出した「記憶の作用」という分析は、もし私が研究対象を戦後日本に限定していては不可能なものだっただろう(27)。この分析は日本に適用されるものだが、日本をみているだけでは生まれなかったものだと私は思う。

　グローバルな文脈で考えるさらなる例として、日本の近代史について、外国人がもっともよく尋ねる三つの問いをあげ、グローバルな文脈で簡単に答えてみよう。一つ目は、近代化についての問いである。一九世紀の日本は、なぜ、いかにして、あのように急速に近代化したのか。私の答えは、幕末における「既存の条件（プリエグジスティング・コンディション）」と、一九世紀後半の世界において「利用可能な近代性（アベイラブル・モダニティズ）」が組み合わさってそうなったというものだ。近代化の早い遅いではなく、異なる時代の異なる国に、どんな形態の国家、社会、経済などが利用可能だったのかが重要である。近代性とはスブラフマニヤムが言うように、「歴史的にグローバルに結びつけられた現象であり、あるところからまたあるところへと広がるウィルスではない」(28)。日本の既存の条件と、世界の利用可能な近代性が明治の歴史の方向を決めたのだ(29)。

　二つ目は、帝国主義と戦争についての問いである。一九世紀終わりに近代化を成し遂げた国が、いかにして二〇世紀前半には強圧的な帝国主義と侵略戦争に向かったのか。その答えは、やはり現実の世界における変化と、暗い時代の帝国権力を強化するグローバルな要請（インペラティヴ）に関係している。日本のファシズムや、帝国主義、戦争に責任があるのは世界だと言っているわけではない。暗くなっていく時代のどの段階においても、日本の外交政策は、国内危機と国際政治にある種の一貫性を持って対応していた。つまり、明治初期から、日本は、アジア諸国に対しては侵略的（アグレッシブ）で、西洋列強に対しては反応的（リアクティブ）だった。列強は数十年にわたって、日本の帝国主義を容認し、それに融資をしたが、これは一九三〇年代初期の危機の時代における満州侵略の後で終わった。それでも日本は、さらに激しくアジアを侵略した。実際、第二次世界大戦の要因のなかでも、帝国は非常に重要だった。ヒトラーは東ヨーロッパに大帝国を構想し、ムッソリーニはエチオピアにイタリア帝国をつくろうとし、イギリス、オランダ、フランスは、戦争中それぞれすでに保持していた帝国を維持しようとした。そして日本はその帝国主義的侵略を中国に拡大した。それが、暗い時代における帝国主義権力の要請だった。

三つ目は、とくに一九九〇年代からよく問われる、日本の戦争の記憶についてである。なぜ政府は、アジアにおける日本の戦争行為や残虐行為に対してきちんと向き合うことをしなかったのか。この問いは、それ自体グローバルな記憶文化の産物である。多くの人が、自国あるいは他国の政府がそれぞれの負の過去に向き合うよう期待し、圧力をかけるようになった。答えは、初めはアメリカの占領下にあり、冷戦期にはアメリカの同盟国となった、日本の戦争記憶の地政学的文脈に見いだされる。アメリカの保護のもと、かなりの快適さをもって日本は太平洋戦争を記憶し、アジアにおける帝国と戦争の両方について忘却できたといえる。もちろんそれほど単純ではないが、冷戦後に日本が向き合わなくてはならなかったのが、アジアでの戦争だったことは確かだ。日本の政治家のなかには南京大虐殺を否定することが容易だと考える者がいたが、真珠湾攻撃で始まって原爆で終わる太平洋戦争の物語を修正しようとする者はほとんどいなかった。これもまたいうまでもないことだが、いかにナショナルな問題であってもグローバルな文脈で考えることの重要性がそこにも見える、ということだ。

グローバル・ターンのあと

今後数年は、世界史、トランスナショナル・ヒストリー、そしてグローバル・ヒストリーがさらに繁栄し、過去の外形を変え、その中身を豊かにするだろう。そして、最終的にそのグローバルな範囲に世界のより広い地域を均しく含むことができたら、未来にも影響することになるだろう。しかし、グローバル・ヒストリーは、それ自体、現在の問題に対する解決策でも、問題意識でも、ましてやパラダイムでもない。それは、むしろ必要な視座といえるものである。かつて主な歴史家たちが無視したジェンダーは、今ではすべての(良き)歴史家の持つ過去への見つめ方の一つとしてほぼ自然なものとなっている。知と権力が関わる状況がすべてそうであるように、それは格闘なくしてはなしえなかったことである。ジェンダーが歴史学に定着するためにはそのための運動と活動が必要だったのだ。グローバルな思考についても同じだろう。今日の世界史研究者は、ポストコロニアルの歴史の基盤をもとに、時間と空間の境界を押し広げる。そして(良き)歴史家ならば誰しも、ナショナルでエスノセントリックな井戸の中の蛙のように過去をみなくなる可能性があるだろう。その時グローバル・ターンは転回したことになり、そして世界はまた移り変わるのだ。

(1) Daniel Chernilo, "Social Theory's Methodological Nationalism: Myth and Reality," *European Journal of Social Theory* 9, no. 1 (2006): 5-22.

(2) Boaventura de Sousa Santos, *Epistemologies of the South: Justice Against Epistemicide* (London: Routledge, 2016).

(3) William H. McNeill, "The Rise of the West after Twenty-five Years." 彼の有名な一九六四年の著作の(ヨーロッパ中心主義的)欠点についての省察は、次の学術誌の創刊一号に掲載されている。*Journal of World History* 1, no. 1 (1990): 1-21.

(4) Michel Wieviorka, Laurent Lévi-Strauss, Gwenaëlle Lippe, eds., *Penser global: Internationalisation et globalisation des sciences humaines et sociales* (Paris: Éditions de la Maison des sciences de l'homme, 2015).

(5) Kenneth Pomeranz, *The Great Divergence: China, Europe, and the Making of the Modern World Economy* (Princeton: Princeton University Press, 2000).

(6) Dipesh Chakrabarty, "Preface to the 2007 Edition," *Provincializing Europe: Postcolonial Thought and Historical Difference* [2000] (Princeton: Princeton University Press, 2007), p. xix.

(7) Doris Bachmann-Medick, "Introduction: The Translational Turn," *Translation Studies* 2, no. 1 (2009): 2-16.

(8) 岡本隆司「日本人の世界史を」、『ちくま』第五五〇号(二〇一七年一月)、四〇―四五頁。

(9) Rebecca Karl, *The Magic of Concepts: History and the Economic in Twentieth-century China* (Durham, NC: Duke University Press, 2017), pp. 23-25.

(10) E.g. Amy J. Elias and Christian Moraru, *The Planetary Turn: Relationality and Geoaesthetics in the Twenty-first Century* (Evanston, IL: Northwestern University Press, 2015).

(11) Lynn Hunt, *Writing History in the Global Era* (New York: W.W. Norton, 2014).

(12) Sanjay Subrahmanyam, "Connected Histories: Notes towards a Reconfiguration of Early Modern Eurasia," *Modern Asian Studies* 31, no. 3 (1997): 735-762.

(13) James C. Scott, *The Art of Not Being Governed: An Anarchist History of Upland Southeast Asia* (New Haven, CT: Yale University Press, 2009).

(14) Frank Trentmann, *Empire of Things: How We Became a World of Consumers, from the Fifteenth Century to the Twenty-First* (New York: Harper, 2016).

(15) Sven Beckert, *Empire of Cotton: A Global History*

(New York: Alfred A. Knopf, 2014).

(16) Natalie Zemon Davis, *Trickster Travels: In Search of Leo Africanus, a Sixteenth-century Muslim between Worlds* (New York: Hill and Wang, 2007); Emma Rothschild, *The Inner Life of Empires: An Eighteenth-century History* (Princeton: Princeton University Press, 2011).

(17) On gendering global history, James Belich, "The Prospects of Global History," podcast, TORCH, The Oxford Research Centre in the Humanities (May 11, 2016). https://podcasts.ox.ac.uk/prospect-global-history.

(18) Samuel Moyn and Andrew Sartori, eds. *Global Intellectual History* (New York: Columbia University Press, 2013), p. 7; Siep Stuurman, "Common Humanity and Cultural Difference on the Sedentary-Nomadic Frontier: Herodotus, Sima Qian, and Ibn Khaldun," pp. 33–58.

(19) Linda Colley, "Writing Constitutions and Writing World History," in *The Prospect of Global History*, eds. James Beilich, John Darwin, Margaret Frenz and Chris Wickham (Oxford: Oxford University Press, 2016), pp. 160–177.

(20) See Prasannan Parthasarathi, "Comparison in Global History," in *Writing the History of the Global: Challenges for the Twenty-first Century*, ed. Maxine Berg (Oxford: Oxford University Press, 2013), pp. 69–82.

(21) Christopher A. Bayly, *The Birth of the Modern World, 1780–1914: Global Connections and Comparisons* (Malden, MA: Blackwell, 2004).

(22) Jürgen Osterhammel, *The Transformation of the World: A Global History of the Nineteenth Century* [2009] (Princeton: Princeton University Press, 2014).

(23) Philip Oltermann, "Angela Merkel and the History Book that Helped Inform Her Worldview," *The Guardian* (Dec. 29, 2016).

(24) Andrew Shryock and Daniel Lord Small, *Deep History: The Architecture of Past and Present* (Berkeley: University of California Press, 2011); David Christian, *Maps of Time: An Introduction to Big History*, with a new preface (Berkeley: University of California Press, 2011); David Armitage and Jo Guldi, *The History Manifesto* (Cambridge: Cambridge University Press, 2014).

(25) See Jacques Revel, *Jeux d'échelles: la micro-analyse à l'expérience* (Paris: Seuil, 1996).

(26) Christopher L. Hill, *National History in a World of Nations: Capital, State, and the Rhetoric of History in Japan, France, and the United States* (Durham, NC: Duke University Press, 2008).

(27) キャロル・グラック「記憶の作用――世界の中の慰安婦」梅崎透訳、『歴史で考える』岩波書店、二〇〇七年、三四九―三八四頁。

(28) Sanjay Subrahmanyam, "Hearing Voices: Vignettes of Early Modernity in South Asia, 1400–1750," *Daedalus* 127, no. 3 (September 1998): 99–100.

(29) Carol Gluck, "The End of Elsewhere: Writing Modernity Now," *American Historical Review* 116, no. 3 (June

2011): 676–687.

グローバル・ヒストリー論と「カリフォルニア学派」

岸本美緒

本特集は、この十数年来、日本の歴史学界において国際的潮流の影響を受けつつ提唱されている「グローバル・ヒストリー」に関わるものであるが、「グローバル・ヒストリー」という歴史学の方法について全面的に論じることは、なかなか難しい。その理由の一つは、そもそも「グローバル・ヒストリー」とは何なのかということについて、あまり明確な合意がないという点にある。

しばしば引照される水島司の解説では、グローバル・ヒストリーの特徴は、以下のような点にあるという。第一に、扱う時間の長さである。「これまでであれば考古学の範囲であった有史以前の人類の誕生から現在までをあつかうことはもとより、場合によっては宇宙の誕生までもが対象に含まれる」。第二に、対象となるテーマの幅広さ、空間の広さであり、陸域・海域全体の構造や動きを問題とすることが多い。第三の特徴は、従来の歴史叙述の中心にあったヨーロッパ世界の相対化、あるいはヨーロッパが主導的役割をはたした近代以降の歴史の相対化である。「このことは、「東アジアの奇跡」と呼ばれるような……日本をはじめとする東アジア諸地域の急速な経済成長や、中国やインドの近年の経済大国化という現実の世界での劇的な変化が、過去の歴史過程にかんする解釈の見直しを迫ったということの裏返しの現象であろう」。第四に、単なる地域比較ではなく、異なる諸地域間の相互連関、相互影響が重視されるという点である。第五に、あつかわれている対象・テーマの新しさであり、たとえば、「疫病、環境、人口、生活水準など、われわれの日常に近い、しかし社会全体や歴史変動のあり方全般に関する重要な問題が新たに取り込まれている」(1)。

ただ、これらの特徴は、グローバル・ヒストリーの成果と目される著作に共通して含まれるものでは必ずしもなく、一つ一つの著作を取れば、如上の特徴のうちのいくつかが見て取れるというにすぎない。例えば、グローバル・ヒストリーの代表作として常に挙げられるケネス・ポメランツの『大分岐』(2)についていえば、一八世紀を中心とするイングランドと中国江南(長江デルタ)との経済状況の比較を行う本書には、第一、第二の特徴は明らかに当てはまらないが、第五の環境・生活水準の問題を取り上げて、一八世紀の江南とイングランドとの共通性を論じ、アジアに対するヨーロッパの長期的優位という欧米の通説を論駁している点(第三の特徴)において、グローバル・ヒストリーの典型の一つと見なされているのだといえよう。このような点からして、水島の列挙するグローバル・ヒストリーの特徴は、いわばグローバル・ヒストリー概念の外延的説明であって、その内包を示すものではない。従って、「煎じ詰めて言えば、グローバル・ヒストリーとは何なのか」という疑問を抱く読者も少なからずいるであろうし、その答えは、これまで出版されたグローバル・ヒストリー関連の日本語の著作(3)のなかでは、必ずしも示されていないように思われる。また、グローバル・ヒストリーの範疇では論じられていない(ように見える)著作のなかでも、上記の五つの特徴のいずれか或いは複数を含むものはかなりあるように思えるので、グローバル・ヒストリーとそうでないものとの区別は、実際のところかなり困難だといえよう。「グローバル・ヒストリー」という語を題名や帯に用いる論文集は、近年続々と出版されているが、そこに収録された一つ一つの論文を見るならば、従来の論文とどこが異なるのか疑問を感じるものも少なくない。

欧米の論者においても、「グローバル・ヒストリー」の内容として挙げられるものは様々である。例えばパミラ・クロスリーの『グローバル・ヒストリーとは何か』は、グローバル・ヒストリーを新しい潮流としてその推進を提唱する水島とは異なり、古代以来行われてきた「広範で包括的な、あるいは普遍的な展望を語ろうとする歴史記述」の試みについて、そのナラティヴの型(「発散」「収斂」「伝染」「システム」など)を分析したものである。クロスリーは本書の最終章で現代のグローバル・ヒストリーの課題について述べ、「目的論的なナラティヴを超越する、真に偏見のない、客観的で、普遍的なナラティヴに到達」することが、グローバル・ヒストリーをめざす現代の歴史家の一つの目標となっていることを指摘しつつも、「それは目下のところ、まだ達成されていない」とし、また「文化を超越するナラティヴ」の今後の達成可能性にも懐疑的である(4)。

このような現状をふまえると、「グローバル・ヒストリー」一般について感想めいた議論をすることには、あまり意味がないように思える。私自身についていえば、一国史的枠組みを超えた広い視野や、ヨーロッパ中心主義に対する批判といった「グローバル・ヒストリー」の主張にはおおむね賛成であり、そうした方向での努力には敬意を表したいが、「グローバル・ヒストリー」の核心があまり明確でないままにことさらその新しさを標榜しているように見える近年の日本の動向に与することには慎重でありたいと思う。「グローバル・ヒストリー」の潮流の内容がかなり混沌としており、また玉石混淆であるように思われる現状では、「グローバル・ヒストリー」に賛同する新しい研究とそれに抵抗する旧い研究というように大雑把に括るよりは、それぞれの研究を丁寧に吟味してゆくことが必要ではないだろうか。そこで本稿では、「グローバル・ヒストリー」の主要な事例として常に言及され、また中国を中心に論じているという点で私の専門にも比較的近い所謂「カリフォルニア学派」の諸研究を取り上げ、能力の及ぶ範囲で論評することとしたい。

「カリフォルニア学派」の特徴は、ヨーロッパとアジア（特に中国）との「比較」という問題関心にあるといえるが、「グローバル・ヒストリー」における同学派の位置づけについて、私見に基づき、まず簡単に述べておこう。

上述の通り、今日「グローバル・ヒストリー」として挙げられている著作は極めて多様であるが、大きく見てそれらは、いくつかの潮流に分類できる。その一つは、従来の「人間中心」的な歴史学と距離を置いて環境や疫病といった問題に着目し、自然科学的な説明を用いつつ長期的・広域的な叙述を行うものであり、水島の挙げる特徴でいうと、第一・第二・第五の特徴がよくあてはまる。よく知られたジャレド・ダイアモンド『銃・病原菌・鉄』(5)などがその代表といえるが、こうした潮流を仮に「環境系」と名付けたい。もう一つは、大陸を超えた広域的な人・モノ・文化の移動や接触を扱うもので、水島のいう第二・第四の特徴に関連する。ジャネット・アブー・ルゴドの『ヨーロッパ覇権以前』(6)がその例である。この潮流は一国史の枠組みを超えて広域的な結びつきを扱うという点ではウォーラーステインなどの「世界システム論」との共通性を持つが、西欧を中核とする固いシステムを強調する「世界システム論」に対し、これと異なって非西欧諸地域を前面に出した図柄を描こうとしており、その点で水島のいう第三の特徴も備えている。これらの研究を「交流系」と呼ぶことができよう。そしてもう一つ、「比較系」ともいうべき潮流があり、上述のポメランツ『大分岐』などを代表とするカリフォルニア学派はその中心にある。その考察対象は世界全体を覆うという意味での「グローバル」とは必ずしも言えず、基本的な枠組みは、ヨーロッパとアジア（特に中国）――ないしそれぞれの一部分――の比較にあるので、旧態依然の印象を与える面もあるが、水島のいう第三の特徴に関わるヨーロッパ中心主義批判を戦闘的に打ち出している点で、「グローバル・ヒストリー」の主要な一翼を担うものと見なされている。

一　「カリフォルニア学派」とは

「カリフォルニア学派(the California School)」という名称は、その一員であることを自認するジャック・ゴールドストーン(Jack A. Goldstone)の命名によるものだが(7)、その学派に属するとされる人々が自称として広く使っているというわけではない。従って、以下本稿でこの名称を用いる際には、必ずしも明確な求心性をもつ学派として用いているわけではないことをお断りしておきたい。

「カリフォルニア学派」という語の発源地となったゴールドストーンの動向論文「西洋の勃興――なのか?」は、「広く受け入れられた常識(the received wisdom)対カリフォルニア学派」といった鮮明な対比の構図のもとに、カリフォルニア学派の新しさを大略以下のように提示する。

マックス・ウェーバーの比較研究以来、学者たちは、ヨーロッパには独自の特質があり、それが他の社会には見られない優位性をヨーロッパに与えたと考えてきた。その特質の内容については、科学技術、地理的条件、統治のあり方など、学者によって多様な見解があったものの、一九世紀以降のヨーロッパとアジアとの分岐という「重大な結果」は、それ以前の少なくとも数世紀にさかのぼって両者の歴史と文化に存在してきた「重大な」相違に根差すものである、と見なす点では共通であった。彼らによる標準的な世界史叙述では、ヨーロッパは他地域に対して常に優位性を保ち、他の社会は、ヨーロッパ人の交易や征服といった活動を受動的に受け入れる存在に過ぎなかった。そのような通説に立ち向かったのが、カリフォルニアを中心とする一群の研究者たち、即ちカリフォルニア学派である。彼らは、通説において用いられていた中国の劣位性に関する論拠を次々と実証的に覆し、ヨーロッパがむしろ近年に至るまで、世界史のなかで辺境であり、紛争に苦しめられ、革新性の低い地域であったこと、生活水準の高さや優れた技術はむしろアジアのものであったことを主張した。今後様々な面で研究を発展させる余地はあるものの、史料に基づくカリフォルニア学派の事実発見は、ヨーロッパの特別かつ優位な状況についてかつて確実と見なされていた見解を、すでに崩壊させている。彼らの発見により、我々は以下の二つの単純な原理に直面するよう迫られている。(1)ヨーロッパの状況は、比較的近年、即ち一八〇〇年頃まではアジアの先進的な諸地域と大きく異なるものではなかった。(2)その後の大分岐は、それ以前からの重大でかつ長期的な相違に帰する必要はなく、むしろ、ヨーロッパの小さな一部(そして後に日本)に例外的な条件をもたらした些細な相違や偶然的出来事の結果と見るべきである。このような発見は、科学史におけるコペルニクスやダーウィンの成果にも比せられるもので、工業化と発展をめざして奮闘している何十億もの非ヨーロッパ人をエンパワーする助けとなるだろう。

このゴールドストーンの論文のなかで、「カリフォルニア学派」を構成する具体的な研究者としては、以下のような人々が挙げられている。まず、ビン・ウォン(Roy Bin Wong, 王国斌)、ゴールドストーン、ケネス・ポメランツ、リチャード・フォン・グラーン(Richard von Glahn)、ワン・フォン(Wang Feng, 王豊)、キャメロン・キャンベル(Cameron Campbell)であり、彼らはいずれも、カリフォルニア大学システム(カリフォルニア大学の諸分校)に属する研究者である(8)。そのほか、カリフォルニアの他の大学に属する研究者としては、デニス・フリン(Dennis Flynn)とアルトゥーロ・ヒラルデス(Arturo Giráldez)、ジェームス・リー(James Z. Lee, 李中清)、ロバート・マークス(Robert Marks)などが挙げられ、またアンドレ・グンダー・フランク(Andre Gunder Frank)は、所属は一定しないものの、カリフォルニア大学出版会からヨーロッパ中心主義批判の本(9)を出したということで、カリフォルニア関係者の中に入れられている。そのほか、カリフォルニア以外では、ジャック・グッディ(Jack Goody, ケンブリッジ大学)、ジェームス・ブラウト(James Blaut, イリノイ大学)、ジャネット・アブー・ルゴドが挙げられている。

ゴールドストーンは、これらカリフォルニア学派の研究者が一九九〇年代に行ってきた主要な事実発見を、おおむね次のように列挙する。

(1)清代中国の家庭においても一種の出産調整が行われており、中国の人口過剰を貧困と結びつける通説は誤りである(リー及びワンなど)。(2)中国やインドの織布や食品加工などの家内工業は、大規模な生産及び交易といった点で極めて洗練されたものであった(ポメランツ、ブラウト)。(3)中国とインドの商人は自由に取引を行い、一八世紀末に至るまで、ヨーロッパの大多数の商人に比べてはるかに大きな商業的富を築いていた(グッディ、フランク、ゴールドストーン)。(4)中国の国際的な経済活動は、明・清時代を通じて活発でダイナミックなものであった(フランク、ブラウト)。(5)一八世紀に至るまで、中国の農業生産性及び生活水準は、ヨーロッパの先進的諸地域に匹敵するものであった(ポメランツ)。(6)中国の一八世紀及び一九世紀は、かなりの領土的拡大及び新しい領土の経済的統合によって特徴づけられる(マークス)。(7)一六世紀から一九世紀初めに至るまで、グローバルな交易システムを動かす力となったのは、交易に対するヨーロッパの熱心さではなく、交易を通じて銀地金を得ようとする中国の欲望であった(フリン、ヒラルデス)。(8)中国とオスマン帝国の政治的動態は、ヨーロッパの君主制とその性格において大きく異なるものではなく、一七世紀の中国と中東で起こった政治的危機の要因はヨーロッパのそれと共通性を持っていた(ゴールドストーン)。

以上のようにそれぞれの研究者の研究テーマは異なるため、一九世紀におけるヨーロッパとアジアとの「大分岐」が何によって生じたかという具体的な理由付けは研究者によって異なる。しかし、その「大分岐」を、両文明に内在する本質的或いは長期的な特質に起因するものではなく、より短期の偶然的な状況に由来するものである、とする点では、「カリフォルニア学派」は共通しているとゴールドストーンは論ずる。

二　カリフォルニア学派の基本姿勢

ヨーロッパ中心主義的通説に対するカリフォルニア学派の果敢な対決とその勝利というゴールドストーンのこのストーリーに登場する諸研究の実証的内容に対しては、次章でやや詳しく検討することとし、本章では、このストーリーを支える認識の枠組み、即ち、このストーリーが誰に対して語られているのかという問題や、その語り方の特徴について、若干の私見を述べておきたい。

第一に、このストーリーの適用される範囲についてである。上記のようなゴールドストーンの「通説」批判について、多くの日本の研究者は、若干の違和感を禁じ得ないのではないだろうか。即ち、「従来の通説は、果たして彼がいうように単純なもの――歴史貫通的なヨーロッパの優位性を信じ、非ヨーロッパ地域を受動的な存在と見なす――であったのか。そこには論敵の議論に対する矮小化ないし戯画化があるのではないか」と。ただ、上記のような二項対立的整理は、他の論者にも共通する。例えば、カリフォルニア学派の一人として挙げられているマークスの概説書『近代世界の起源』(10)を見よう。ポメランツやフランクの議論の影響のもとに書かれたという本書は、大学生向けの教材であるが、「近代世界の起源」を論ずる際の方法的諸問題を周到に解説する堅実な書物である。そこでは、「マスターナラティヴ」としてのヨーロッパ中心主義は、次のように説明されている。

> ヨーロッパ中心主義は、一般のエスノセントリズムのように自らの文化の優越性を強調するのみではなく、さらに自らの文化を普遍的に適用可能なものと見なす点で独自である。
>
> ヨーロッパ中心的な世界観では、ヨーロッパを世界史の唯一の活動的な作り手――いうなれば根源――と見なす。ヨーロッパは行動し、それ以外の世界はそれに反応する。ヨーロッパは〝主体〟であり、それ以外の世界は受け身である。ヨーロッパは歴史を作るが、それ以外の世界は、ヨーロッパと接触するまでは歴史を持たない。ヨーロッパは中心であり、それ以外の世界は周縁である。ヨーロッパ人のみが変化即ち近代化を創始することができ、それ以外の世界にはそれは不可能である(11)。

このような見方が学問的に確立された「事実」と見なされるとき、人々は映画『マトリックス』で仮想現実のなかに囚われている主人公のように、囚われていることすらわからなくなってしまう。それではどのようにして外に出られるのだろうか。我々は、世界の中で従来排除され或いは見過ごされてきた部分を含みこんで話のプロットを拡大し、ヨーロッパを中心としない新たなグローバルな筋書きをすることによってはじめて、マトリックスの外に出ることができる、と(12)。

マークスは、さらに続けて次のように述べる。本書を書くことができたのは、近年英語で発表されたアジア・アフリカ・ラテンアメリカに関する大量の研究成果のおかげであり、それらの文献が、新たな非ヨーロッパ中心主義的ナラティヴの基礎となる。ある批評家曰く「近年までの歴史家たちは、失くした車の鍵を街灯の下で探している酔っ払いのようなものであった。なぜそこで探しているのかと警官に聞かれた酔っ払いは、「そこが明るいからさ」と答えた」と(13)。幸いにも近年の学者たちは、世界の他の地域にも多くの光を当てるようになったので、我々は闇のなかで手探りしなくても済むこととなった。我々は今や、その他の世界について十分な知識を持ち、西洋の勃興についてのマスターナラティヴに疑問を呈し、これと異なる非ヨーロッパ中心的ナラティヴを作りだすことができる(14)。

紹介が長くなったが、それは、「カリフォルニア学派」の人々のこうした議論を読んで私が感ずる漠然とした違和感の所在をつきとめてみたいからである。その違和感とはおそらく、「カリフォルニア学派」など英語圏の研究者から見て、私たち(即ち、主に日本語や中国語など現地語で書くアジアの歴史研究者たち)は、光のささない「暗闇」のなかの存在であったのだと感じさせられることから来るのだろう。ではその「暗闇」のなかでは、何が行われていたのだろうか。近代日本の歴史学界において、ヨーロッパを暗黙のうちに「あるべき基準」と見なすようなヨーロッパ中心主義というものは確かに存在したと思う。しかしそのヨーロッパ中心主義は、「光」のなかにいる人々が感じる自足したエスノセントリズムとは異なり、「闇」のなかから「光」を眺めて、「我々は光のなかに入れるのか」を問う、緊張と葛藤に満ちた問いであった。

マークスが述べるような自己反省をそのまま日本にもあてはめ、「ヨーロッパは歴史を作るが、それ以外の世界は、ヨーロッパと接触するまでは歴史を持たない」といった見解が日本においても「マスターナラティヴ」をなしていたと主張する論者がいるとすれば(15)、それは端的に言って誤り、少なくとも大幅な誇張である。現行の高校世界史教育において西洋史の比重が過度に大きいといった批判は可能かもしれないが、ヨーロッパと接触する以前のアジア(日本を含む)に歴史はなかったといった言説が歴史教育の場で力を持ってきたとは到底言えないだろう。アカデミックな研究のレヴェルでも同様である。戦後日本の中国史研究を例にとれば、帝国主義のイデオロギーとしてのアジア社会停滞論を批判することは、多少とも理論指向をもつ研究者の大部分が共有する課題であった。宋代から清代の中国の時代規定をめぐる一九五〇年代から六〇年代にかけての有名な論争においては、中国ではヨーロッパに先駆けて一〇世紀前後に「近世」段階に入ったとする所謂「京都派」と、宋代から清代の中国は封建制(中世)であったとする所謂「歴研派」との間で対立が見られたが、清代以前を封建制と見なす研究者の間においても、中国史の発展と変革主体の形成を論証することは、オブセッションといってもよい圧力となっていたのである。中国において一九五〇年代から展開されてきた「資本主義萌芽」論争、即ち中国における自生的な資本主義の成長をめぐる論争も、同様の背景のもとで捉えることができるだろう。その後、一九八〇年代には、日本の中国史研究は、西洋の歴史的経験に根差した発展のモデルに中国史を当てはめようとする方向を脱し、中国独自の文化の型という文脈のなかで中国史の展開を捉えようとする方向へと次第に転換していった。この方向転換は、西洋と中国の相違を強調するという点で、一見旧いオリエンタリズムへの回帰と見えるかもしれないが、日本の研究史の流れのなかでは、西洋モデルからの脱却という意味で、やはりヨーロッパ中心主義との対抗という側面を持っていたといえる(16)。

ヨーロッパ中心主義に対抗して颯爽と登場したカリフォルニア学派の挑戦を描くゴールドストーンらのストーリーにおいては、ヨーロッパ中心主義の克服に向けて長年にわたり試行錯誤を繰り返してきたこうした非英語圏の研究者の動向は、視野に入っていない。マークスは中国史研究者なので非英語圏における研究史を知らないわけはないと思うが、英語圏の読者を対象に語りかけるこのストーリーにおいて、非英語圏における従来の研究は、登場人物ではないし、対話の相手でもない。英語で書かれていない研究は、このストーリーにおいて、意味ある研究とは見なされていない。近年に至って英語の研究が続々と発表され、非ヨーロッパ地域の歴史にも「光が当たる」ようになったので、非ヨーロッパ中心的ナラティヴがやっと可能になった、というわけである(17)。

ここで私は、彼らのストーリーに隠された無意識の欧米(英語)中心主義をあげつらおうとしているわけではない。また、日本の研究でははるか以前からヨーロッパ中心主義批判が行われていたのだ、として誇るつもりもない。ヨーロッパ中心主義を批判して非英語圏の人々を「エンパワー」しようとするカリフォルニア学派の善意は尊重すべきだと思うし、英語圏の研究者が英語圏の読者を対象に対話しようとするのも当然のことである。また、「グローバル・ヒストリー」を提唱する日本の多くの論者が指摘するように、日本の歴史研究者(特に東アジア史研究者)が、国際語である英語で発信する努力を従来十分に行ってこなかったことも反省すべきである。しかし、ヨーロッパを基準とする思考枠組みにともすればからめとられつつも、それを脱却しようと苦闘してきた先人たちの軌跡(18)を想起するとき、カリフォルニア学派の一部に見られる善悪二元論的ヒロイズムに同化し、従来の日本の歴史認識を単純なヨーロッパ中心主義と見なして声高に批判する気にはなれない、というのが私の実感である。欧米で流行する議論に受け身で追随する傾向が従来の日本の学界にあったとすれば、それから脱却するには、とりあえず自らの実感に立脚するほかはないであろう。

第二に、カリフォルニア学派のいう新しいナラティヴが、既存の権威的ナラティヴへの対決の姿勢を鮮明にしつつも、結局は「強者(勝者)中心主義」ともいうべき歴史観に支えられていることを指摘したい。ヨーロッパ中心主義に対抗するカリフォルニア学派の姿勢は、一見、弱者の立場に立って強者に立ち向かっているように見える。しかし、ゴールドストーンの整理するカリフォルニア学派の諸論点にも見えるように、ヨーロッパ中心主義を論駁するその論理は結局、一八世紀までの中国(ないしインド)が、経済的に発展し、領土的にも巨大であり、国際交易において中核的位置を占める、世界に冠たる大国であった、という点に帰せられている。その事実認識自体は間違っているとは言えないだろうが、それは果たして、ヨーロッパ中心主義に対する根底的批判になり得るのだろうか。

一般的に言って、所謂「ヨーロッパ中心主義」に対する批判のなかには、(1)「ヨーロッパ」が中心とされていることに対する批判と、(2)そもそも強者を中心とした歴史像を描くことに対する批判と、の双方が含まれているといえよう。ゴールドストーンらの描く「ヨーロッパ中心主義批判」のストーリーにおいては、明らかに(1)がメインとなっており、(2)に対する関心は希薄である。「比較」の主役として、アジアのなかで特に中国が取り上げられ、またポメランツの場合のように中国のなかでも特に経済中心地である江南が取り上げられる理由は、一八世紀までのアジアの経済力や生活水準がヨーロッパに対して同等ないし優位にあったことを証するためである。経済力や生活水準といった点でいうなら、アジアのなかにも様々な異なる状況があり、また一六―一七世紀にヨーロッパ諸国の支配下に入った地域もあるわけだが、カリフォルニア学派の議論のなかでは、「先進的」でない地域は概して捨象されている。アジアの優位性を強調するこのような論じ方は、単純なヨーロッパ中心主義に対しては反論となり得るであろうが、その実、富と力を基準として「中心」の資格を論ずるという前提は、「ヨーロッパ中心主義」との間でしっかりと共有されているのである。

ゴールドストーンは、ヨーロッパ中心主義的な歴史観の論理的欠陥として、既知の結果からさかのぼってその原因を求め、結果に合致するような原因を選択的に取り出してくる、という形の遡及的アプローチを挙げている(19)。即ち、近代におけるヨーロッパの勃興の根源を探るという問題を立て、それを説明するものとして、科学的精神、技術の重視、所有権の尊重、といった要因をヨーロッパの過去のなかから探し出してくるという方法である。その実、同様の要因がアジア社会のなかにも見出せることはしばしばあるが、結果から原因を探す方法によっては、そうしたアジア側の状況は往々にして無視される、と彼はいう。同様の指摘は、カリフォルニア学派の多くの論者に見られ、例えばビン・ウォンは、結果から原因を求める「回顧的(retrospective)」分析について、より慎重な表現で、大略以下のように述べている。各々の世代は、自らの立脚する時代状況に即して回顧的分析を行い、その因果連関の開始点は、終着点をどのように設定するかによって大きく左右される。それは当然のことである。しかし、もし〔回顧的分析とは逆に――引用者〕我々がある時点に立って、我々の前に広がる様々な可能性を考察するならば、我々は、未来展望的(prospective)分析の基本的特質である、偶然性(contingency)や開放性(openness)を導入することができる。学者のなかには、自分は起こったかもしれない出来事ではなく実際に起こったことにしか関心はないのだ、という人もいるかもしれない。しかし、異なる状況のもとでは起こり得た事態を理解することなしには、実際に起こったことの理由や意義を確実に認識することはできないのだ。回顧的分析と未来展望的分析とは、結合することができるし、ある程度は関連せざるを得ないのである(20)。

回顧的分析の問題点についてのカリフォルニア学派のこのような指摘は、傾聴すべきものである。しかし、一八世紀以前のアジア、特に中国の先進性を強調するカリフォルニア学派の主張が現在なぜ影響力を拡大しているのか、を考えてみるとき、二〇世紀末以降の中国の経済成長、大国化という事態がその背景にあることは否定できないであろう。即ち、水島司が前述の説明で、「東アジア諸地域の急速な経済成長や、中国やインドの近年の経済大国化という現実の世界での劇的な変化」をグローバル・ヒストリーの背景として指摘している通りである。このような問題関心は、特にフランクの『リオリエント』などには、はっきりと表明されている(21)。とするならば、「既知の結果」から出発して歴史のなかにその原因を探る、という点では、「西洋の勃興」に関する旧来の通説とカリフォルニア学派との間に、それほどの違いはないと言えるのではないか。両者の違いは、方法の相違というよりも時勢の変化に規定されたもので、今後もし、新たに勃興する地域が出てくるならば、その地域の歴史のなかにその原因が探られることになるのであろう。そして、歴史学の関心の焦点は、いわば現実の強者・勝者の後に追随してめぐってゆくということになるのかもしれない。

むろん、ビン・ウォンが周到に指摘するように、各々の世代が自らの直面する時代状況に即して回顧的分析を行うことは不可避であって、それを否定すべきではない。しかし、そうだとすれば、マークスのように、先行する世代は「マトリックス」の中に閉じ込められているのに対し、自らの世代はその外に出ている、として先行世代を断罪することは、フェアな議論を行う所以ではないだろう。新しい世代が新しい時代状況を知っていることは当然であり、特に誇るべきことではないからである。ヨーロッパ中心主義を批判するゴールドストーンやマークスの論調の歯切れの良さは、彼らがそのような自己省察において必ずしも積極的ではないことに由来するのではないかとも感じられる。

カリフォルニア学派のヨーロッパ中心主義批判は、一面では中国などアジア諸国家の急成長という現実に支えられ、他面では通説の権威への対抗という偶像破壊的爽快さを併せ持ち、強い影響力を発揮している。この状況を、やや広い研究史的背景のもとで見てみよう。

アメリカの中国史研究において、ヨーロッパ中心主義批判の動きが活発化したのは、カリフォルニア学派に始まったことではない。日本でも話題になったポール・コーエン(Paul Cohen)の『中国に歴史を発見する』(一九八四)(22)は、戦後アメリカの近代中国史学界における諸パラダイムの対立と変遷を扱った書物であるが、その中で作者は、戦後一九六〇年代までの近代中国研究を規定した主要なパラダイムとして、「西洋の衝撃―中国の反応」及び「伝統―近代」という二組の二項対立的な枠組みを挙げ、これらはいずれも、中国の伝統社会を固定的に捉えた上でそれに対して西洋が与えた影響に関心を集中したもので、そこには、西洋化を近代化として肯定的に捉える評価、及びそうした西洋化を近代中国史研究の最重要課題だと自明に見なす態度、という二重の西洋中心的な偏向があった、という。

以上のような諸研究に対比してコーエンが注目するのは、西洋の影響よりも中国自身の文脈のなかで中国史の動きを捉えようとする一九七〇年代以降の動向で、コーエンはこれを「中国自身に即した(China-centered)」アプローチ(23)と名付ける。このようなヨーロッパ中心主義批判の動きは、後のカリフォルニア学派の方向性と大きく重なり合う。しかし、この「中国自身に即した」アプローチがカリフォルニア学派ほど広範な注目を集めなかったのは、このアプローチが基本的に中国史学界内部の動きに止まったこと、そして、ヨーロッパ中心主義批判といっても、ヨーロッパ史側の認識枠組みを正面から批判するという形ではなく、むしろヨーロッパについて指摘されていることが中国にもあった、という形の議論であったことによるのだろう。例えば、「中国自身に即した」アプローチの代表的な研究者として挙げられるウィリアム・ロウ(William Rowe)は、『漢口』などの著作(24)で、従来中国には欠如していたと見なされていた商人層による都市自治や、官の支配を脱した「公共圏(public sphere)」が、一九世紀の中国の商業都市にも成立していたことを論じた。しかし彼の議論は、停滞論的な中国社会像を否定するものでこそあれ、中国に対するヨーロッパの相対的先進性という通説に異議を唱えるものでは必ずしもなかったといえよう。

カリフォルニア学派の議論の背景として挙げるべきもう一つの潮流は、同じく一九七〇年代ころに始まる、サイードの『オリエンタリズム』などに端を発した尖鋭なイデオロギー批判としてのヨーロッパ中心主義批判である。これについては多くの議論がなされており、ここで説明を加える必要はないであろう。「オリエンタリズム」論の関心はもっぱら欧米のアジア認識に向けられており、アジア社会の実際状況については ほぼ無関心であったといえようが、カリフォルニア学派の特徴は、ヨーロッパ中心主義に対する尖鋭なイデオロギー批判の態度を「オリエンタリズム」論的思想潮流から受け継ぎつつ、一方で、「中国自身に即した」アプローチがもっぱら扱っていたようなアジア側の「史実」を以てそれを裏打ちしようとした点にあると言うことができるだろう。カリフォルニア学派の一部の著作は、「史実」と「批判」とを結び付けて、ヨーロッパと中国(アジア)との優位性に関する逆転的モティーフ――即ち、歴史を長期的に見れば、優位なのはむしろ中国のほうであった――を鮮明に打ち出した。それはさらに、中国などアジア諸地域の経済的台頭という「現実」

によっても支えられるように見えた。そこに、カリフォルニア学派が中国史学界の範囲を超えて注目を集めた理由の一つがあるように思われる。例えば、カリフォルニア学派の代表的存在としてポメランツと並んでしばしば言及されるフランクの『リオリエント』においては、一八〇〇年以前における世界経済の中心が中国にあったことを強調する。

世界経済およびその中にあり得た諸「センター」のヒエラルキーにおける「中心的」な地位と役割を有する経済があったとすれば、それは中国であった。……ヨーロッパは確かに、一八〇〇年以前の世界経済において中心的ではなかった。ヨーロッパは、構造的にも、機能的にも、経済的重心の点からも、生産、技術、生産性のいずれの点からも、人口一人当たりの消費をとっても、より「進んだ」「資本主義」的制度と言われているものの発展をとってみても、いかなる点でも、ヘゲモニーではなかった。……右の全ての点で、アジア経済ははるかに「先進的」であり、中国の明朝／清朝、インドのムガール帝国、ペルシアのサファヴィー朝やトルコのオスマン帝国でさえ、ヨーロッパのいずれ〔の王朝や帝国〕よりも、また、それらを全てあわせたよりも、その政治的ウェイトはずっと大きく、軍事的にさえもそうだったのである(25)。

フランクの著書では、ウォーラーステインの「資本主義世界システム」論を強く意識しつつ、西欧を「中核」とする世界システムが一六世紀から成長したというウォーラーステインの主張をヨーロッパ中心主義として批判し、中国が中心であったことを指摘する。ここでウォーラーステインとフランクとの相違は、単にどの地域が中核であったかという問題に止まらない。ウォーラーステインが西欧を中核としたのは、西欧を称揚するためではなく、むしろ中核が周縁から収奪して発展する構造の不公正さを糾弾するためであり、かつて従属理論の論客であったフランクも、そうした問題関心を共有していたはずである。しかし『リオリエント』では、「朝貢」という語に象徴されるような中国の中心性は、手放しで肯定されている(26)。強者の支配は正当なのかという現実批判的な問いは、ヨーロッパ中心主義批判という名のもとに姿を消してしまっているのである。

このフランクの著書を学術研究としてどのように評価するかは、なかなか難しい問題である。旧来のヨーロッパ中心的偏見に対する批判という観点は大方の賛同を得るであろうし、フランクの批判の筆鋒の鋭さに快哉を叫ぶ読者も多いと思われる。一方で、フランクの主張する「史実」の妥当性に首をかしげる読者も少なくないだろう。しかし、読者が中国(アジア)に対する本書の評価に誇張があると感じたとしても、実証に穴があることはフランク自身公然と認めており、一次史料に基づく実証的批判に対し「つまらないあら探し」としてあらかじめシャットアウトしようとするその姿勢(27)は、気の弱い研究者をひるませる。ヨーロッパ中心主義批判という大義に賛同する限り、実証部分に関する批判はしにくくなるという暗黙の構造が――著者たち自身におけるその意図の有無を問わず――形成されているように思われる。その故か否か、日本における「グローバル・ヒストリー」の紹介においても、カリフォルニア学派の議論の内容に関する立ち入った検討はほとんど行われていないようである(28)。しかし、欧米の動向にただ受動的に追随するだけでは、カリフォルニア学派の標榜する非英語圏住民の「エンパワー」という趣旨にもたがうことになるだろう。次節では、カリフォルニア学派の若干の論点を取り上げ、簡単な論評を行ってみたい。

三 カリフォルニア学派の論点――農民経営と市場

カリフォルニア学派の論点は、第一節で紹介したゴールドストーンのまとめにもあるように、多岐にわたるが、本節では、ポメランツの『大分岐』(二〇〇〇)と、ビン・ウォンの『転形する中国(*China Transformed*)』(一九九七)(29)を中心に、農民経営の特質に関わる両者の所論を検討してみよう。この両書はいずれも、中国社会経済史を専門とする研究者による中国とヨーロッパの比較研究であり、併称されることが多い。特に両者とも、ヨーロッパの歴史的経験から抽象されたモデルを安易に用いて中国との異同を論ずるのではなく、ヨーロッパ史の分野に――二次文献に依拠するとはいえ――深く踏み込んでより具体的な比較を行おうとしている点は、共通の新しい特徴であり、敬服に値する。しかし、両者の内容はかなり異なっている。ポメランツの著書が、もっぱら一八世紀を中心とする経済や環境に関わる量的な指標の検討を特色とするのに対し、ウォンの著書が対象とする範囲は、経済のみならず、国家形成、民衆運動といった諸方面にわたっており、前近代から現代に至る長期的視野をもって、経済史・社会史・国家史を総合した動態的な歴史の展開を扱おうとしている。また、ポメランツが「大分岐」以前、即ち一八世紀までの中国江南とイングランドの経済状況の共通性を強調している(30)のに対し、ウォンは、経済面についてはポメランツと同様に共通性を指摘するものの、国家形成や民衆運動の性格は大きく異なっていたとして、その相違に着目している。それはむろん、かつてのヨーロッパ中心主義的な中西異質論への回帰を意味するものではなく、ウォンは、「双方向的比較」即ち、ヨーロッパを基準として中国を見ると同時に中国を基準としてヨーロッパを見るという方法や、偶然性及び経路依存性(path-dependency)の重視といった視角により、固定的かつ非対称的な旧来型の類型論を克服しようとしている(31)。

ウォンの著書に見られる国家形成や民衆運動の比較論は興味深いものだが、紙幅の関係でそれらについては省略し、ここでは経済、特に小農経営と市場の問題を取り上げたい。

まず小農経営についてみると、一八世紀及びそれ以前の中国とヨーロッパ(ポメランツの場合は対象をより限定して江南とイングランド)において、小農経営の状況に大きな差はなかったという点では、ウォンとポメランツの見解は一致している。ウォンは、スミス的成長(Smithian dynamics)——即ち、アダム・スミス『諸国民の富』に見られるような、社会的分業の深化が生産性の増大と市場の拡大をもたらし、市場の拡大が社会的分業の深化をもたらすといった成長の方式——が、ヨーロッパにおいてと同様、一六世紀から一九世紀の中国においても見られたとする。ただ、ウォンは、こうした「成長」を必ずしも明るい色彩で描くわけではない。彼は、商業化が中国において土地生産性の上昇をもたらしたことは確かだが、労働生産性の上昇や一人当たり所得の増加をもたらしたかどうかは不明であると指摘する(32)。彼は、ヤン・デ・フリース(Jan de Vries)が一七—一八世紀のヨーロッパについていう「勤勉革命(industrious revolution)」や、ヨーロッパ史で用いられる「プロト工業化」、及びフィリップ・ホアン(Philip C. C. Huang)が中国についていう「インヴォリューション」(33)などは、いずれも、スミス的成長に伴う労働集約化を指摘しているという点で、重なり合う概念である、とする。従来の論者はこれらの概念を、往々にしてヨーロッパ或いは中国にのみ当てはまるものと考えてきたが、都市の工場制工業が始まるまでは、中国とヨーロッパの農民経済は、いずれもこのような基本的特徴を共有してきた。「スミス的成長」は必然的に資本主義的工業化につながるというものではなく、ヨーロッパの資本主義的工業化は、むしろ偶然的な要因によって説明されるべきである、という。

ウォンの『転形する中国』の三年後に出版されたポメランツの『大分岐』は、多くの点でウォンの見解を継承している。一八世紀以前の中国とヨーロッパにおける農村工業の発展における共通性、しかしそれが自動的に資本主義へと発展するものではなかったこと、従ってヨーロッパの資本主義的工業化は偶然的要因によってもたらされたこと、といった点である。しかし、ウォンとポメランツの書物の与える印象はかなり異なる。例えば、ウォンが、中国とヨーロッパにおけるスミス的成長に基づく労働集約化のメカニズムの共通性を周到に論ずる反面、量的な動向については「長年にわたり、中国の人口と資源はおそらくほぼ均衡を保っており、そのなかで生活水準は、地域による大きな相違を含みながら、上昇と下降のサイクルを示していた」(34)といった漠然とした記述に止めているのに対し、ポメランツの関心はもっぱら、量的な推計を通じて、江南の経済状況がイングランドに勝るとも劣らぬレヴェルにあったことを証するという方面にあるようにみえる。スポーツの試合にたとえるなら、ウォンの関心はプレイヤーの動き方のパターンを理解することにあり、一方でポメランツの関心はスコアを算出して比較することにあるということができよう。ポメランツの論敵であるホアンの「インヴォリューション」論に対する評価を例にとれば、ウォンは労働集約化のメカニズムの質的理解といった観点からホアンの議論をかなり肯定的に取り上げているのに対し、ポメランツはもっぱらこれを窮乏化論の側面においてとらえ、量的な推計によってホアンの結論を論駁しようとするのである(35)。

中国とヨーロッパの前近代農民経済の比較という問題は、戦後日本の中国史学界を含め、多くの関心を呼んできた問題であるが、ポメランツのような形で正面から計量的な比較を行おうとする試みは、ほとんどなかった。ポメランツの書物が広範な関心を集めた理由の一つはそこにあろう。また、スコアの比較という手法のわかりやすさと、一種の勝ち負け的な興味——中国とヨーロッパとどちらが優位であったのか——も、学界の範囲に止まらぬ反響を呼んだ背景として指摘できよう(36)。ただ、その手法には疑問もある。

第一に、史料に見える散発的な数量的データの精度が、ポメランツの行っているような複雑な推計(例えば、異なる史料から、綿花価格、綿布価格、女性が原綿から綿布一反を製造するのに必要な日数、銅銭と銀の交換レート、米価、一日の米消費量、男性農業労働者の賃金、などを抽出し、また女性の年間労働日数を仮説的に想定して、それらを組み合わせた計算に基づき、女性の織布労働が男性の農業労働に勝るとも劣らぬ収入をもたらした、と推計するといった作業(37))に耐えられるものなのか、という点である。ポメランツが、史料の操作に厳密であろうと最大限の努力を払っていることは十分にわかるが、綿花・綿布・米などの価格や銀銭比価の短期変動の激しさ、賃金データの分散の大きさ、などを考えると、机上の計算という印象をぬぐうことができない。このような推計においてポメランツは多くの場合、帳簿などの数量的資料ではなく、記述史料のなかに散発的に現れる零細な数値を集めた二次文献に依拠しているが、数値の文脈をなす記述部分にはほとんど言及していない。そのことも、推計の安定性に疑問を抱かせる原因となっている。記述史料のなかの数値は、経済景況や社会問題に対する作者の感想と結びついて示されていることも多く、このような文脈こそが、当時の人々の経済行動やその背景となる経済状況を理解するための重要なヒントとなる。記述史料に基づく印象論的な経済史研究を乗り越えて具体的な数値を提示しようとしたポメランツの努力は尊重しつつも、この数値が独り歩きすることにはやはり警戒が必要であろう。定量的な推計においては、推計そのものと同時に、その限界を把握することにも同じ程度の重要性があるといえるのではないだろうか。

また、仮により精密なデータが存在していたとしても、そもそもポメランツが行っているような形で標準的な数値を算出することにどの程度の意味があるのか、ということも考えてみる必要があろう。彼は、中国全体を扱うのでなく、イングランドに対応する規模の先進地域として長江デルタに焦点を絞っているが、長江デルタのなかでも農家副業における農民の稼得能力は千差万別である。特に、商品価格が低落すれば生産を縮小し、従って利益率の平準化へのメカニズムが働く資本主義経営と異なり、家族の生存維持を目的とする家族経営においては、商品価格が低落しても家族を養うために生産が続けられ、利益率の平準化へのメカニズムが必ずしも働かない、という点が研究者によってしばしば指摘されている。

そのような家族経営にあっては、単位労働当たりの収入は、個々の経営により、また時期により、大きな幅をもっており、標準値といったものを算出することに果たして意味があるかどうかについては、慎重に考慮する必要がある。当時の農民経営が直面していた自然的或いは市場的リスク(不況など)に対し、ポメランツはあまり触れるところがないが、当時の人々にとって意味があったのは、長期的な平均ではなく、経済状況の短期変動――そしてその下限が生存の最低線を割ることがないかどうか――であったともいえる。

第二に、上記のような詳細な推計が行われる反面で、本書には根拠を十分に示さない推測も少なからず見られる。一例を挙げれば、ポメランツは中国の農民経営の状況について、ホアンの「インヴォリューション」論を批判して以下のように述べる。

> 男性の農業労働者の賃金が、その生存を脅かすほどに低いレヴェルに落ちたことはないし、自分で耕作可能な土地を所有する者については、農村のプロレタリアよりも悪い条件に置かれたとも思えない。……一六〇〇年代、一八〇〇年代、一九三〇年代の長江デルタにおける水田一畝当たりの生産に要する労働日数の推計を見てみると、ほとんど変わっていない。にもかかわらず、一畝当たりの生産量は上昇し、単位生産量当たりの地代はおおむね低下したと思われ*、したがって、実際に労働時間が延長され、おそらくは非熟練労働者の賃金が低下していた近世ヨーロッパと比べて、少なくとも中国のこの地方にかんする限り、農業におけるインヴォリューションの徴候は認められない(38)。

この引用の前半部分については、根拠も示されておらず、なぜそう断言できるのか、疑問である。長江デルタでも、貧農が貧困に迫られて妻子を売るといった記述史料は少なからず見られる。ポメランツは関連の注で日雇い労働者の賃金について、「仕事を見つけられなかった日も多かったからには、日雇い労働者の賃金は生存を維持する水準よりある程度高いものであったに違いない」(39)と述べているが、これも理解し難い。「仕事を見つけられなかった日も多かった」ことから、なぜ労働者の貧困や、競争による賃金の下落でなく、逆に賃金の高さが推論されるのか。また、地代について引用文の*の個所の注で参照を求められるキャサリン・バーンハートの著書の該当部分(40)では、確かに地代が一～二割程度下落したことが指摘されているが、バーンハートはそれを、押租(土地を借りる際の敷金)や田面(耕作権)価格を農民が支払う慣行の普及に付随した現象としているのであって、これらの慣行はむしろ、土地をめぐる競争の激化に伴う農民の負担の増加を示すものと考えることもできる。こうした慣行についての記述を敢えて落とすのは、明らかにミスリーディングである。

ここでこのような細かい問題――といっても中国経済史の

観点から見れば大問題であるが――を取り上げるのは、ポメランツの主張を論駁して論敵のホアンを支持しようということでは必ずしもなく、グローバル・ヒストリーの語り口に関わる重要な問題がここに露呈していると思うからである。巨大な問題を、しかも「ヨーロッパ優位論を論駁する」という結論を先取した形で――ポメランツの議論は私には明らかに結論先取的に見える――論じてゆくとき、実証面での慎重さは往々にして犠牲にされるのではないか。

以上、農民経営そのものに関する所論を検討してきたが、次に、農民経営が行われる環境としての市場の問題に触れておきたい。「スミス的成長」論に見られるように、当時の農民経営において市場が重要な役割を果たしていたことは、カリフォルニア学派の人々が共通して認めるところであろう。市場のもたらすチャンスとリスクをどのように考えるか、また局地市場、遠隔地市場、国際市場など様々なレヴェルの市場に農民経営がどのように関わっていたか、といったことは、興味深い問題群をなす。

市場に対するポメランツの関心は、ヨーロッパに比べて中国の市場は規制の多いものだったといった通説に対抗して、中国の市場の自由さをヨーロッパの規制の多さと対比するところにある。ポメランツは「一八世紀の中国の市場経済(そして、たぶん日本のそれも)こそが、西ヨーロッパのそれよりも新古典派経済学における理想的な市場により近かった」(41)と主張するが、その理由として挙げられるものは大略以下の通りである。(1)世襲的な権利によって土地売買に対する制限が見られたヨーロッパに対して、中国の場合、慣習的規制はあまり機能しておらず、土地は自由に売買された。(2)農奴制の残滓がみられたヨーロッパに対し、中国では非自由労働者の存在は早くから取るに足りないものとなっていた。(3)一八〇〇年以前、フロンティアへの移民という点では中国のほうが、また資本が豊富な中核地域への移民という点ではヨーロッパのほうが、活発であった。しかし、スムーズに機能する新古典派的な労働市場という点では、おそらく中国のほうがこのモデルにより近い市場をもっていた。(4)農産物や手工業製品市場という点では、独占やギルド規制があったヨーロッパに対し、中国の農民が活動していた生産物市場は、より競争的で自由なものであった。

もっぱら「規制の無さ」「自由さ」によって市場の先進度をはかろうとするポメランツの「新古典派的」姿勢は、インヴォリューション論を否定する彼の上記の主張と整合的である。即ち彼は、農民の「生存」問題を当時の重要問題と意識しておらず、従って、市場は自由であればあるほどよいのである。それに対し、ウォンの市場論はより多面的である。彼は、国家による穀物備蓄制度や食糧暴動の問題を扱う中で、「スミス的成長」を通じて顕在化してきた長距離穀物流通と民衆の生存との矛盾にも着目する。市場と生存との矛盾という問題は、ウォンによれば一八世紀の中国とヨーロッパに共通であったが、それぞれの対応の仕方は異なった。中国においては、国家は市場流通を基本的に容認しつつ、市場の欠陥を穀物備蓄などの官の政策(即ち備蓄穀物を市場に適宜放出して価格の過度の高騰を防ぐ、など)で補うという柔軟な態度をとった。それに対しヨーロッパでは、「公正価格」を設定するなど市場に直接に介入してゆく政治的パターナリズムから、レッセフェールへのかなり明確な移行が行われ、国家の役割も、市場に介入して調整を図るのではなく、私的所有権など、自由な市場活動を下支えする法制的構造を形成維持することへとその重心を移行させた。ここでウォンは、ヨーロッパと中国との優劣を問うというよりは、両者の異なる対応を、二〇世紀までつらなるそれぞれ個性的な歴史的軌道のなかで理解しようとしているのである[42]。

清代の市場に関して、現在の日本の議論はむしろ、中国の市場の「自由」さを前提としつつ、その市場秩序の特色を、商法の制定、貨幣・度量衡の統一といった国家による公的制度整備があまり行われないなかで私人関係による秩序維持機能が発達している点に求めているように思われる[43]。それは翻って、欧米の市場における私的な秩序形成の意義を改めて問うことにもつながっているといえよう。経済学の領域でも「新古典派的」な市場観の見直しの動きが広がっているが、中国の経済史はそれに興味深い実例を提供している[44]。「新古典派経済学における理想的な市場」を基準として中国の市場の先進性を主張するポメランツに対し、新古典派的市場観の相対化を図るこのような動きは、「ヨーロッパ中心主義批判」のもう一つの――そしておそらく、より根底的な――試みともいえよう。

おわりに

以上、カリフォルニア学派の研究について、簡単ながら論評を行ってきた。彼らの研究は、もっぱら「ヨーロッパ中心主義批判」を刺激的な形で打ち出していることによって評価される傾向があるが、「ヨーロッパ中心主義批判」そのものは特に新しい視角とはいえず、また、方法的卓見も多くある一方で実証的な問題点も少なくない。グローバルな視野で論じているのだから仕方がない、といってこうした問題点の指摘を遠慮することはあまり健全なことではないし、カリフォルニア学派もすべてがそうした対話の不在を望むわけではないだろう。建設的な批判は、必ずしも彼らに敵対して「ヨーロッパ中心主義」の側に立つことを意味しない。日本の研究者にとって重要なのは、彼らの主張を受動的に受け入れてそれを宣伝することではなく、彼らの取り組んだ問題に、自らも積極的に取り組んで対話を試みることではないだろうか[45]。

(1)　水島司『グローバル・ヒストリー入門』山川出版社、二〇一〇年、三―四頁。

(2)　Kenneth Pomeranz, *The Great Divergence: China, Europe, and the Making of the Modern World Economy*, Princeton, Princeton University Press, 2000. 邦訳『大分岐——中国、ヨーロッパ、そして近代世界経済の形成』川北稔監訳、名古屋大学出版会、二〇一五年。

(3)「グローバル・ヒストリー」の意味・評価に関連して私が今まで参照した主な日本語(翻訳を含む)の著作は、以下の通りである。「特集　グローバル・ヒストリー」、『思想』第九三七号、二〇〇二年。水島司編『グローバル・ヒストリーの挑戦』山川出版社、二〇〇八年。水島前掲『グローバル・ヒストリー入門』。羽田正『新しい世界史へ——地球市民のための構想』岩波書店、二〇一一年。パミラ・カイル・クロスリー『グローバル・ヒストリーとは何か』佐藤彰一訳、岩波書店、二〇一二年。南塚信吾「歴史学の新たな挑戦——「グローバル・ヒストリー」と「新しい世界史」」、『歴史学研究』第八九九号、二〇一二年。「特集　世界史論の現在」、『歴史評論』第七四一号、二〇一二年。秋田茂編『アジアからみたグローバルヒストリー——「長期の一八世紀」から「東アジアの経済的再興」へ』ミネルヴァ書房、二〇一三年。秋田茂・桃木至朗編『グローバルヒストリーと帝国』大阪大学出版会、二〇一三年。小田中直樹「グローバル・ヒストリーの史学史的位置」、『史叢』第九一号、二〇一四年。羽田正編『グローバルヒストリーと東アジア史』東京大学出版会、二〇一六年。羽田正編『地域史と世界史』ミネルヴァ書房、二〇一六年。永井和「近世論からみたグローバル・ヒストリー」、『岩波講座日本歴史　二二　歴史学の現在』岩波書店、二〇一六年。秋田茂他編『「世界史」の世界史』ミネルヴァ書房、二〇一六年。リン・ハント『グローバル時代の歴史学』長谷川貴彦訳、岩波書店、二〇一六年。木畑洋一「グローバル・ヒストリー——可能性と課題」歴史学研究会編『第四次　現代歴史学の成果と課題1　新自由主義時代の歴史学』績文堂出版、二〇一七年。

(4) クロスリー前掲邦訳書、一五六頁以下。

(5) Jared M. Diamond, *Guns, Germs, and Steel: The Fates of Human Societies*, New York, W. W. Norton, 1997. 邦訳『銃・病原菌・鉄——一万三〇〇〇年にわたる人類史の謎』上・下、倉骨彰訳、草思社文庫、二〇一二年。

(6) Janet L. Abu-Lughod, *Before European Hegemony: The World System AD 1250-1350*, New York, Oxford University Press, 1989. 邦訳『ヨーロッパ覇権以前——もうひとつの世界システム』上・下、佐藤次高他訳、岩波書店、二〇〇一年。

(7) Jack A. Goldstone, "The Rise of the West—or not? A Revision to Socio-economic History," *Sociological Theory*, 18(2), 2000.

(8) 以下、各研究者の所属はゴールドストーンの論文執筆時(二〇〇〇年)のものである。

(9)『リオリエント』(*ReORIENT: Global Economy in Asian Age*, Berkeley, University of California Press, 1998)を指す。

(10) Robert B. Marks, *The Origins of the Modern World: A Global and Ecological Narrative from the Fifteenth to the Twenty-first Century*, second edition, Lanham, etc., Rowman & Littlefield Publishers, Inc., 2007.

(11) *Ibid*., p.8. なお、この引用部分の一部は、羽田前掲『新しい世界史へ』の七七頁にも引用されている。

(12) *Ibid*., pp. 8-9.

(13) 類似の比喩はフランクの『リオリエント』にも見えるが、そこで著者が「失くした時計が、実はどこかよそにあるというばかりでなく、それに頼って時計を探すべき、より明るい光の方もまた、よそにある」と述べているのは、マークスと異なる。山下範久訳『リオリエント――アジア時代のグローバル・エコノミー』藤原書店、二〇〇〇年、五五七頁。

(14) Marks, *op. cit.*, pp. 14-15.

(15) マークスによるヨーロッパ中心主義の説明を引いて日本の現行世界史教育を批判する前掲羽田著書は、そうした主張を行っているように見える。

(16) 戦後中国史学のこうした流れに関する文献は膨大に存在するが、私見に基づく素描として、拙稿「時代区分論」『岩波講座世界歴史1　世界史へのアプローチ』岩波書店、一九九八年、を挙げておく。

(17) このような単純な構図は、カリフォルニア学派のすべての論者に共通するわけではなく、非英語圏の研究に目配りしたより周到な整理も存在するが、ここでは、マークスの議論――そしてそれを取り入れているように見える日本の論調――に即して所見を述べた。

(18) ここでは、上で例に挙げた歴史学内部での発展段階をめぐる論争ばかりでなく、戦前以来の、アジア主義と脱亜主義をめぐる対立、竹内好やその問題関心を継承する論者たちの錯綜した議論、といったものを念頭に置いている。

(19) Goldstone, *op. cit.*

(20) R. Bin Wong, *China Transformed: Historical Change and the Limits of European Experience*, Ithaca and London, Cornell University Press, 1997, pp. 288-289.

(21) フランク前掲邦訳書、第六章、その他随所。

(22) Paul A. Cohen, *Discovering History in China: American Historical Writing on the Recent Chinese Past*, New York, Columbia University Press, 1984. 邦訳『知の帝国主義――オリエンタリズムと中国像』佐藤慎一訳、平凡社、一九八八年。

(23) この"China-centered"という語は、文字通りには「中国を中心とした」と訳せるが、ここで「中国自身に即した」としているのは、訳者の佐藤慎一の苦心の訳語による。

(24) William Rowe, *Hankow: Commerce and Society in a Chinese City, 1796-1889*, Stanford, Stanford University Press, 1984; do., *Hankow: Conflict and Community in a Chinese City, 1796-1895*, Stanford, Stanford University Press, 1989.

(25) フランク前掲邦訳書、五二―五三頁。

(26) フランクは、濱下武志の朝貢システム論によりつつ、朝貢は単なるイデオロギー的言説ではなく、ヨーロッパを含む周辺諸国に対する中国の経済的優位の表現であったとする。フランク前掲邦訳書、二一二―二二一頁。

(27) 同右、一〇四―一〇六頁。

(28) 最近、ポメランツの『大分岐』について内容にわたる論評を行った村上衛は、日本の中国史研究者がグローバル・ヒストリーの潮流に対し敏感に反応してこなかった理由として、第一に、従来から前近代中国経済に高い評価を与えてきた日本の学界では、ポメランツの著書が衝撃を与えなかったこと、第二に、本書を含む欧米の中国経済史研究の内容・実証性に対する違和感や懐疑を挙げている。村上「批判と反省「大分岐」を超えて――K・ポメランツの議論をめぐって」、『歴史学研究』第九四九号、五〇頁。

(29) 注20参照。

(30) なお、ポメランツは、二〇〇〇年の原著では、江南とイングランドの生活水準や一人当たり所得は一八〇〇年頃までは拮抗していたと述べていたが、二〇一五年の邦訳書に寄せた序文では、それを一八世紀の前半へと繰り上げている。邦訳書、二頁。

(31)　この「双方向的比較」や「偶然性」への注目は、ポメランツにも共有されている。

(32)　Wong, *op. cit.*, p. 19.

(33)　「インヴォリューション」とは、ホアンがA・V・チャヤノフの小農理論などに依拠し、またクリフォード・ギアーツの語を借用して用いている概念である。利益追求を目的とする資本主義的経営と異なり、生計維持を目標とする家族経営では、家族の生存を維持するのに必要であれば、労働の限界生産力が生存コストを割るに至っても生産が続けられ、またそれが家族経営の強い競争力を生み出す。高い人口圧力のもとでは、このようにして、農民層分解が進行しないまま、労働当たりの実質所得が低減してゆく、という。Huang, *The Peasant Economy and Social Change in North China*, Stanford, Stanford University Press, 1985, chap. 1.

(34)　Wong, *op. cit.*, p. 29.

(35)　その後、ポメランツの批判に応答したホアンとの間で、相当激烈な論争が行われた。この論争の主要文献として *The Journal of Asian Studies*, 61(2)所載の両者の論文がある。

(36)　ポメランツは前掲邦訳書に寄せた序文のなかで、「拙著が意図したわけではないが、一部の中国人ナショナリストに強く訴えかけるものがあった」と述べている。前掲邦訳書、一〇頁。

(37)　ポメランツ前掲邦訳書、三二四—三三四頁。

(38)　同右、一一四—一一五頁。

(39)　同右、三六一頁。

(40)　Kathryn Bernhardt, *Rents, Taxes, and Peasant Resistance: The Lower Yangzi Region, 1840–1950*, Stanford, Stanford University Press, 1992, p. 228.

(41)　ポメランツ前掲邦訳書、八七頁。

(42)　Wong, *op. cit.*, chap. 6.

(43)　このような特色は、すでに二〇世紀半ばに柏祐賢らによって、中国経済の「個性」として指摘されていたが、近年では、今日の中国経済の成長を支える独特の特徴として、改めて注目されている。例えば、加藤弘之『「曖昧な制度」としての中国型資本主義』ＮＴＴ出版、二〇一三年、を参照。

(44)　拙稿「市場と社会秩序」、社会経済史学会編『社会経済史学の課題と展望』有斐閣、二〇〇二年、を参照。

(45)　むろん、英語圏ではそうした試みが盛んに行われている。関連の文献を網羅的に挙げることは不可能だが、カリフォルニア学派の「行き過ぎ」に対するバランスのとれた批評の一例としてここでは、Peer Vries, "The California School and Beyond: How to Study the Great Divergence?" *History Compass*, 8(7), 2010を挙げておく。ただ、生産・貿易・貨幣流通などの量的側面のみならず、技術改良への志向、生産様式、制度的インフラストラクチャー、財政＝軍事国家としての発展度など、様々な側面に目配りしつつ、カリフォルニア学派(特にポメランツとフランク)の議論の単純さを指摘するフリースの議論にしても、結局何が「大分岐」の主要因だったのか、ということの論証をなし得ているわけではない。それは問題の性質からいって不可能であり、その意味では、やや徒労感のある作業ともいえよう。

綿と資本主義のグローバルな起源

スヴェン・ベッカート
訳＝竹田泉

〔解　題〕　ハーヴァード大学に所属する歴史研究者であり、『綿の帝国――グローバル・ヒストリー』(*Empire of Cotton: A Global History*, Alfred A. Knopf, 2014) の筆者として著名なスヴェン・ベッカートは、グローバル・ヒストリーの研究者として、もっとも高い評価を受けている研究者の一人である。ベッカートへの評価の高さは、国際的な研究集会にしばしばキースピーカーとして招かれていることからも理解できる。二〇一六年にベルギーのヘントで開催された世界史学会 (World History Association) でも彼はキースピーカーの役割を務めた。ここで紹介されるのは、そうした折に報告されたた内容を論文として執筆しなおしたものである。ここでは *Empire of Cotton* の基本的な内容をふまえて、資本主義の形成をめぐる問題が、奴隷制との関連から論じられている。

ベッカートの研究は、グローバル・ヒストリーとされる研究方法の一つであるモノのグローバル・ヒストリーに属するものである。従来からもたとえば茶、コーヒー、あるいは砂糖のグローバル・ヒストリーというように、特定のモノを対象としたグローバル・ヒストリーは書かれてきたし、現在ではそうした研究はあらゆる領域にわたっている。特定の地域に最初は限定されていたモノが現在では世界化していること、またその生産や消費のネットワークがどのようなものであるのか、あるいはそれらのモノに付された文化的価値がどのようなものであるのかを扱った研究は、それ自体として評価されてよい。しかし、それらが本当に革新的な内容や、巨視的な視点を含むものであるかに関しては、議論の余地がある。

ベッカートの研究が高い評価を得たのは、研究を一歩進めて、今後の参考とされてよい理論的視座を提供したからである。そのために彼が研究対象として選びとったのが、一九世紀の最大の産業であった綿にかかわる問題である。言うまでもなく、綿工業はイギリスのいわゆる産業革命を先導し、その後の世界のあり方に大きな影響を生み出したものとされてきた。しかし、モノは生産されることだけに意味があるわけではない。消費されてはじめて商品としての意味を持つ。したがって全過程にかかわる農業、工業、商業、金融、貿易、消費文化のあり方、それらがどのように関係しあっているのかが、基本的に問われなければならない。

このように考えれば、資本主義の発展を促し、一九世紀に最大の世界商品となった綿の問題は、グローバルな枠組みで歴史を考察するにあたって、もっとも適したものとなる。綿に関して言えば、原料である綿花の生産は、当初はインドを中心に、後にはアメリカをはじめとした世界各地で行われていた。当然原料生産地、加工地、そして消費地とのあいだでどのようなかたちで原料や生産品の輸送が行われていたのかは、産業全体のあり方に大きな影響を与えていた。綿は、比喩的に言えば、大英帝国の発展とともに消費においても生産においても、グローバルな枠組みの中に存在していた代表的な産品であった。つまり綿製品の生産と消費は、そのような広域性、別の言い方をすれば、遠隔地の間の相互的関係から理解されなければならない。

そのことを前提として、ベッカートは綿というモノを対象に、視点を一国史的なものにとどめず、グローバルな枠組みからのアプローチを試みた。そのことをとおして、異なる場所において、異なる生産、異なる労働の様式をとおして行われていたにせよ、それらが相互に関連しあっていたことを論じた。ここで紹介される論稿では、とりわけアメリカにおける奴隷制度を素材としてその問題が論じられている。アメリカ的な奴隷制度は、世界各地で共通して行われたものではなかったという点ではローカルな現象である。しかし、ローカルな現象の形成と衰退は、グローバルな枠組みに依拠していたというのがベッカートの指摘である。

枠組みをグローバルに広げれば、そこから見えてくるのは、多様性の問題である。ベッカートも論じている労働を例にとってみよう。綿花の栽培は、最初はインドの農民によって、後にはプランテーションにおける奴隷労働などによって行われた。原料や加工品の移動にはそれに従事する労働者が必要とされた。原料や加工品の輸送にはそれに従事する多様な人々がいた。末端には販売に従事した人々の存在もあった。世界各地で関連した労働に従事した人々のあり方は多様であった。

このように考えれば、一国内部での資本の集中化や労働の組織化を論じ、その対立の構図から近代社会の発展のあり方を説明するという議論の仕方は、きわめて一面的なものであったと理解できる。たとえば労働運動史、あるいは労働者階級運動史と呼ばれる問題である。コールの『イギリス労働運動史』といった例にみられるように、その多くはナショナルな単位を枠組みとして説明されてきた。資本主義の発展とともに、資本と労働が分離し、労働者がその階級的立場を同一なものとしたことによって、ブルジョワ的な政治システムに対抗する労働者の運動が発展するようになったという図式からである。こうした理解は資本と労働の関係を、階級対立を基本として、きわめて明確に描くものであった。

しかし、その問題は、ナショナルな枠組みを強調されすぎたことである。とりわけ労働の世界は、その多様性よりもナショナルな枠組みでの政治的結集を可能とした統一的なものと理解された。「イギリス労働運動史」「イングランドの労働者階級の歴史」という表現は、代表的なものである。角度を変えて論じれば、こうした理解に欠けていたものは、グローバルな枠組みでの理解であった。グローバルな枠組みから見れば、すでにふれたように、労働の世界はきわめて多様なものであったからである。

ベッカートの視点の優れたところは、こうしたグローバルな結びつきを支えた多様性を、理論的にだけではなく、幅広い地域を対象とした実証的な研究をふまえて明らかにしていることである。またきわめてバランスのよい議論の整理をしていることである。そのことは、グローバルなものとローカルなものを図式的には対比せず、また資本と国家の関係を一面的な対立関係とはしないその分析のあり方にも表れている。歴史研究のグローバル化が進行する一方で、他方で歴史研究は個別的な実証へと沈潜する傾向を深めている。そこでは、個別的なローカルなものの中にもグローバルなものが反映されているという、ともすれば安易な立論が行われがちである。実際に歴史的に最も大きな役割を果したと考えてよい基本的なテーマを対象に、そのグローバルな関係性を具体的な例をとって論じたという点で、ベッカートの議論には参考となる点が多い。

（岡本充弘）

グローバル・ヒストリーは今、歴史学のもっとも活気ある一分野となっている。この分野では、歴史家の独創性が遺憾なく発揮され、洞察力に富む研究が多く生み出されている。主題への接近方法、論点、実証対象の多様性は、この歴史学の発展可能性を示している。これまでにも例えば、砂糖、石油、ジャガイモ、魚のタラの歴史書が出版されているが、モノの歴史をかくことはグローバル・ヒストリー特有の方法となっている。モノに着目した歴史叙述は、国民国家の枠組みを超えた歴史を打ち出す説得的な方法でもある。というのはまず、遠隔地との関係にみられる特徴を実証的に明らかにすることができるからである。また、モノの歴史を通じて、社会史の課題をグローバル・ヒストリーに持ち込むこともできるし、グローバル・ヒストリーに関心を持つ人を増やすこともできる。うまくやれば、グローバル・ヒストリーは世界史の最重要問題を理解する手助けともなる。モノに着目した歴史叙述が多様な分析を可能にしてくれるというのは、先人たちが評価してきたとおりなのである。

基本的に歴史家は特定のモノの歴史をかくとき、そのモノに焦点を絞って実証を行い、グローバル・ヒストリーもしくは世界史の諸側面を理解しようとする。まず、モノは遠隔地同士を結びつける。私が最もよく知る「綿」を例にとりあげよう。綿産業はグローバルに展開し、中国やインドの技術とアフリカの労働とを、ヨーロッパの資本とアメリカ大陸の収用地とを、ブラジルの消費者とイギリスの製造業者とを結びつけた。モノの研究によって、私たちは国境を超えた視点を持つことができるのであって、それによって広い空間上の関係を理解する手がかりを得ることができるのである。

モノの研究は地域間のつながりを際立たせるばかりではない。そのグローバルな関係が歴史の中で変化することにも気づかせてくれる。そこから私たちはローカル史、リージョナル史、ナショナル史の理解を深めることができるのである。特定のモノの歴史の中でこのグローバルな関係のあり方はしばしば変化するし、特定の場所は常に異なる立ち位置をとる。例えばインドは、何世紀にもわたり世界最大量の綿布を生産し、海洋を超えてあらゆる地域に輸出していたわけだが、一九世紀になるとその地位をイギリスに譲り渡しただけでなく、イギリス産綿製品の最大消費地へと転落することになった。モノの研究は、ローカルもしくはナショナルな文脈を超えたネットワーク分析がその根幹にあるから、このように常に変化するグローバルな関係を明確に跡付けることができるのである。

結果として、特定のモノに関心を寄せたとき、異なる地域でみられるそれぞれの事象やそれぞれの歴史展開のあいだの関係をみることができる。それぞれが独特でまちまちに展開するものの寄せ集めにみえる世界も、ひとつのまとまりとして包括的に理解することが可能なのである。すなわち、(奴隷制と自由民の労働の拡大といったような)遠隔地同士の歴史展開が互いにどう関連しているのか、また、グローバルなシステムがローカルなレベルで存在する盤石な伝統や権力分配と出会ったとき、インドの植民地支配、アメリカ合衆国の奴隷労働、エジプトの負債懲役労働といった異なる結果がいかにもたらされるのか、といった問題である。

さらにモノの研究は、資本主義の歴史といった近代史における重要なテーマにも新しい解釈を与えてくれる。資本のグローバルな広がりは、資本主義の歴史に付随する現象などではなく、資本主義の本質である。それ以前の世界はそうではなかったという意味で、資本主義はその誕生からグローバルなものであった。大方の経済史研究が国民国家の枠組みで「イギリス産業革命」とか「アメリカ経営者革命」とか中国の「資本主義の新芽」といったテーマを議論するが、モノの研究はこうした類の経済史から印象的な飛躍を遂げた。地球大でのモノの研究は、一国史的視点と決別し、グローバルな関係が資本主義の歴史にとって重要であることを強調するのである。そればかりではない。モノの研究は、資本主義そのものをこれまで以上に多面的にみる視点を私たちに提示してくれる。この視点をもったとき、私たちは経済組織の新たな空間的側面に気付かされるのであり、そこには、これまで以上にヨーロッパ中心的でない資本主義の歴史が立ち現れるのである。

モノの研究は、農業、工業、金融、貿易、消費の連結を重視する。綿の研究では、アジア、アフリカ、南北アメリカで綿花がどのように栽培されるか、その綿花がさまざまな土地の工場でどのように糸に紡がれ布に織られるのかについて議論されるし、また、ヨーロッパ資本がどのように綿花畑に投下されるのか、商人が地球大の取引ネットワークをどのように構築するのかについて分析されるのである。いくつかの意味において、こうした関係を発見することこそがモノの研究のやり方なのである。

特に重要なのは、モノの歴史研究が、グローバル・ヒストリー研究の非常に熱狂的なやり方に対する矯正薬となりうるという点である。つまり、国家、政治、権力といった観点を、常に変化するグローバルな関係を説明する要素として取り戻す役割を果たすのである。グローバルな規模で現出する資本主義体制の構築にとって国家が要となる存在であるのと同じように、いわゆる自由市場の発展が公私両方の力の行使と密接に関わっていることをモノの研究は示してくれる。綿の歴史には、関税制度から植民地政策にいたるまで国家介入が満載である。モノの歴史とは、国家がいかに「グローバル」の部分となり、その構造をつくりだしたのかについて実証的に分析するものなのである。

モノの歴史におけるこうした権力への着目はさらに、様々な社会集団の考察を促すことになる。その社会集団とは、グローバルな関係を形成する経済界や政界のエリート集団だけではない。特定の場所における社会的な権力分配は、ローカル、ナショナル、グローバルなレベルそれぞれの市場を構築する上で重要であったから、経済界や政界のエリートと違って資本や国家権力にアクセスできない人でさえも、グローバルな関係を形成する際に特定の役割を果たしたということがわかる。実際のところ、モノに着目すると、資本主義のありよう、ひいては近代世界が社会的対立といかに密接に関係しているのか、また、この社会的対立が本質的にはしばしばグローバルな問題であることがわかるのである。いくつかの世界史は、社会史革命の教訓を進んで無視するという問題ある結果を引き起こしてしまったが、モノへの着目は、この社会史の良薬をグローバル・ヒストリーに取り戻すことを可能に、いや、実際のところは、その取り戻しを命じているのである。

＊

綿の歴史は、いくつかのこうした普遍的な問題にも光を当ててくれるのである。現代の合衆国やヨーロッパの大部分の人にとって、綿は非常に遠い存在である。西暦一〇〇〇年から一九〇〇年までの約九〇〇年の間、綿を栽培し紡いで織ることが人類の最も重要な手工業であったということを知る者、またそのことを想像できる者はほとんどいない。中央アメリカから東アフリカ、アナトリアから中国にかけてのあらゆる地域で、相当数の人々が綿の栽培や紡織に多くの日数を費やしてきた。産業革命前の世界において綿が主要な存在であったからこそその分野で技術革新が起こり、生産技術上の劇的な進歩がうみ出されたのである。綿産業は産業革命の基幹産業であり、機械化された工場生産が出現したところではどこでも、まずは綿の分野でそれが導入された。一九世紀のあいだ、綿産業ほど多くの労働者を雇用した産業はなかった。そして綿は当然ながら、合衆国南部の奴隷制大農園からイングランドの工業都市に至る北大西洋地域一帯を制する存在となったのである。一九世紀が進むにつれて、綿産業は大陸ヨーロッパ、ブラジル、日本、メキシコ、エジプトなどへ広まった。それぞれの国で様々な形で出現した綿産業における機械化は、その国の近代化を象徴するものであった。

　イギリスでは一九世紀初頭に綿産業が最も重要な製造業となり、原綿が最も重要な輸入品となり、綿布と綿糸が最も重要な輸出品となった。もともと綿産業大国であったインドでは、産業の主軸が綿紡績業から綿花栽培へと移行したことによって、インド経済を揺るがす地殻変動がおこった。大陸ヨーロッパでは、綿産業は最初の製造業となった。独立したばかりの合衆国にとって、原綿の輸出は世界経済のなかで自国の地位を安定させる拠り所となった。メキシコ、エジプト、インド、ブラジルにおいては、一時的ではあるが綿の分野で工業化への進展が見られた。輸出向け綿花生産を促進するためにエジプトの農業は混乱に陥ったし、アフリカ全域、アルゼンチン北部、オーストラリアなどの小作農は、一九世紀末から二〇紀初頭までに自分たちの土地を綿花畑に変えてしまった。ベアリング家、ロスチャイルド家、ウォード家、ブラウン家、ラスボーン家、タタ家、ビルラ家など商業や製造業に携わる著名な一族が全て綿から富を得たことからもわかるように、綿から莫大な利益が蓄積されたのである。世界を見まわしたとき、ますます多くの人がますます多くの綿布を使用するようになっていることがわかる。ヨーロッパのように歴史的に遅れて綿に出会った人たちによる綿布使用の増大は特に顕著であり、その中で人々の装いや衛生観念は変革を遂げた。総じて言えば、一九世紀の綿は、一〇〇年後の石油に匹敵するほどの重要性を有していたといえるだろう。

　そして、綿はいまだに重要性を失っていない。昨年〔二〇一六年〕、世界全体で約一億二千万梱〔一梱は四百重量ポンド〕の綿花が生産された。それは地球上の全ての人にそれぞれ二〇着のTシャツを割り当てるのに十分な量である。この梱の包みを積み上げると、四万マイルの高さのタワーができあがる。世界的にみれば、現在、三億五千万にも及ぶ人々が綿産業で働いている。これは過去最高の数であり、全人口の三―四%を占めている。広大な綿花農園は、中国、インド、合衆国、西アフリカ、中央アジアと世界のあちこちで見つけることができる。硬く押し固められた原綿繊維は依然として世界中の工場へ運ばれ、何十万もの労働者がそれを紡ぎ、織り、最終的に衣服に仕上げている。最終製品は、遠くの国にある小売店舗や、ウォルマート、カルフールなどの多国籍スーパーマーケットで売られている。実際のところ、綿製品はほとんどどこでも入手可能な数少ない製品のひとつである。具体的には工業化が、もっと一般的に言えば資本主義が成し得た人類の生産性と消費の前例のないほどの大胆で印象的な拡大を、綿の歴史は示してみせるのである。「綿――私たちの人生の布」とは最近合衆国の広告キャンペーンのキャッチフレーズであるが、なかなか言い得た表現である。

＊

綿というモノの歴史は、何世紀にもわたり重要であり続けた産業をわかりやすく描写する。その産業は、産業革命から大分岐そして奴隷制の拡大にいたるまで、世界史の最も重要な局面において主要な役割を果たし、すべての大陸で発展をみせ、それら大陸を互いに結びつけた。しかし、最も重要な点は、綿が資本主義の長い歴史のなかで中心的な存在であったということである。

資本主義の歴史は間違いなく歴史家にとって重要であるし、現代においても重大な問題である。資本主義ほどおしゃべり階級(チャタリング・クラス)の間で話に花が咲くテーマはこれまでにほとんどなかった。二〇〇八年の世界経済危機のあと突然、資本主義の特質、歴史、有効性に関わる問題が、夕方のトーク番組や新聞を通じて世界中で取り上げられ、政治的境界を超えて討論が交わされるようになった。ドイツやイギリスの保守系新聞は、「資本主義の将来」というタイトルの記事を(あたかもそういうものがあることを疑っているかのように)掲載した。なかでも韓国のマルクス主義者たちは、資本主義の自己破壊に向かうとされる性質の分析にいそしんだ。あらゆる政治、イデオロギー、専門分野の壁を超え、討論は衰えることなく続いた。教皇フランシスコは、資本主義を自身の教皇政治の主題とした。フランスの経済学者であるトマ・ピケティは、表や統計資料がぎっしり詰まった七〇〇頁の『二一世紀の資本』という明快だが魅力に欠けるタイトルの本を出版し、ロック・スターのような地位を手にいれた。

こうした活気ある討論は歓迎すべきことである。私たちが生きるこの世界を理解したければ、資本主義のことをよく知る必要があるからである。しかし資本主義について考えると き、歴史家の意見がぜひとも必要となってくる。資本主義の歴史は非常に長く、現在まで五〇〇年もの年月をかけて社会的にそして地理的に拡大してきた。資本主義は社会、技術、国家、そして私たちの人生の諸局面を変革する力を持ち、それが呈する数多くの問題は、長期の歴史的視点をもってしか解き明かせないのである。こうした分析においては、歴史家は経済学者よりも有利な立場にあるといえる。というのも、経済学者の中には、特定の経済の仕組みや制度を、数学的に正しいとされる一般法則で説明しようとする不適切な傾向をもっている者もいるからである。

それとは対照的に、モノに着目した歴史では、資本主義の歴史的な特性やその変遷を明らかに示すことができる。そこでは、〔経済学者がみようとするような〕資本主義の抽象的な性質ではなく、代わりに私が「動的資本主義（"capitalism in action"）」と呼ぶところの資本主義の実際の機能を理解するための詳細な実証分析が試みられるのである。その「動的資本主義」は、経済学の教科書のなかでできまって出会うような資本主義とは全く違う働きをする。

モノに焦点を当てると、資本主義をグローバル・システムとして正確に捉えることができるということがまずわかる。この見方は、論争を招くべきものではないが、過去の大半の歴史学と袂を分かつものである。ひとつの場所、ひとつの地域、ひとつの国からみただけでは、資本主義や綿の歴史を理解することはできない。南北アメリカの綿花大農園、ランカシャーの紡績工場、インドの織布工などについての歴史書は数多い。こうした先行文献なくしてグローバルなモノの研究はできないが、それらの間の新たな関係に光を当てるのがモノの研究である。中央アジアの小作農やインドの織布工、リバプールの商人や合衆国南部の奴隷労働者、西アフリカの要求の厳しい消費者や中国の綿産業資本家といった異なる人々の集団は、通常であれば同じ本に登場することはないし、図書館の同じコーナーの中でさえも見つけることはできないが、異なる土地の歴史展開のあいだの関係に着目すると、こうした人たちの多様な歴史が互いにつながり合うのである。資本主義の歴史はモノの歴史を通して見たとき関係史（コネクティッド・ヒストリー）となり、フィレンツェの銀行家、イングランドの産業資本家、フォードのリバー・ルージュ工場の流れ作業の組み立てライン工たちといった枠組みを超えて一つの関係者集団をうみだすのである。

綿の歴史は実際のところ、資本主義の歴史が、異なる場所や異なる労働制度や異なる国家体制の間で構築された関係についての歴史であるということを、非常に明快に意義深く私たちに示してくれる。事実、資本主義の原動力は、奴隷制と賃労働の間、自由貿易と帝国主義の間、暴力と契約の間の関係から発出した。このグローバルな関係は変化し続け、同時に、特定の場所や人々の集団の役割も変化した。資本主義が前進する秘訣は、まったくのところ、資本、労働、国家権力の地理的な配置替えをする能力にあるのだし、その能力は尽きることがないようにみえる。

さらに言えるのは、モノの研究によって極めてローカルな事象についても深く掘り下げることが可能となり、その結果、それがグローバルなものの不可欠な構成要素であることを示すことができるという点である。世界史やグローバル・ヒストリーにとって大きな危険となるのは、〔商人のような〕グローバルに活動する主体（アクター）間を結びつけるネットワークとして世界をとらえてしまい、ローカルな利害や、ローカル・レベル、ナショナル・レベルでみられる権力分配を重視しなくなるということである。しかし、グローバルなものはローカルなものなしには理解しえないし、逆もまた然りである。ローカルなものはグローバルなものの必要条件であり、グローバルなものはローカルな主体がとることができる選択肢を制約する。社会はそれぞれに異なる空間スケールで歴史的な展開をみせるが、それらはそれぞれ常に関係し合っているわけであるから、ローカルなものとグローバルなものとは分けることはできないのである。

　モノを中心にみる世界史が私たちの資本主義理解に貢献しうる点がもう一つある。それは国家の役割である。綿および資本主義の発展に国家が果たした役割は極めて重要であった。国家介入を資本主義の展開と矛盾するもの、すなわち、政府が大きくなると資本主義が縮小する、そして逆も然り、とする見方がどういうわけか今の流行りとなったが、長期の歴史的視点で見た場合、実際はこれとは逆のことが確認できる。資本主義、とくに産業資本主義の発展にとって、国家は極めて重要な役割を果たしてきた。国家は迷惑な輸入から産業を保護してきたが、その例として合衆国の織物業が挙げられる。また国家は、法を整備し、労働者の流動性を高め、遠隔地市場を征服し、インフラを創設して、さまざまな方法で産業を保護してきた。例えば、一八世紀に強力な国家体制をとったイギリスは、機械による生産で綿産業の先駆者となった。ほぼ常に戦争状態にあったイギリスは、高い税率を打ち出したが、これは国家介入の一形態にすぎない。イギリスはほかにも、広大な帝国を支配し、インド産綿布の輸入に対して障壁を設け、綿産業で新しく開発された機械の輸出および熟練労働者の移出を禁じた。こうしたイギリスの事例をあげれば、資本主義とは資本の所有者の権力と国家権力が行使された結果であるということができよう。この資本の所有者の権力と国家の権力は、一方がもう片方の力の拡大を可能としているという関係にあるのである。

　モノの歴史から得られる最も根本的な見識のひとつは、資本主義を考える際、産業や都市のみでなくむしろ地方や農業の方を特にみる必要があるということである。地方は、極めて重要な原料、労働、市場の供給源であり、資本主義の歴史はその大部分が、資本の所有者や強大な国家がいかに地方を改革しそれをグローバルな資本主義経済の中に統合しようとしたかについての歴史なのである。地方のグローバル化がすなわちグローバル・ヒストリーの中心的なテーマであるといえるのである。

*

　グローバル資本主義の歴史にとって地方と農業がどれほど重要かを考えると、奴隷制の問題が直ちに浮上する。

　あらゆる歴史研究でやられていることだが、自分が関心を持つ問題に取り組む時には、他の人がそのことについてどう語ってきたかについて調べることから始めると良い。奴隷制と資本主義との関係について問うことは、新しい研究方法であるかのようにいつも紹介されるが全くそうではない。実際は逆である。奴隷制が近代的な経済発展とどのような関連にあるかについては、少なくとも二〇〇年ものあいだ議論されてきた。例えば、奴隷制廃止論者は北大西洋地域の富と奴隷制との関係を繰り返し強調したし、賛成論者は奴隷制が近代の経済発展の土台のひとつとなっていることを確信して止まなかった。後者の見解は、「綿は王である」というジェイムズ・ハモンドの言葉にうまく表現されている。また、雑誌『エコノミスト』の編集者からカール・マルクスにいたるまでのヨーロッパの人々も、ヨーロッパの産業発展に奴隷制が果たした中心的役割をはっきりと理解していたことがわかる。ひとつ例を挙げてみよう。南北戦争がはじまって間もなくの一八六一年九月に刊行された『エコノミスト』は、ミズーリ州の奴隷労働者を解放していた北部側の将官ジョン・C・フレモントの行動を「ぞっとするような処置」だと評し、「肥沃な土地に徹底的な破滅と荒廃をもたらすだろう」と、他の奴隷州にも彼の行動が拡大しはしないかと警告を発した。また、ボストンやニューヨークの商人については、「彼らの繁栄の」大部分が、こうした土地から「常に生み出されてきた」と述べている。一方、カール・マルクスのいわゆる「原始的蓄積」の重要性に関わる検証は理論的には一層厳格であったものの、その大意は一九世紀の世論と区別がつくものではなかった。

しかしながら、ずっと長い間自明と思われていたことが、一九世紀最後の数十年までには自明ではなくなり、それはその後長らくうまくごまかされ続けた。北大西洋地域の経済成長を促進したという南北アメリカの奴隷制が果たした役割は、その制度が廃止されたのち積極的に忘れ去られた。実際、北大西洋地域のエリートたちは自分たちの新しい物語を語り始めた。その物語のなかで奴隷制はそれほど重要な位置を占めていなかった。北大西洋地域に位置する社会は世界の他の地域よりも相当に豊かになったから、自分たちの技術的創造性、卓越した制度、他の宗教よりも合理的とされる信仰、何にでも発揮する合理性、優れた文明国家を強調することによって、のちの歴史家が「大分岐」と呼ぶことになる事柄を説明してきた。こうした物語のなかには、奴隷制だけでなく、他の形態の暴力や弾圧、土地の強制収用などはあまり登場しない。

この言説は、自由資本主義のユートピア的な知的伝統と共鳴するものではあったが、資本主義の実際の歴史を無視したものであった。それはそうした事実を口にするのが非常に気まずいかのようであった。ロシアの共産主義革命後とりわけ冷戦期において、資本主義の興隆と自由の拡大との連結が急務となると、資本主義の歴史からの奴隷制の抹消は一段と加速した。近代化論は特に、資本主義社会への経路を想定するものであって、それはまさに自由と民主主義の拡大に関わる問題であった。そこに奴隷制はなじまなかったのである。

このことは、奴隷制の歴史がまったく無視されたということではなかった。遠隔地で存続したものであったとはいえ、奴隷制に深く関与したフランスやイギリスなどヨーロッパの人々は、まずはその廃止に自らが果たした役割について記憶した。オランダの人々は自分たちの黄金期について話したがるが、そこに奴隷制への言及はない。ドイツ人、スイス人、デンマーク人、ノルウェー人は、新たな歴史研究によって自分たちの国が過去に大西洋地域の奴隷制とさまざまな形でつながっていたことが明らかにされてきても、奴隷制について口に出すことを都合よく回避した。奴隷制が実施された合衆国ではヨーロッパの人々がみせるような忘却策はほとんど不可能であるから、東西冷戦期においても奴隷制に関する研究が次々と誕生した。また公民権運動後は、奴隷制は合衆国の史上最大の道徳的汚点として高校のカリキュラムに組み込まれ、一般教養として教えられることとなった。

しかしながら、合衆国で奴隷制の歴史に関する知識が広まれば広まるほど、それは地域的な問題として隔離されていった。奴隷制は南部の問題であって、激しい南北戦争の最中に勇敢にも奴隷解放政策を打ち出した北部のおかげでやっと廃止されたのだという具合にである。奴隷制をこのように理解することは、一般的な近代化言説を脅かさなかっただけでなく、奴隷制を廃止に至らせたという資本主義の物語を大きく美化するものとなったようだ。イギリス人やフランス人にとって奴隷制が「向こう側」にあったように、合衆国そして多くのアメリカ人にとってもその存在は「向こう側」だったのである。奴隷制はずっと昔の前近代の遺物なのであって、その暴力的な制度はほかでもない資本主義革命によって撤廃されたというわけである。

もちろん、資本主義の発展にとって奴隷制が重要であったとする言説が全く消え去ったわけではなかったが、『エコノミスト』の誌面や合衆国の経済界のエリートの口からそのことが発せられることはなかった。また学校の教科書にも掲載されなかった。歴史学界の傍流派、例えば、W・E・B・デュボイス、フィリップ・フォナー、C・L・R・ジェイムズ、アブドゥラー・リー、ラウル・プレビッシュ、ウォルター・ロドニー、エリック・ウィリアムズ等が語ったにすぎない。彼らの著作は、奴隷制の解釈を中心として組み立てられてはいないし、大衆文化や学校のカリキュラムに取り入れられることはほとんどなかったが、その中では重要な証拠が整理されて生きながらえており、奴隷制と資本主義との関係についての分析が展開された。

こうした傍流派の学者たちの根気強い研究のおかげで、私たちはすでに奴隷制の資本主義についてたくさんのことを知っているのであるが、新しい世代の学者が再びこの問題に取り組むようになっている今、私たちはさらに多くのことを学び続けているのである。

しかし、実証に基づくこうした知識が広がったおかげで、奴隷制と資本主義に関する大きな問題がさらに提起されることとなった。私たちはこれらの問題に答えなければならない。

奴隷制と資本主義に関する議論は二つに大別できる。ひとつは、特定の国民国家の経済発展にとって奴隷制が重要であったということを跡づけようとするものである。ニック・ドレイパーとキャサリーン・ホールによるイギリス経済における奴隷所有という遺産についての研究プロジェクトは、こうした意図でなされた近年の研究の中で特筆すべきものである。フランス、スイス、中央ヨーロッパを対象とする同様のプロジェクトも存在する。もちろん、合衆国をとりあげたものも多数存在する。

もうひとつは、グローバルな資本主義の歴史のなかで奴隷制を一大要素として捉えようとするものである。ケネス・ポメランツやジョセフ・イニコリがそうである。彼らが持ち出してきた証拠は、私たちの資本主義の語りが拠り所とするものを破壊してしまうことが多い。その証拠は、資本主義を人類の自由の拡大と結びつけてしまう一般的な語りが不完全かもしれないということを示すものであるのだ。すなわち、暴力、弾圧、奴隷使役は、資本主義の拡大にとって偶発的なものであっただけでなく重大な意味をもつものでもあったようだというものである。

これは、マルクス主義における重要な見解、とりわけ資本主義における労働は賃労働だとする前提に異議を唱えるものでもある。奴隷制に着目すると、資本主義における労働があらゆる形態をとりうるということがわかる。実際のところ、資本主義は基本的には、労働制度の多様性によって特徴づけられており、強化されるものなのである。この点から、賃労働の拡大過程ではなく労働の商品化過程を図式化した方が良いように思えてくる。もしそうであるなら、グローバル資本主義の歴史にたいする私たちの見方に重大な影響を与えることになる。

こうした見解はすべて重要である。しかし、このままだと私たちは事を単純化しすぎてしまったことになる。もちろん、奴隷制議論を復活させることは重要であるし、国内およびグローバルな空間における不平等に関わる現代の議論に大きな影響を与えることになる。しかし、私たちが今知っていることから発せられる基本的な問題は、まだ議論が尽くされていないか解答が出されていないのである。

そのなかでも最も重要なのは次の問題である。資本主義の歴史の中で奴隷制に重要な役割を与えたものとはそもそも何なのか。資本主義の歴史の重大な局面で奴隷制が重要な役割を担ったのはなぜなのか。この問いからもうひとつの疑問がうまれる。奴隷制がその中心的役割を最終的に失ったのはなぜなのか。現在一部の著作で熱心に語られているように、奴隷制が驚くほどの利益をうみだし資本主義の展開にとって不可欠だったのであれば、奴隷制が廃止されたことをどのように理解すればよいのか。

まずは、資本主義の歴史における特定の時点でなぜ奴隷制がそれほど重要であったのかについて考えてみよう。

この問いは、グローバル化した地方の変容の問題に直接関わっている。皮肉にも奴隷制の重要性は、ヨーロッパの資本家の強さと同じほどその相対的弱さにも根ざしていた。確かに、自国から何千マイルも離れたところに広大な土地を獲得し、そこに何百万という人を運んで彼らに強制的に商品作物を栽培させたり鉱物を採掘させたりすることは、畏怖の念を起こさせるほどの力の証であった。しかし、このことは、他の方法で土地、労働者、商品を動員できなかったことをも示している。実際、褒め称えられた抽象概念上の市場は、彼らが思い描く通りには機能しなかった。彼らが熱望した資本主義的変容とは、実際のところ巨大で困難な事業であったから、エリート層や一般大衆はそれに抵抗したのである。

資本主義の拡大をもくろむ者は、生産をどう支配するかという最大の問題に直面した。ヨーロッパであろうとインドや中国もしくはその他の地域であろうと、職人や小作農といった生産者は、あらゆる方法を駆使して商業資本に従属してしまうことを拒んだ。地球上にはたとえば、土地と自分の労働による生産物に対して多大な権利を享受していた人たちが地方に大勢住んでいた。オスマン帝国では、商業資本家による革命的な動きを抑圧したり時には排除したりもしたが、地方の人たちは多くの場合、オスマン帝国と同様の政治機構に組み込まれていたのである。しかし、商業資本の拡大は地方の変容に依存していた。実際その拡大事業は、奴隷制を導入することによってどこよりもまず南北アメリカで成功した。その地ではじめて商業資本家は、実に巨大な規模で生産を支配し労働を統制するようになったのである。こうしてヨーロッパ大陸の資源的制約が克服された。

綿の歴史ではこうした論点がうまく強調されるのである。一八世紀のヨーロッパで綿加工製造が拡大するにしたがって、工場で使用される綿花のほとんどすべては、まずは西インド諸島とブラジルでその後は合衆国南部で、奴隷労働者によって生産された。イギリスやフランスの植民地行政官や綿花商人がいくら頑張っても、インド、西アフリカ、オスマン帝国の小作農家から綿花を確保する試みはたいてい失敗した。それは、奴隷がつくる綿花の方をヨーロッパの製造業者が好んだからではなく、奴隷がつくったものと競争できる価格でかつ十分な量の綿花を綿花商人が小作農から入手できなかったからである。

拡大しグローバル化した地方の変容過程のなかに奴隷制を位置づけると、資本主義の歴史のなかの特定の時点において奴隷制がこうした不可欠な役割を担うようになった理由をより深く理解することができる。奴隷制の資本主義の問題は、こうしたグローバルな視点をもってのみ十分に理解することが可能なのである。

＊

もうひとつ問いが残っている。なぜ奴隷制は、資本主義下の労働力動員において主たる役割を担い続けなかったのかという問題である。言い替えるならば、なぜ奴隷制はヨーロッパに拡大しなかったのかということである。この問題はいくつかの意味で不可解だ。奴隷制は労働力動員の効率的な制度であったという点も、以前であればできなかった資本家による労働統制を奴隷制が可能にしたという点も、広く認識されていたからである。産業資本主義への移行とともに新たに大量の労働が必要となったが、奴隷制はその解決策となりうるようにもみえたのである。

しかし、そうなることはなかった。奴隷制を資本主義の「本質」に位置づけてきた主張があるが、私たちはそうしたやや行き過ぎた主張にはいくらか慎重にならなければならない。奴隷制は結局のところ不安定な生産システムだったのであって、奴隷にされた人々にふるわれた甚だしい暴力が意味するところは、奴隷が自分たちの所有者の利益を常に脅す存在であるということであった。イギリスの綿製造業者はとりわけ、いつ不安定になるかわからない生産システムに自分たちが依存していることを常に気にしていた。奴隷制が結局廃止されたのは、こうした苦悶によるところが大きいのである。

付記すべき重要な点がある。奴隷制は労働を搾取する制度であるというだけではなく、国家権力を利用した統治制度でもあるという点である。どこに住んでいようが奴隷所有者はとてつもない政治力を蓄えた。彼らが労働を支配できたのは、まさにこの政治力のおかげであった。奴隷制を守り農地を拡大しインフラを改良するために、また商品作物の輸出者としてグローバル経済のなかで機能し続けるために、その政治力は必要だったのである。奴隷所有者は政治経済について自分たちの見通しを持っていたが、それは徐々に産業資本家のそれと衝突するようになった。産業資本家たちは、賃労働者を集めることができたために、税を引き上げたり国内の工業化に貢献するインフラを建設してくれたりする強力な国家を求めた。合衆国の場合には、自由州の領土的拡大を保証してくれる強力な国家が求められたのである。奴隷所有者と産業資本家が抱く政治経済上の見通しは両立するものではなかった。合衆国は同一の政治空間で両者が共存することが不可能であることを、他のどの地域よりもわかりやすく示したのである。

奴隷制が衰退した理由はもう一つあった。労働力を動員し養成する新たな方策と、グローバル化した地方を改革する新しい方法が生み出されたのである。国家と資本家は、奴隷制を基軸とするグローバル経済から得た利益によって大きな力を獲得した。それによって国家と資本家は、グローバル化した地方にインフラを拡大し、商品生産のための新しい法的枠組みを導入し、ヨーロッパの資本と権力を(例えば徴税という形で)押しつけ、小作農が共有資源に対してもっていた法的権利を規制することができた。その結果小作農たちは、市場原理に従って商品生産をせざるをえなくなったのである。奴隷制は、自らを排除する状況を自ら生み出したのである。

*

奴隷制が近代産業社会への唯一可能な道であったのかについてはわからない。しかし、その道がとられたということはわかっている。ヨーロッパや北アメリカが奴隷制なしで豊かになることができたのかということはもう知りえないが、奴隷制、植民地主義、先住民からの土地収奪といった暴力状態から産業資本主義が誕生し大分岐が起きたということは知っている。

西洋の経済的先進性を説く高慢な議論を、私的所有権や効率的な国家の存在や法の支配など西洋の方がすぐれているとされる制度に基づいて組み立てて提起するとき、この西洋人が作り出した世界は、土地と労働の莫大な収奪や植民地主義という形をとった計り知れない国家介入や暴力と弾圧による支配によって特徴づけられるものであるということを心に留めておく必要がある。同時に、資本主義や自由労働について私たちが語りたがる空想物語に修正を加える必要もある。グローバル資本主義の特徴は奴隷制を含む多様な労働制度にあるのだから。

*

モノを中心に歴史をみると、グローバル・ヒストリーの重要な論点、例えば、資本主義の歴史やその歴史なかで奴隷制がどう位置づけられたかについて理解することができる。こうした歴史の見方をすることによって、多くの人に世界史への関心を持ち続けてもらうことができる。

はじめて世界史やグローバル・ヒストリーが流行した数年前、私たちはこうした研究に対する世間の関心について議論を重ねたが、なかなか答えが出なかったのを覚えている。ナショナル史であれば、自分のアイデンティティを特定の国と結びつけ、その国の誕生やその後の発展に自然と関心をもつ人もいるが、グローバルなアイデンティティや政治的単位がないのに、だれがグローバル・ヒストリーを読むのか、私たちは同僚にしか受けない歴史を書いているのか、といった議論であった。

心配には及ばなかったようだ。世界史やグローバル・ヒストリーは潜在的に多くの読者を抱えている。グローバルな領域に渡る環境、文化、経済の喫緊と考えられている問題を扱う場合は特にそうである。モノに焦点をあててグローバル・ヒストリー研究をおこなうことは、馴染みのあるモノを取り上げ、そこを入り口に深刻で甚大な問題への議論に結びつけることによって、人々を魅了する一つの方法なのである。

このことは私に希望を抱かせる。私たちが取り組んでいることは計り知れないほど大きく実現不可能かもしれない。学問としての歴史は、これまで国民国家と手を携えて発展し、そのなかで重要な役割を果たしてきた。また、あらゆる歴史研究は国の制度的枠組みの中で行われてきた。しかしこうした世界において、たった一つの歴史が存在することを強調することには大きな意義がある。われわれが取り組むのは、全体としての人類史なのである。いずれ何らかの形でグローバルな市民社会が到来するとするならば、グローバル・ヒストリーはそのなかで本来の任務を果たすことになるだろう。私はそう確信している。

Sven Beckert, "Cotton and the Global, Origins of Capitalism",

Journal of World History, Volume 28, Number 1, March 2017, pp. 107–120

気候と資本
——結合する複数の歴史——

ディペシュ・チャクラバルティ
訳＝坂本邦暢

〔解　題〕パリ協定からのアメリカの離脱表明によって、地球温暖化の問題への国際的な対応は一つの転機を迎えた。とはいえ、温暖化の傾向が着実に進行していることは統計的にも否定できない。地球温暖化への対応をグローバルな枠組みから論じていくことは、今後も欠かすことはできないだろう。ここで紹介されるのは、この問題を歴史研究者の立場から近年積極的に論じている、シカゴ大学のディペシュ・チャクラバルティの最近の論稿の一つである。

　ディペシュ・チャクラバルティは、一九五六年にベンガルで生まれた。当初はベンガルの労働運動史を専門としていた、いわゆるサバルタンスタディーズの流れに属する歴史研究者である。また多くの労働運動史研究者がそうであるように、マルクス主義的な歴史理解がその基本的な立場の一つであった。彼の名前を国際的にしたのは、『ヨーロッパを地方化する——ポストコロニアル思想と歴史の差異』(*Provincializing Europe: Postcolonial Thought and Historical Difference*, Princeton University Press, 2000)である。ヨーロッパ中心主義的な思考への批判を、ポストコロニアルな思考から論じたこの著作は、そのタイトルの直截さもあって、現在では古典的な著作となっている。なおこの時期のチャクラバルティの論稿は、いちはやく臼田雅之によって本誌で、「急進的歴史と啓蒙的合理主義——最近のサバルタン研究批判をめぐって」("Radical Histories and Question of Enlightenment Rationalism: Some Recent Critiques of Subaltern Studies", *Economic and Political Weekly*, vol. 30, no. 14, pp. 751-759, 1995)、『思想』第八五九号、一九九六年一月、「マイノリティの歴史、サバルタンの過去」、

("Minority Histories, Subaltern Pasts", *Perspectives*, Nov., 1997)、『思想』第八九一号、一九九八年九月、として訳出されている(後者は『ヨーロッパを地方化する』に第四章として所収された)。

しかし、チャクラバルティがこれらで論じたことは、一面的なヨーロッパ批判ではないし、またオリエンタルなものの一方的な礼賛でもない。論じられたことは、インド亜大陸の伝統的な社会に内在していた様々な問題が、イギリスの支配下に置かれた、別の表現をとればモダニティに侵食される過程をとおして、どのような問題を新たに生じさせたのかという問題である。

その後のインド亜大陸の変化を発展とみなす立場からは、当然のことながらヒューマニティやデモクラシーといったモダニティの価値がヨーロッパから持ち込まれたことは、たとえその一方で帝国主義的な統治が批判されるものであるにせよ、肯定される。カーストに代表される身分制度、あるいはサティを端的な象徴として語られる女性の地位、そうしたものの克服は、より広義には脱魔術化や聖俗分離は、モダニティとの接触によってもたらされたと考えることができるからである。そのような問題は、ヨーロッパ的なものの侵食に伴う近代化をたどった世界の多くの地域、当然そこには日本も含まれるが、そうした地域に共通する問題であった。植民地支配というより直截な枠組みに置かれたインド亜大陸から、そのようなかたちで行われた近代化の過程を批判的に考察したことが、チャクラバルティの主張が国際的な反響を呼んだ理由だった。

歴史研究者としてこうした経歴をもつチャクラバルティがなぜ現在、本稿のような気候変動・地球温暖化を主要な研究テーマとしているのかには説明が必要である。従来の立場とはかなり異なるという印象を受けるからである。しかし、議論をたどれば、むしろ従来の基本的な視角がさらに深められていると見なすことができる。環境史は、長期持続論、ビッグヒストリーなどと同じく、きわめて長期の時間的なスパンから歴史を捉える。経済史や政治史のように短期的なスパンから効用性を論じるものではない。たとえば現在的に通有されている対社会的認識を媒体に、現在的に採用される経済的・政治的効用をいくら数量的に論じても、その短期的効用がむしろ今後数十万年にも及ぶ気候変動をもたらすとすれば、議論の効用性は疑わしい。そのことが、チャクラバルティが環境史を歴史研究の重要なテーマとするようになったことの理由なのである。

批判的に言えば、現在多くの学問領域で支配的なのは、短期的な効用を論じる議論である。その点で多くは、資本主義が生み出した方向性を肯定するものとなっている。しかし、チャクラバルティの批判はそこだけに向けられているわけではない。対抗的な議論として生じている平等な富の獲得と配分という議論にもまた問題があるからである。たとえば富の平準化・平等化を現代世界の課題とするなら、中国やインドをはじめとした非欧米的な地域の経済的発展は、その点では肯定される。しかし、そのようなかたちで人々の生活水準が上昇し、平等化したら、そしてそのスピードが加速したら、さらには世界人口が増大したら、この過程で間違いなく生じることは、化石燃料の使用の増大にともなう、さらなる地球の温暖化である。数十万年にわたる地球全体への深刻な影響である。

こうした問題はどのように考えるべきなのだろうか。ヨーロッパ社会を先端として形成されたモダニティは、人類の物質的、文化的な水準を飛躍的に高めた。そのことは確かである。人間中心主義的な思考がその背後にあったこと、そのことも確かかもしれない。しかし、あらためて環境問題のような問題を考えれば、そこにはきわめて深刻な二面性が内在していた。それは単純に「近代」か「非近代」かのどちらを選択すべきなのかという問題ではない。人間だけを中心に考えればよいという問題でもない。ポストコロニアルな立場を出発点としたチャクラバルティがここで紹介される環境史を近年は重要なテーマとしているのも、そうした問題意識がその前提にあるからだろう。

なおチャクラバルティは、ランケに始まる近代歴史学の手法を取り入れて、史料にもとづく事実尊重の実証的な歴史学をインドにおいて確立したとされるジャドゥナート・サルカールについての興味深い伝記『歴史の職業的使命――ジャドゥナート・サルカールと彼の真実の帝国』(*The Calling of History: Sir Jadunath Sarkar and His Empire of Truth*, The University of Chicago Press, 2015)を書いている。史学史的研究としても興味深く読めるものである。そこでも論じられていることは、モダニティを受容することによってしかインドにおける歴史学の発展がなかったとしても、同時にそうした歴史研究は植民地支配と深い関係を持ち、その支配に適合的ではない多くのものを排除するものであったという問題である。

最後にチャクラバルティは、ポストコロニアルの立場からオーストラリア史を論じたグレグ・デニングとともに、保苅実が博士論文をオーストラリア国立大学に提出したさいのスーパーバイザーであったことを付記しておきたい。

（岡本充弘）

人間にとって、人間という種についての展望を手にするのは困難を極める

ヤン・ザラシェヴィッチ『私たちのあとの地球』

人類が引き起こしている地球温暖化は三つの種類の歴史の衝突（ないしは相互の遭遇）をあかるみにだしている。三つの歴史は、互いにはっきりと区別され、かつ大きく異なる速度で進行していると普通は理解されているため、実務上は互いに切り離されたプロセスとして扱われている。すなわち、地球システムの歴史、人間の進化を含む地球上の生命の歴史、そしてより近年の産業文明（多くの場合、資本主義）の歴史だ。異なるスケールとスピードで展開するこれら三つの歴史のうえ

に、今や人類ははからずもまたがって立っている。

　人間的なタイムスケールと、非人間的な、ないしはそもそも人間を含まないタイムスケールの問題は、私たちが気候危機を語る言葉自体に現れている。再生不可能なエネルギー源と、「再生可能」なエネルギー源という私たちが日常のいたるところで用いている区別を例にとろう。私たちは化石燃料を再生可能でないと表現する。だがブライアン・ラヴェル（英国石油のアドバイザーとして働いたことがあり、またロンドン地質学協会の元会長だ）が指摘するように、私たちが（ラヴェルの言葉でいえば）非人間的なタイムスケールで考えさえすれば、化石燃料は再生可能なのだ。「今から二億年後になんらかの目的のために多くの石油を必要とする生命がいれば、大量の石油が形成されたのは、まさに今の私たちの時代以来のことであったという発見をするに違いない」(1)。

　人間が引き起こしている地球温暖化の重要性を説明するにあたって、古気候学者はとても長い歴史を語る。なんといってもまず証拠の問題がある。古代の空気（八〇万年以上前のものだ）を含む氷床コアのサンプルは、現在の温暖化を引き起こしているのが人間であることを確定するにあたって決定的な重要性をもつ(2)。さらに化石やその他の地質学的な事物が過去の気候の記録を含んでいる。気候危機への石油産業からの応答（それは常に危機を否定しているわけでも、一律に否定しているわけでもない）についての明晰な本のなかで、ラヴェルはいう。温室効果ガスが人類の将来に課す深刻な課題を、産業界のなかで産業界に向かって強い証拠をもって説いているグループがあった。そのグループとは、堆積岩に埋もれた遠い過去の気候の歴史を読みとって、「五五〇〇万年前に起きた劇的な温暖化現象」の結果を見てとることができる地質学者たちだった。そこで指摘された温暖化現象は、後期暁新世・始新世境界温暖極大期（PETM）として知られている。［その当時に］大気中に放出された炭素の体積と、私たちが今放出している体積とを比較すると、私たちが現実に巨大な地球規模の課題に向き合っているということが分かる。私たちは五五〇〇万年前の地球温暖化を繰り返す危険がある。それはかつて一〇万年以上のあいだ地球を混乱に陥れた。それはホモ・サピエンスがキャンプファイヤーを灯すよりはるか前のことだった(3)。

　地質学の歴史は現在の気候危機を説明するが、その射程が未来のどこにまで及ぶかは、デイヴィッド・アーチャーの書物の副題からすぐに見てとれるだろう。『長い雪解け――人類はどのようにこれから一〇万年の地球の気候を変えようとしているか』。アーチャーがいうには、「人類が気候におよぼしている影響は、氷河期のサイクルをつくりだしている軌道変動に匹敵する」(4)。彼は続ける。「化石燃料から出るCO_2の寿命が長いことを考えるなら、エネルギー源として化石燃料を使うことが、愚かな一過性の過ちであることが分かる。

一億年前にできた化石燃料の蓄えは、数世紀で尽きかねない。それが気候にもたらすインパクトは数十万年続く。化石燃料から大気中に出る二酸化炭素の寿命は数世紀であり、さらにその二五%は実質的には永続的に残る」(*L.T.* p.11)。アーチャーが説明し、カート・ステージャが繰り返しているように、地球の炭素サイクルは、最終的には私たちが大気中に放出した二酸化炭素の過剰を一掃するだろう。だがそれは非人間的といえるほどに長いタイムスケールで起こるのだ(5)。

ここからわかるように、気候危機が生みだす問題について、私たちは、大きく異なっていて、互いに両立しない複数のタイムスケールにしたがって考えることになる。政策の専門家は数年、数十年、あるいは最大でも数世紀の尺度で考え、民主主義社会の政治家たちは選挙のサイクルにしたがって考える。人間が引き起こす気候変動とはなんであり、その効果はどれほど続くのかということを理解するには、非常に巨大なスケールと非常に小さなスケールの両方で同時に考える必要がある。そのスケールのなかには人間の活動の通常の尺度を超えるものも含まれている。これが気候変動に関する包括的な政策を立案するのを困難にしているもう一つの理由である。アーチャーはここで問題の核心に踏みこむ。地球という惑星での炭素のサイクルは百万年のタイムスケールであり、「人間のタイムスケールに沿った、気候変動についての政治的な考察と無関係である」と認めるのだ。だが彼が強調するように、その巨大なタイムスケールは人間が引き起こす気候変動を理解するにあたっては重要であり続ける。なぜなら「究極的には地球規模での地球温暖化は、ゆっくりと進むこれらのプロセスが起こるあいだは続くからだ」(6)。

このようにして、気候変動に関する既存の文献には巨大なギャップがみられることになる。一方には、私たちが科学的に気候変動について知っていることがある(たとえばそれが非人間的、あるいはそもそも人間を含まない巨大なスケールで起こるということである)。他方には、人間に運用可能な手段で気候変動の問題を扱うにあたって私たちがどう考えるかということがある。後者の考え方は、おなじみのタイムスケールで問題に対処するために私たちが練りあげてきたものだ。私たちの思考という景色に広がるこのようなギャップや隙間を、裂け目(rifts)と呼ぼう。なぜならそれらは一見すると連続的な表面にある断層線のようなものだからだ。私たちは気候変動について考えたり話したりするにあたって、それらを超えたり股にかけたりしなくてはならない。それらは私たちの考えに、一定の矛盾を持ちこむ。異なったスケールについて同時に考えることを求められるからだ。

ここでは三つのそうした裂け目について論じたい。第一に、現代の経済で私たちの日常生活を支配している、確率にまつわるもろもろの制度についてである。そういった制度は、今や気候についての根底的な不確実性という認識によって補なわれなければならない。第二に、分断が不可避となっている人間の生の歴史である。この歴史は、この惑星における種、しかも支配的な種としての私たち人間の集合的な生の歴史によって補われなければならない。最後に論じられるのは、私たちにとって避けることのできない人間中心主義的な考え方である。このような考え方を、人間を最優先にしないような惑星への向き合い方によって補わねばならない。私たちはまだこれらのジレンマを克服して、それらのうちのどちらかに最終的に着地することができていない。裂け目は裂け目として残り続けているのだ。

以下では、私はこれらの裂け目について論じていく。それにより、資本(ないしは市場)の分析は、必要ではあるのだが、しかし人類が引き起こしている気候変動に対処するには不十分な道具立てであることをしめそうと思う。私は気候危機は地球規模(the global)と惑星規模(the planetary)とのあいだにある、決定的であるがようやく明らかになってきた区別を可視化すると論じて本稿を閉じよう。グローバルな温暖化が人間にとってもつ(さまざまな)意味をよりよく理解するために、この区別についてのさらなる探究が必要となるだろう。

蓋然性と根底的な不確実性

現代の生活は、確率について思考する制度によって支配されている。保険経理のための命の評価から、金銭と株式市場の働きにいたるまで、リスクを計算して、それらに確率という価値を与えることによって私たちは社会を運営している(7)。チャールズ・S・ピアソンは「経済学はしばしばリスクと不確実性を区別する。リスクの場合は結果が起きる確率が分かっている。不確実性の場合は、結果が起こる確率が分かっておらず、ひょっとすると原理的に分からないのだ」(8)。ここから、なぜ経済学が学問分野として社会を統御するための主要な技術として浮上してきたのかが分かる(9)。そのため、気候正義と気候政策についての文献の双方が(後者は経済学者や、経済学者のように考える法学者によって大半が執筆されている)、古気候学者ないしは地球物理学者といった地球の気候を歴史的に研究している研究者の見解に注目せずに、むしろ地球温暖化の物理学とでもいうべきものに焦点を絞る傾向が生じるのも理解できるところだ。そのような物理学では、確率と割合の関係を、予見可能で静的なものとして提示する。たとえば、大気中の温室効果ガスの割合がXにまで上昇すれば、地球の平均表面気温がこれこれまであがる確率はYだといった具合である(10)。

このような考え方は、温暖化する大気に関して、(たとえどれほど確率論的であろうとも)ある種の一定性、ないしは予見性を前提としている。しかしそのような一定性や予見性は、臨界点に達したときに訪れるより巨大な危険に焦点を合わせている古気候学者には往々にして前提とされていない。これは政策立案者が気候変動の危険に無関心であるとか、温室効果ガスと地球の平均表面温度のあいだにある関係が極度に非線型的なものだということに無知だからというわけではない。だが彼らのとる方法では、気候変動はすでに広く認知された可変性とみなされるか、そのような可変性として一括されてしまう(気候変動の不確実さを、すでに認知され評価されたリスクに変換するのだ)。そうして解決策を案出するのだが、その策は人間がともに努力を傾ければ、あるいはたとえ互いに論争しあっていたとしても、達成できるものである。別の言い方をするなら、政策立案者たちの見立てでは、政策上の措置を講じることができる以上、世界の気候システムは深刻なワイルドカードにはなりえない。こうして気候システムは、比較的予見可能なかたちで、人間の創意と政治的な動員によって処理すべきものとなる(11)。

これにたいして、気候科学者が一般の人々を説得するにあたって使うレトリックは、しばしば目をみはるほどに生気論的だ。人間が引き起こす気候変動の危険を説明するにあたって、彼らは気候システムを生きた有機体のように描きだすことが多い。ジェイムズ・ラブロックが、地球上の生命を、彼が愛してやまなかった単一の生きた有機体であるガイアになぞらえたのは有名だろう。「まともな」アーチャーですら、地球規模の炭素のサイクルに関する入門書のなかで、このラブロックの考えを公平で「哲学的な定義」として引いている(GC, p. 22)(12)。アーチャーもまた、「地球の炭素のサイクル」を「生きている」と述べている(GC, p. 1)。体温をもつ動物としての気候のイメージというのは、ウォレス(ウォリー)・ブロッカーの表現にもみられる。ロバート・クンジグとともに、ブロッカーは自分の研究について次のように述べている。

> 自然はときとして、気候という野獣にすばやく強烈なキックを与えようと決心したかのようだ。そして、野獣は野獣らしく反応したのだ。暴力的に、いくらか思いもよらないかたちで。コンピューター・モデルは……たしかに有効なアプローチだ。しかし、過去において気候がストレスを受けたとき、どんな反応を示したかを研究することは、われわれが自らその野獣に殴りかかれば起こりうる事態に備えるための、もう一つの方法なのだ。それが過去二五年間、ブロッカーが取りつかれてきた考えであり、それは年を経るごとにますます差し迫ったものになってきたようだ(13)。

あるいはハンセンが気候変化を説明するために「不活発な」lethargic という言葉を使っているのに注目してもいいだろう。

> 氷河から間氷期までの変化のスピードは、二万年、四万年、一〇万年という地球軌道の変化の時間尺度によって決まる。だが、だからといって、気候システムが本質的にそのように不活発だというわけではない。それどころか、古気候の基準からすると、人為的な気候強制作用は大きな強制作用であるうえに、数万年間ではなく数十年間で起こる変化である。(SM, p. 71〔邦訳、一一一頁〕)

この文章に生気論があらわれるのは、気候科学者が経済学者や政策立案者よりもより「科学的」でないからではない。生気論的な比喩は、気候科学者が地球の気候について二つのことを伝え、強調したいという切迫感からきている。第一に、気候に関する多くの不確実性は、既存の人間の知識によっては完全には飼いならすことができないということである。第二に、気候の正確な臨界点はそもそも原理的に知ることができないということだ。アーチャーがいうように、

> 今後一世紀の気候変動に関するIPCC〔気候変動に関する政府間パネル〕の予想は、基本的に気温が徐々に上昇するという見込みのうえにたっている。……だが、過去の実際の気候変動は、突然起こる傾向がある。……気候のモデルは……、かつての気候の記録にある巨大な変動をうまくシミュレートすることが多くの場合できない。(*L.T.* p.95)

実際、「気候という野獣」という認識が、経済学の影響を受けた文献や、左翼の政治的な活動には欠如している。ジョン・ブルームはIPCCの二〇〇七年レポートのワーキンググループⅢの代表著者であり、経済学的な志向をもつ哲学者である。彼は次のような未来を夢見ている。いろいろな可能性に割り振られる確率を、気候モデルが「絞り込んでいく」未来だ。経済学的な推論が世界についてのよりよい理解を獲得するためには、「確率についての詳細な情報」が必要となる。ブルームが続けるところによると、「そのような情報が科学者から提供されるのを私たちは待っているのだ」[14]。

だがこのような理解は、地球の気候と、人間が構築しているモデルについての誤解の産物かもしれない。気候の不確実性は、計測可能なリスクのようなものであるとは限らない。「地球がこれからどれくらい暖かくなるかについて、私たちは本当にいま知っている以上に知る必要があるのだろうか。私たちはいま以上知ることができるのだろうか」とポール・エドワーズは修辞疑問のかたちで問いかける。「今やほぼたしかなことは、二酸化炭素の濃度が今世紀の中頃のどこかで五五〇ppm(つまり二倍の水準)に達するということだ」。そして地球は「ほぼ確実に二倍の量以上の二酸化炭素を有することになるだろう」。エドワーズがいうには、「すでに手にしている以上に正確な推定を私たちが得ることは、おそらく決してないだろう」と気候科学者たちは考えている[15]。

エドワーズの発言の背後にある推測は、私の議論に関係している。彼がいうには、「もし技術者が社会学者なら、気候科学者は歴史家だ」。歴史家のように、「どの世代の気候科学者も同じデータ、同じ出来事に立ち返る。アーカイブを掘り起こして、新しい証拠を見つけだす。そして過去の解釈を修正する」。これを続ける。すると「人間の歴史とちょうど同じように、地球の気候の過去についても、単一の、揺らぐことのない記述を獲得することは決してないだろう。むしろ大気について、収斂してはいくものの、決して単一にはならな

い様々なかたちの理解を得るのだ」(*VM*, p. 431)。さらに、「今日の分析のすべては、私たちが歴史的な過去に経験した気候にもとづいている」。エドワーズは科学者マイルズ・アレスとデイヴィッド・フレイムの言葉を引く。「もし地球の気温が四度上がれば、状況は今日観察可能ないかなるものともまったく異なるものになるだろう(最後の氷河期との違いはさらに大きくなるだろう)。それによって、温暖化がいつ終わるのかを予測するのが原理的に困難になってしまうだろう」。アレスとフレイムがいいたいのは、エドワーズによればこういうことだ。人間にとっての気候を「安定化させる」ような温室効果ガスの「安全な」水準なるものがあるのかを知ることができないだけではない。人間による地球規模の温暖化のために、そのような安定化のポイントが人間のタイムスケールのうちに果たしてあるかどうかを知ることが決してできないかもしれないのだ(*VM*, p. 439)。

したがって第一の裂け目というのは、気候の臨界点をめぐる問題に関するものである。つまり、そこを超えると地球規模の温暖化が人間にとって破滅的なものになるという点にかかわっている。そのような可能性が存在することに疑いの余地はない。地球がそうした温暖化を地質学的な過去に経験していることを、古気候学者は知っている(たとえばPETMの事例)。しかし臨界点がどの程度の速さでやってくるかを予測することはできない。それはリスク管理戦略にあたって必要となるような、通常の費用と便益の分析にもとづいて分析できるようなものではない。ピアソンが説明しているように、「費用と便益の分析は、大災害に関する政策を立案するにあたっては適切ではない」。そして「地球温暖化にともなう不確実性を際立たせている特徴とは、非線形性の存在、閾値、潜在的な臨界点、不可逆性、そして長いタイムスパンなのだ」。これにより「技術、経済構造、選好、そして他の数多くの事項についての今後一〇〇年間の見通しがますます疑問視されている」(*E*, pp. 31, 26)。「不確実性、閾値、臨界点が意味するのは、私たちが予防的なアプローチをとらなければならないということだ」。つまり「不可逆的な変化を引き起こすような一歩を今日踏み出さないようにする」(*E*, p. 30)のだ。

しかしサンスティーンが説明するように、「予防原則」は、費用・便益分析、および確率についてのなにかしらの見積もりと結びついている。「低い確率(たとえば十万分の一といった)で起こる深刻な被害(たとえば十万人の死)にたいして、きわめて真剣な関心を向けるべきだと認めねばならないのはたしかだ」(*RR*, p. 103)。しかし私たちは端的にいって、臨界点に達するのがこれからの数十年のあいだなのか二一〇〇年までのあいだなのかの確率を知らないのだ。というのも臨界点は、地球の気温の上昇と、数多くの、予想のつかない、相互に働きあって強め合うフィードバックのループのあいだの関数だからだ。

ジェームズ・ハンセンがこの状況で政策立案者に勧めている原則は、燃料としての石炭利用に関係している。彼がいうには、「気候の問題を解決したいのであれば、石炭からの排出を段階的に止めなければならない。それがすべてである」(16)。これは「予防原則」というより、リスクに関する分析のなかで「マキシミン原則(maximin principle)」として知られているものである。「最悪の結果のなかでも最善の結果となるような政策を選べ」(*RR*, p. 129 n. 40)。

しかしこれは世界の政府と経済にとって受け入れがたいだろう。石炭(中国とインドは石炭にまだ大きく依存している。そのエネルギー供給の六八〜七〇%は石炭からきている)なしで、これから数十年のあいだに世界にいる貧しい人々がどうやって貧困状態から救い出され、それにより気候変動がもたらすインパクトに適応することができるのだろうか。あるいは、気候変動の臨界点を避けるために我先に争うことで、グローバルな経済自体を転覆させてしまい、語るもおぞましい悲惨な状況を人間に対して生みだしてしまおうとでもいうのだろうか。このように、目下問題になっている被害を避けることによって、より大きな被害が生じてしまうのだ。これから数十年のあいだに臨界点に達する確率がいかほどかを知らないのだからなおさらである。サスティーンもピアソンも説明しているように(*E*を見よ)、これが予防原則やマキシミン原則をこの問題に適用するにあたって生じるジレンマである(17)。スティーフェン・ガーディナーが、気候変動に関してなされる費用・便益分析(analyses)についての章に、「費用・便益麻痺(paralysis)」というタイトルをつけたのは不思議なことではない(18)。

この裂け目の核心をなしているのは、スケールの問題である。古気候学者が地球の歴史を描きだす巨大なキャンバスのうえでは、気候の臨界点と種の絶滅は完全に繰り返し可能な出来事としてとらえられる。私たちがモデルを立てられるか否かにかかわらずだ。しかし、私たちのリスク管理の戦略は、そのような結果がもたらすコストについてのもっと人間的な計算と、人間にとって理解できるタイムスケールのなかで、そのような出来事が起こる確率とにもとづいている。気候危機はこれらの異なるタイムスケールを同時に行き来することを私たちに要求している。

人間としての私たちの分断された生と、支配的な種としての私たちの集合的な生

人間が引き起こす気候変動は、様々な正義の問題を巨大な規模で引き起こす。世代間の正義、(過去と未来の両方にわたって)小さな島からなる国々と汚染を引き起こしている国々とのあいだの正義、産業化を達成した先進諸国(歴史的にみて温室効果ガスの排出に責任のある国々だ)と、新たに産業化を進めていっている国々とのあいだの正義といった具合だ。ピーター・ニューエルとマシュー・パターソンは、人間が引き起こす気候変化という表現にあらわれる「人間」という言葉の使用に当惑を感じてしまうのだと述べている。「人類の共通の脅威として気候変動を記述する居心地のよい表現の背後に

あるのは、一部の人々や国々が不均衡なかたちで変動の進展に寄与しているという明白な事実だ。そして他の人々が、その結果の大半を背負うことになるのだ。この問題がとりわけやっかいなのは、最も損害をこうむる人々、すなわち発展途上世界の貧しい人々は問題に最も関与していないからである。気候変動はしばしば科学的な問題として語られるのだが、それはなによりもまず深く政治的で倫理的な問題なのだ」(19)。インドの環境保護主義者スニタ・ナレインによると、「私たちの知っている気候変動は、世界の経済成長のモデルと切っても切り離せない」(20)。ジョン・ベラミー・フォスター、ブレット・クラーク、リチャード・ヨークの手になる『エコロジカルな裂け目』は思慮に富んだ本であるが、彼らによると気候危機は、「その根本においては、社会的な裂け目の産物である。すなわち人間による人間の支配がそれを生みだしているのだ。原動力は、階級、不平等、そして終わりのない獲得を基盤としてもつ社会なのだ」(21)。

二〇〇九年、国連経済社会理事会が『発展を促進し、地球を救う』というタイトルの報告書を発表したとき、ほぼ同じ見解が表明された(22)。国連の経済社会問題担当次官である沙祖康は、次のように述べている。「気候危機は、過去二世紀にわたって進展してきた非常に不均衡な経済発展のパターンの結果である。その発展のおかげで、今日の富裕国は現在の収入の水準を達成した。それは部分的には、他国の生活や生計を脅かす環境被害を考慮する必要がなかったからなのだ」(“O,” p. viii)。気候変動を「発展がもたらす難題」と特徴づけたうえで、沙祖康は続けて、非西洋諸国の西洋に対する態度の特徴としてある種の不信があると述べる(“O,” p. xviii)。実際この点について、報告書はさらにこう書く。「炭素の使用が制限された状態で、途上国がどうやって先進国の成長に追いつき、同等の経済水準を達成するのか。そしてこれら途上国の負担を軽減するために先進国がなにをすべきかということは、政策立案者にとって国家的なレベルでも国際的なレベルでも主要な問題となっている」(“O,” p. 3)。私の知る限りでは、この立場が最初に定式化されたのは、一九九一年にさかのぼる。有名で尊敬を集めていた二人のインドの環境活動家、アニル・アガワルとナレインがその晩年に、『不平等な世界での地球温暖化――環境植民地主義の一事例』という小冊子を出版したのだった(23)。出版したのは、彼らがデリーで組織していた「科学と環境センター」であった。この小冊子は、共有されてはいるが(国ごとに)異なる責任という考えを生むのに大きく貢献した。また温室効果ガスの一人当たり排出量から出発して議論するという、京都議定書の一環として普及した流れを生むのに貢献した(24)。

正義が問題になる理由はたしかに十分にある。これまでのところ、温室効果ガスの排出の大部分について歴史的な責任を負っているのは、わずかな数の国(過去十年ほどの中国とインドを含めても、一二から一四カ国ほど)と人類の一部(約五分の一)だけである。これは偽らざる事実だ。だがこのように考えるだけでは、この危機に関与している人間たちという複数のアクターと、地球という単一のアクターとのあいだの区別をつけることができない。この区別をつけるためには、次の点を理解せねばならない。さしあたり未来に関する世代間の倫理という問題を脇に置くとすれば、人為的な気候変動は本質的にも、また論理的にも、人間間の過去の不正義や、過去から現在にいたるまで蓄積されてきた不正義の問題ではないのだ。試みに、同じ数の人で構成されており、より繁栄していて、より高い水準で正義が実現された現実を想像してみよう。その現実が化石燃料から取られた安価なエネルギーによって支えられているとしよう。そのような世界は、少なくとも所得と富の分配の面では間違いなくより平等である。しかし、そこでは気候危機はより悪化しているだろう。私たち人間が総体としてつくりだす二酸化炭素排出量は、端的により大きなものとなっているだろう(現実では世界の貧困層の消費は大きくなく、温室効果ガスをほとんど生みだしていないからだ)。そうして気候変動の危機がはるかに早く、またはるかに劇的なかたちで訪れていただろう。皮肉なことに、貧しい人々のおかげで(つまりは開発が不平等で不公平であるという事実のおかげで)、私たちは今よりも多い量の温室効果ガスを生物圏に排出せずにすんでいるわけだ。そのため論理的にいって、経済的な不平等が、気候危機をもたらすというわけではない。それはまさに実際に大気に放出する温室効果ガスの量の問題なのだ。現代世界における気候変動をもっぱら所得の不平等の歴史的な起源と歴史的な形成過程に結びつけるとき、人々は歴史的な不平等に関して正当な疑問を提起しているといえる。だが気候変動の問題を資本主義の問題(近代におけるヨーロッパの拡大、およびヨーロッパの帝国の歴史と結びついた問題だ)に還元してしまうならば、私たちは現状の本質を見失ってしまうだろう。現在の状況は、人間の歴史という比較的短期間の過程と、地球システムと地球上の生命の歴史に属するより長いタイムスパンをもつ過程が合流した結果として生まれているからだ。

アガワルとナーリンはこう主張する。海のような自然の炭素層は地球の共有財産の一部である。よってもし世界が「地球規模の正義、平等、そして持続可能性といった崇高な理想を達成したいと望むのなら」、一人ひとりが平等にアクセスできるという原則にしたがって炭素層を国家間で配分するのがよい。しかしこの主張は暗黙のうちに重要な問題を提起している。すなわち認定されながらもなかったことにされる人口の問題である(GW. pp. 5-9)。気候変動を議論するにあたって、人口はしばしば見て見ぬふりをされる。人口「問題」は、現代医学、公衆衛生対策、流行病の根絶、人工肥料の使用などから部分的には起こっている。しかしその責任を、貪欲で資本主義的な西洋の論理に直接的に負わせるわけにはいかない。なぜなら人口を爆発させたとき、中国とインドは制約のない資本主義を追求していたわけではなかったからだ。もしインドが人口管理、あるいは経済発展により成功していれば、一人当たりの排出量はより多くなっていただろう(インドの富裕層が、西洋の生活スタイルと消費者の基準を真似したがっているのは、誰の目にも明らかだろう)。事実、環境と森林を担当するインドのジャイラム・ラメシュ大臣は、二〇〇九年のインド議会の演説で、「「一人当たり」というのは歴史の偶然による。私たちが人口をコントロールできなかったから今の値になっているのだ」(25)と述べている。

気候危機がどのように進展するかを決めるにあたっては、人口は非常に重要な要因であり続ける。中国とインドの政府は石炭火力発電所を建設し続けており、その際、早急に貧困から脱却すべき人々の数に言及することで、建設を正当化している。実際、そのような目標を達成するにあたっては、石炭は依然として最も安い選択肢なのだ。インド政府は、現代の環境危機についてガンジーを好んで引用する。「地球[prithvi]は一人ひとりの人間の必要を満たすには十分だが、あらゆる人間の強欲を満たすには十分ではない」(26)。しかし、「強欲」と「必要」のあいだの区別は、石炭(化石燃料のなかでもっとも環境にダメージを与える)の継続的な使用を擁護するための議論のなかではつかなくなってしまう。インドと中国は石炭を求め、オーストラリアなどの国々は輸出を望んでいる。依然として石炭は最も安価な化石燃料なのだ。二〇一一年には「石炭は世界のエネルギーの三〇%を占めた」。これは「一九六九年以来最高の割合である」(27)。石炭の使用は二〇三五年までに五〇%増加すると見込まれている。南アメリカの企業には、巨大な輸出のチャンスが転がりこむ。ニューヨークタイムズ紙の報告によると、「アメリカの石炭会社は、ワイオミング州とモンタナ州のパウダー川流域にある、もっとも生産性の高い鉱山から石炭を輸出するのを強く望んでいる」。というのも中国とインドのおかげで、長期的にみれば石炭の将来は「明るい」と考えられているからだ。「それは主として、石炭が競合する燃料よりも安いためだ」(28)。このような石炭の広大な市場は、貧しい人々にとっての必要性に言及して石炭の使用を正当化する中国とインドなしにはありえなかった。

人口が問題になるのは、気候危機がどのように展開するかについて、とりわけ種の絶滅に関して、人間の総数と分布が決定的な意味をもつためでもある。人間が現在にいたるまでかなりの時間にわたって、他の種に圧力をかけてきたということは広く受けいれられている。この点について長々と論じる必要はない。実際、サイ、ゾウ、サル、大きな猫が争いあっているのは、多くのインドの都市や村で毎日見られる。私たちが海洋生物の多くの種を消費し、絶滅に追いこんでいることも、一般に受け入れられている。海洋酸性化は多くの種の命を脅かしている(*SM*を見よ)。また、多くの人が指摘しているように、二〇世紀の人口の指数関数的成長自体が、人工肥料、農薬、灌漑用ポンプの使用によるもので、これは化石燃料の大量消費なしではありえなかった(29)。

しかし、地球温暖化のなかでの種の生存問題に取り組むにあたって、人間の進化の歴史と現在の人間の総数が問題になる理由がもう一つある。地球温暖化によって脅かされている種が生き残るためにとる方策の一つは、生存しやすい地域に移住することだ。そうして過去に起きた地球の気候条件の変化を生き延びてきた。しかし現在、人間はあまりに多く、またあまりに広く地球上に分散している。そのため私たちは種の移動の妨げになっているのだ。カート・ステージャはこの点を明確に指摘している。

> たとえ私たちが将来に向け比較的控えめな温室効果ガス排出の道を選び、北極圏やアルプス地方の最後の避難場所が破壊されるのを避けたいと願っても、予想される規模の温暖化は、……より高緯度の、また標高の高い地域へと、多くの種をじわじわと追い詰めていくだろう。過去には、生物たちは単に移動すればよかった……しかし今回は、人間の存在によってほとんど移動不能となった生息地の境界の内側に閉じ込められてしまうだろう。……人新世の温暖化がいまだあかされない気温のピークに向かって進んでいくとき、私たちの隣人として長い苦しみを味わってきた生き物たちは、氷河期と間氷河期が織り成す長い劇的な歴史のなかで一度も経験したことのない、あらたな状況に直面することになるだろう(30)。

他の生き物は、私たちが立ちふさがっているために動けないというわけだ。

この点についての皮肉はより痛烈なものだ。人間集団の世界中への拡散(太平洋諸島が最後の定住地域であり、およそ三五〇〇年前に人間が住むようになった)と産業文明の時代の成長によって、今では人間の気候難民からして、より安全で住みやすい地域に移動することが困難になっている(31)。他の人間が立ちふさがるからだ。バートン・リヒテルは次のように述べている。

> 私たち［人間］は過去に［気候の］変化に適応することができた……しかしかつて変動は途方もない時間を経て起きていたのに対して、現在では地球が温暖化するのに数百年しかかからない。かつては変化の進行が遅かったために、比較的人口が小さかった人間には移動する時間があった。これは氷河期を含む過去の多くの温度変動にあたって、人類が行ってきたことだ。今の人口は多すぎて一気に動くことができない。だから、私たちが与えているダメージを小さくするために最善を尽くさねばならない(32)。

このように、人口の歴史は二つの歴史に同時に属している。一つには、現代の医学、技術、および化石燃料(肥料、農薬、灌漑)といった産業化された生き方がもつ、非常に短いスパンの歴史である。この生き方が人間の数の増加にはともなっており、また増加を可能にもしてきた。もう一つは私たちという種の進化の歴史、あるいは私たちという種の深い歴史(deep history)である。この歴史は前者に比べてずっと長い。そのなかで私たちは惑星の支配的な種として進化し、地球全体に広がり、そして今や他の多くの生命の存在を脅かすにいたっている。この人間進化の共有された歴史に貧しい人々も、富める人々も参加している。P・K・ハフは最近の論文で、現代型のエネルギーと通信技術が、私たちの生活のあらゆる側面に重要なかたちで関わることなくして、七〇億人(もうすぐ九〇億人にならんとする)の生活を支えることは不可能であると説得力をもって主張している。ハフは、もしこのネットワークがなければ、地球上の総人口は約一千万人にまで崩壊するだろうという。彼が主張するには、「技術圏」があるからこそ、私たちの大半(この点では貧富の差は問わない)がこの惑星に住み、支配的な種として活動できるのである(33)。

一人当たり排出量は、気候変動の政治経済において、考慮すべき係争点を示し、そこでの是正の必要性を指摘するにあたってはたしかに有用ではあるが、富めるものと貧しいものの双方が参加している、人間という種のより大きな歴史を隠してしまう。これら二つの歴史をつなぐカテゴリーはあきらかに人口である。

人間は特別なのか？　人新世の倫理的裂け目

気候の危機は、いうなればシンタックスのうえで通常は分離されている要素を突如として集結させる(「句またがりさせる」といってもいい)。それらの要素とは、有史以来の歴史とより深い歴史であり、種としての歴史と地球システムの歴史である。それにより気候危機は、地球の炭素サイクルと生命が、互いに深いところで相互作用しているということをあきらかにしている。

しかしこのようなことを知ったからといって、人間が人間的な野心と論争(これらは私たちを団結させると同時に分断する)に従事するのをやめるわけではない。ウィル・ステファン、ポール・クルツェン、ジョン・マクニールは、およそ一九四五年から二〇一五年にかけて起きた人類史上「最大の加速」の時期と彼らが呼ぶもの(おそらくはマイケル・ポランニーにならっているのだろう)に注意を喚起している。この期間に都市部の人口、紙の消費量、輸送自動車、電話、国際観光、マクドナルド(!)はすべて指数関数的に劇的に増加しはじめた(34)。この時期こそ、「人新世はいつ始まったのか」という疑問への答えの有力な候補になりうると、彼らは主張する。人新世という言葉は、今日私たちが集団的に直面している気候問題のすべてを意味するのかもしれない。だが人間の営みを扱う歴史家として、私は次の点に気がつかないわけにはいかない。このいわゆる大加速の時期は、同時にヨーロッパの帝国主義的勢力によって支配されていた国々が大きく脱植民地化した時期であった。それらの国々は続く数十年のあいだに近代化へと進んだ(たとえば川にダムをつくった)。そして過去二〇年のグローバル化にともない、消費の民主化もある程度まで進めた。「大加速」のうちに、女性のための「解放」として宣伝された西洋の世帯からくる消費耐久財(冷蔵庫や洗濯機など)の生産と消費が含まれているという事実を無視することはできない(35)。また、今日のほんとうに普通の貧しいインド市民が、自分のスマートフォン、あるいはそれに代わる安価な通信機器を所有していることに誇りをおぼえていることを、忘れるわけにはいかない(36)。人新世への突入は、少なくとも消費の領域では、かなり長きにわたって待ち望まれていた社会的正義が世界規模で実現したという話なのだ。

しかし人間のあいだで実現された正義には代償がともなう。人間の消費を増やしたことの結果として、生物圏がほぼ完全に人間によって占領されてしまったのだ。ヤン・ザラシェヴィッチは、ヴァーツラフ・スミルの研究から、私たちを考えこませずにはおかない統計を引いている。

スミルは最も客観的な基準を尺度としている。私たち全員の体重の合計値だ。単なる体という塊として理解すると、……私たちは現在、地球上の陸上脊椎動物の体重の約三分の一を占めている。同じ尺度で考えると、残りの三分の二のほとんどは、私たちが食べ続けているもの、すなわち牛、豚、羊といった動物が占めている。五%に満たない、おそらくはわずか三%ほどが、本当の意味での野生動物であるチーター、ゾウ、レイヨウなどによって占められている。かつて第四紀[今から二〇〇万年前]には……人間は約三五〇種類いた脊椎動物の一つに過ぎなかった。

ザラシェヴィッチが言うに、「野生の脊椎動物の数が急激に減少したことを考えると、脊椎動物のバイオマス全体が減少したと考えたくなるかもしれない」。彼は続ける。「いいや、違う。人間はまず植物の成長率を非常にうまく上げるようになった。空気と地面にあるリンから肥料としての窒素をつくりだすことによってだ。そうして得られた追加分の成長を飼育されている動物に一時的に与え、それから[その動物を食べることで]私達自身に与えるのだ。……脊椎動物のバイオマス全体は、「自然の」レベルを上回る規模で増加している(驚異的といえる規模ではあるまいか……)」。このようにザラシェヴィッチは述べている(37)。膨大な調査にもとづく『生物圏を収穫する』という本を、スミルは次のような警告で締めくくっている。「低所得国の何十億人もの貧困層の人々が、現在の豊かな経済で一人ひとりが得ている収穫高の半分を要求すると、地球が自然に生みだすもののなかで多かれ少なかれ自然の状態で残されるものはきわめて少なくなり、人類以外の哺乳類にはほとんど残らないだろう」(38)。

これは、ヨーロッパ人が他の民族の土地を強制的にか、あるいはほかの方法によって接収したときに、自らに投げかけた問いと驚くほど似た問いを引き起こす。すなわち、人間の需要のために惑星の生物圏を自らのもとにするという、ほとんど独占的ともいってよい要求を私たちがなしうるのは、どんな原理によってか、あるいはどんな理由によってなのだろうか。ジョン・ブルームは「温暖化する世界での倫理」を扱う著書のなかで、この問題に直面している。「究極的によいものとはなにか」と題する節で、ブルームは気候変動がこの問題を提起していることを認めている。「とりわけ自然――種、エコシステム、未開の地、景観――はそれ自体として価値をもっているのかという問題だ」。彼はこの問いは自分の本で問うには「大きすぎる」と判断しているが、それでも自然の価値についての次のような考えを提示している。

自然は人間にとってよいものなのだから、間違いなく価値がある。自然は物質的な財とサービスを提供する。川は私たちに清潔な水をもたらし、汚れた水を運び去る。野生の植物は多くの薬を提供してくれる。……自然はまた人々に感情的な喜びをもたらす。しかし、気候変動によって引き起こされる重要な問いは、自然がそれ自体として価値を持っているかどうかだ。……この問題はこの本にとっては大きすぎる。私は人間にとっての善だけを考察しよう(39)。

しかし、「人間にとっての善」は疑いの余地なくよいものなのだろうか。私たちは特別なのだろうか。アーチャーもまた、彼の『長い雪解け』という本を、この問題からはじめている。アーチャーによると、科学は人間の慢心をいましめる。なぜなら科学は人間を特別な存在とはみなさないからだ。むしろ科学が教えるのは、私たち人間は「生物学的には特別」ではないということだ。「私たちは猿の子孫であり、猿はさらに卑しい起源をもっている」。アーチャーがさらにいうように、「地質学的証拠は地球が私たちよりはるかに古く、また地球が特別に私たちのためにつくられたという証拠がまったくないということを教えている。……これらすべてはおおいに人間の慢心をいましめてくれる」(*L.T.* p.2)。しかし、人間が特別だと考えられているというやっかいな問題は、資本の問題を考えるときよりもはるかに古い過去に私たちの目を向けさせる。また資本の法則の不平等と不公平を考えているあいだは決して立ち入ることのなかった領域に入ることを要求する。

人間が特別であるという考えは、もちろん長い歴史をもっている。おそらくここでは複数の種類の人間中心主義について話すべきなのだろう。たとえば、文明の最初の都市中心地を確立し超越神の観念をつくりだしてからかなり経った後に成立したいくつかの宗教にはじまり、現代の社会科学にいたるまでの長きにわたって、人間は世界の一部である自然と対立しているという考え方があった。これら比較的最近になってからあらわれた宗教は、狩猟採集民のはるかに古い宗教(念頭においているのはオーストラリアのアボリジニの人々とその物語だ)と対照的であるように思われる。そのような古い宗教は人間を動物の生の一部として見ていた(いうなれば私たちは「動物の惑星(Animal Planet)」の一員なのであり、テレビを通して外からそれをながめているわけではないというわけだ)。これらの古代の宗教では人間は必ずしも特別ではなかった。人間は他の動物とおなじように、食べ、そして食べられた。人間は生の一部であった。エミール・デュルケムがトーテミズムについて論じたことを思いだそう。トーテミズムの図式のなかでの「人間の地位」を決めるにあたってデュルケムがはっきりと指摘したのは、トーテムは二重に理解された人間、あるいは彼が人間の「二重の性質」と呼んだものを指ししめしているということだ。「人のうちには人間と動物の二存在が共存しているのである」。さらにデュルケムはいう。「トーテミズムを動物崇拝の一種とみることは慎まねばならない。……それら[人間とそのトーテム]の関係は、きわめて同一標準の、等しい価値にある二存在の関係である」(40)。超越神の考えこそが、人間を創造者、および創造物(つまり世界)と特別な関係に置くのだ。

この点についてはおおいに議論する必要があるが、さしあたっての完全にランダムで恣意的な例(なぜ恣意的かというと、私はヒンドゥー教を含む他の宗教的伝統からも例をとることができたはずだからだ)として、ファズラー・ラーマンの以下の発言を考察しよう。quadar という言葉は「力と割り当て」の両方を意味し、コーランはこの言葉を、命令を意味する amr という言葉と密接に関係させながら、神の本性を表現するために用いている。ラーマンは神の人間との関係が自然に媒介されるなかで、この quadar という言葉を説明するものであると述べている。

全能で、目的を有し、慈悲深い神は……すべてを「割り当てる」。すべてに正当な範囲での能力を与え、行動の法則を与える。要するに、すべてにそれぞれの特質を与えるのだ。この割り当ては一方では自然の秩序を保証し、他方では神の本性と人間の本性のあいだの最も根本的で、埋められない隔たりを表現する。創造主の割り当ては無限性を含意し、割り当ての結果生まれた被造物がその無限性を字義通りに共有することはできないのだ。

このために、「自然は神の命令(amr)に反さず、反することができない。また自然は自らの〔神から割り当てられた〕法を犯すことはできない」(41)。これは人間が神を演じてはならないとはっきりと禁じている一方で、ラーマンが明らかにしているように、「人間がこれらの〔自然の〕法を発見して、それを自らの善のために使うことはできない」ということを意味しない(42)。神は親切なのだ。なぜなら私たちにとって食料となるもので世界を満たしてくれたのだから!(43) おなじように環境主義者たちは長きにわたって、「創世記」にある詩行を引用してきた。すなわち「神はいわれた。「……[人に]海の魚、空の鳥、家畜、地の獣、地を這うすべてを支配させよう」」。神は人間に「産めよ、増えよ、地に満ちて地をしたがわせよ」と命じる(44)。

環境倫理に関心をもつ哲学者や学者は、長きにわたって人間中心主義やいわゆる非人間主義についての論争に参加してきた。ここまでの議論から分かるように、気候変動に関する文献はこの論争を再構成する。私たちは人間でないものをそれ自体として評価するのだろうか。それとも人間のためになるから評価するのだろうか(45)。とはいえ、非人間主義は空想上のキメラのようなものかもしれない。違う文脈でフェン・ハンが指摘しているように、「人間の価値観は常に人間の(あるいは人間中心主義的な)視点から来るだろう」(46)。生態学寄りの志向をもっていた哲学者たちは、一九八〇年代に弱いヴァージョンと強いヴァージョンの人類中心主義を区別して、弱いヴァージョンの方を支持した。強い人間中心主義では、純粋に人間のやりたいように、自然を反省することなく本能のおもむくままに使用し搾取することになるとされた。弱い人間中心主義は、人間でないものが人間の繁栄のためになぜ重要であるのかという点について理性的に反省することから得られた立場だと考えられた(47)。

しかし、気候変動に関するラブロックの仕事は、いうなれば裂け目の反対側に立つことによって、根本的に異なる立場を生みだしている。その立場は、彼の本(『ガイアの消えつつある顔』)のなかでほとんどモットーの役割を果たしている簡潔な命題に凝縮されている。「人類の繁栄がすべてに優先するという制約なしに、地球の健康を考える」(V. pp. 35-36)。彼は強調する。「私は地球の健康を最優先とみなす。なぜなら私たちの生存はまったくもって地球が健康であるかどうかにかかっているからだ」(V. p. 36)。二〇〇九年のBBCのインタビューで、彼は人口の大規模な減少への期待すら示している。というのも、「今のように私たちが生きるならば」、地球上の生命に危害を加えずに持続可能な人口は一〇億人に満たないとラブロックはみなしているからだ(48)。人間にとって人間中心主義が避けられないとして、ではその人間が「地球を最優先させる」とはなにを意味するのだろうか。あるいは、世界は「私たちのために特別につくられた」のではないというアーチャーの見解の意味するところを考えるというのは、なにを意味するのだろうか。この問題を、本稿の最終節で検討しよう。

気候と資本、地球規模と惑星規模

『終焉の時代に生きる』のなかでスラヴォイ・ジジェクは、私の論文「歴史の気候――四つのテーゼ」を批判した。彼のコメントのなかには、ヘーゲル弁証法の「真の」性質に関するものが含まれているが、それについてはここでは議論しない。ジジェクはまた、人為的な気候変動と「資本主義的な生産様式」との関係を指摘しており、ここから私としても本稿の最後の議論に入っていくことができる。先述の論文のなかで私は、種としての私たち人間の生存に関連する「自然的要因」というものがあり、それは資本主義と社会主義の選択から比較的独立したものだと指摘した。それゆえ私たちは人間という種の深い歴史と、はるかに短い資本の歴史を一緒に考える必要があると主張したのだった。これに答えてジジェクはいう。

> もちろん、われわれの環境の自然的要因は、「資本制や社会主義とは無関係である」。――これらの要因は、われわれすべてにとっての潜在的脅威を内蔵していて、そのことは、経済的発展、政治システムなどとはかかわりがない。しかしながら、そうではあっても、それらの要因の安定性が、グローバル資本制の力によっておびやかされているという事実は、チャクラバルティが認めているよりも重要な意味を有している。ある点では、われわれは、以下のことを認めなければならない。それは、〈全体〉が〈部分〉にふくまれることである。すなわち、かつてはそのひとつの部分（地球上の種のひとつによる社会経済的生産様式）であったものが、〈全体〉（地球上の生命）の運命を左右する。

これを前提にして結論が続く。

> ［私たちはまた］次のようなパラドクスを受け容れねばならない。……重要な闘争は特殊な闘争である。まず資本制的生産様式の特殊な行きづまりを解決してはじめて、（人間という種の生存という）普遍的な問題を解決できるのである。……生態学的危機についての手がかりは、生態系そのもののうちにはない[49]。

気候変動において資本主義的生産様式が果たしている役割にジジェクが与える重要性は、私が本稿で提案してきたものをはるかに超えている。安価な化石燃料エネルギーの大規模な利用可能性に依存する資本主義的または産業的文明が、気候危機の近接的な原因、ないしは作用因であるというのは疑う余地がない。この点について私はほとんどの学者と合意している。しかし、ジジェクはこの危機を主導するのは資本主義だという。私の立場は違う。人間の特定の制度の歴史と論理が、地球システムと進化の歴史（そこでは私たち人間を含むいくつかの種の生が強調される）というより大きなプロセスに巻きこまれてきたからといって、人類の歴史がこれらの大規模プロセスの原動力であるとはいえない。後者のプロセスは、資本主義よりもはるかに巨大な空間と時間のスケールにわたって継続する。だからこそ、私たちがこれまで議論してきたような裂け目が生じるのだ。ステージャとアーチャーが指摘しているように、今日私たちが排出している「過剰な」二酸化炭素がいかに多かろうとも、地球システムの長期的なプロセス（たとえば一〇〇万年の炭素循環）が、おそらくいつかは二酸化炭素を「浄化するだろう」。その日に人間がいるかどうかは定かではないとしてもだ(CC, p. 20)[50]。だからこそ、地球温暖化においては、これらの長期的な地球システムのプロセスも重要な要因としてとらえないといけないように思われるのだ。このことはまた、富の蓄積や所得不平等の問題やグローバリゼーションの問題とは異なり、人為的な気候変動の問題が、資本主義の論理を研究するために用いられてきた通常の枠組みからは予測できなかったという事実からもみてとれる。政治経済の調査と分析の方法は、通常、八〇万年前の氷のコアサンプルを掘り起こすことや、惑星表面の平均気温の変化を衛星観測することをともなわない。気候変動は気候科学者によって定義され構築された問題であり、気候科学者たちは政治経済の研究者とは異なる研究方法、分析戦略、および一群のスキルを身につけているというわけだ。

地球と生命のより深い歴史に属するプロセスを、現在の気候危機のなかで人間の尺度と非人間的な尺度の両方で働いている重要な要因として認めるならば、ガヤトリ・チャクラバルティ・スピヴァクが少し前に書いた文章に先見の明があることがわかってくる。「地球は〔私たちとは〕違う種であり、別のシステムに属している。にもかかわらず私たちはそこに住んでいるのだ」(51)。スピヴァクはなにか重要なことをとらえている。彼女の定式化は、気候変動の科学を形成し、支えている地球という惑星の研究が、人間にとってもつ意味を考える方向に一歩進みだしているのだ。

この科学は、今浮上してきている惑星規模(the planetary)という考えと、地球規模(the global)という観点についての既存の考えとのあいだに明快なくさびを打ち込むものだ。たとえ現段階での地球の大気の温暖化が実際に人為的なものであっても、それは偶然にすぎない。惑星の温暖化の科学において、人間が本質的な役割を果たすことはない。その科学はこの地球という惑星に特殊なものですらない。それは惑星科学と呼ばれるものの一部であり、地球にしばりつけられているような想像力には属していないのだ。惑星の温暖化を教えるために多くの地球物理学部門で使用されている教科書は、シンプルに『惑星気候の原理』と題されている(52)。私たちの現在の温暖化は、この地球という惑星と他の惑星、人間がいる惑星と人間がいない惑星の両方で起こり、さまざまな結果をもたらしてきた惑星温暖化の一例である。現在の地球の温暖化を人間が引き起こしているというのは、あくまで偶然なのだ。これにたいして、グローバリゼーションが語られるときの「グローバル」は、人間がその語りの中心に直接的に位置し、また必然的にあるのでなければ成り立たない。

だとすると、地球温暖化に関する議論に積極的に参加している主要な科学者のなかに、かつて他の惑星を研究していた学者がいるのは驚くべきことではない。ジェームズ・ハンセンは、しばしば米国での地球温暖化の科学の生みの親と考えられてきたが、最初は金星の惑星温暖化の研究者であり、後になってからはじめて、憂慮と好奇心にうながされて、関心を地球に移したのだった。ハンセンは次のように書いている。「一九七八年、私はまだ金星を研究していた」。地球の研究に移行したのは次のような理由からだったという。

私たちの住む地球の大気組成が目に見えて変わっており、その変化のスピードはどんどん速くなっている。それが地球の気候に影響を及ぼすことはまちがいないだろう。最も重要な変化は二酸化炭素濃度であり、二酸化炭素は化石燃料の燃焼によって大気に放出されていた。火星と金星では二酸化炭素によって気候が決まることを私たちは知っていた。私は、金星を覆っている雲のベールを研究するよりも、私たち自身が住む地球の気候がどのように変化するかを理解できるように手を貸そうとするほうが、有益であるし、おもしろいだろうと思ったのだ。

ハンセンは「これにかかりきりになるのは一時的だ」というつもりで、研究の場を地球という惑星に移したのだった(53)。

ラブロックと彼の伝説的であり、論争の的でもあるガイアの理論の事例を考えてみよう。彼の「インスピレーションの瞬間」は、一九六五年九月のある午後にカリフォルニアでNASAに勤務していたときに訪れたという。その時彼は「地球の大気とは対照的な、火星の大気の組成を心配していた」(54)。なぜ地球には生命があふれているのに、火星は不毛に見えるのだろうか。火星という赤い惑星がかつて生命を有していたことはあったのか。生命がその大気に痕跡を残すことは可能だっただろうか。現在惑星システムを研究している者たちの多くにとって依然そうであるように、このような疑問がラブロックの調査を牽引していた。なにが惑星に生命をもたせ、それを維持させるのか。生命は自らの維持のためになにか役割を果たしているのか(55)。同様の疑問がザラシェヴィッチとマーク・ウィリアムズに『ゴルディロックスの惑星』を書くようながしたのだった(56)。この領域では、生命を有することのできる惑星の性質は、「居住可能性問題」と呼ばれる。ピエール・ハンバートが私たちに告げているように、この問題について「〔ハンバートの手になる〕本書は決着をつけるには程遠い」(57)。

したがって、気候変動という科学的な問題が現れるのは、言うなれば比較惑星研究からである。またこの問題は惑星をまたいで研究し、考えることを一定程度ともなう。そこで働くことになる想像力は、人間を中心としたものではない。問題となるのは、グローバルな次元(つまり人間に固有の物語)と惑星単位での次元(この次元にとっては人類は副次的な意味しかもたない)のあいだで、私たちの意識がますます分離してきているという点なのだ(58)。気候危機というのは、惑星の他者性に荒々しい仕方で気がつかされるということである。もう一度スピヴァクを引くならば、惑星は「〔私たちとは〕違う種であり、別のシステムに属している。にもかかわらず私たちはそこに住んでいるのだ」。気候変動についての包括的な政治というものがあるとするならば、それはこの観点から出発せねばならない。人間(豊かであろうが、貧しかろうが、すべての人間)は、惑星の生涯の後半にやって来たのであり、惑星の所有者としてよりもむしろ、一過性の来客として住んでいる。このことの理解が、私たちの挑戦にとって欠かすことのできない展望の一部になるだろう。その挑戦とは、人為的な気候変動の有害な影響という問題に関して、正義を追求するという、私たちのあまりに人間的でありながら、しかし正当な挑戦のことだ。

謝辞

私は本稿のいくつかの異なるヴァージョンを、異なる聴衆に向けて口頭発表してきた。最初に二〇一三年にベルリンの世界文化の家で、続けてイリノイ大学アーバナ・シャンペーン校、ハーバード大学、カリフォルニア大学バークレー校、オーストラリア国立大学、シドニー工科大学、クイーンズ大学においてである。積極的なコメントと批判をしてくれた主催者と聴衆に感謝したい。『クリティカル・インクワイアリー』誌の編集スタッフ、クライブ・ハミルトン、フレデリック・ジョンソン、ヤン・ザラシェヴィッチ、デブレナ・ゴーシュ、ローレン・バラント、ビル・ブラウン、ベルント・シェラー、エミリエ・アシェ、ブルーノ・ラトゥール、エヴァ・ドマンスカ、ジェームズ・マレット、ジェレミー・シュミット、エマ・ロスチャイルド、アン・マクグラス、ホミ・K・バーバ、ロザンヌ・ケネディ、ロジャー・スチュアート、バリー・ノートン、マーガレット・ジョリー、ロコハ・マジュンダル、サンジェイ・セス、そしてシカゴ大学の比較政治学ワークショップのメンバーらは、詳細にして有益な批判を寄せてくれた。感謝する。

注

(1) Bryan Lovell, *Challenged by Carbon: The Oil Industry and Climate Change* (New York, 2010), p. 75.

(2) *Climate Change 2007: The Physical Science Basis*, eds. Susan Solomon et al. (2007; Cambridge, 2009), box 6. 2, p. 446を見よ。

(3) Lovell, *Challenged by Carbon*, p. xi.

(4) David Archer, *The Long Thaw: How Humans Are Changing the Next 100,000 Years of Earth's Climate* (Princeton, N.J., 2009), p. 6. 以下*LT*と略記する。

(5) Curt Stager, *Deep Future: The Next 100,000 Years of Life on Earth* (New York, 2011), chap. 2〔カート・ステージャ『一〇万年の未来地球史――気候、地形、生命はどうなるか?』小宮繁訳、日経BP社、第二章〕を見よ。

(6) Archer, *The Global Carbon Cycle* (Princeton, N.J., 2010), p. 21. 以下*GC*と略記する。

(7) リスクについての公衆の認知と、統計的分析、および政治的・法的規制を通じたリスク管理とを結びつける洞察に富む一連の論考が、Cass R. Sunstein, *Risk and Reason: Safety, Law, and the Environment* (New York, 2002) に見られる。以下*RR*と略記する。

(8) Charles S. Pearson, *Economics and the Challenge of Global Warming* (New York, 2011), p. 25 n. 6. 以下*E*と略記する。

(9) このトピックに関する古典的な文献は、Frank H. Knight, *Risk, Uncertainty, and Profit* (1921; Mineola, N.Y., 2006)〔F・H・ナイト『危険・不確實性および利潤』奥隅榮喜訳、文雅堂書店、一九五九年〕である。経済学を科学の一部とみなしていたナイトは、経済学について語るにあたって技術という言葉を使った私に異議を唱えたことだろう。彼は著作を次のような言葉ではじめている。「経済学、あるいはより正しくは理論経済学は、厳正な科学として栄誉を目ざしたところの社会諸科学のうちのほんの一つである」。これにたいして物理学を「自然の諸力に対して驚くべき支配を私どもに得せしめる」とナイトは賞賛する(pp. 3, 5〔邦訳、五一、五三頁〕)。

(10) たとえば以下の文献に再掲されている図表を見よ。*The Economics of Climate Change: The Stern Review*, ed. Nicholas Stern (New York, 2007), p. 200. また、Eric A. Posner and David Weisbach, *Climate Change Justice* (Princeton, N.J., 2010), chap. 2 も見よ。

(11) 経済学者のマーティン・ウェイツマンは一連の論考のなかで、気候変動による福祉の損失についての通常の費用便益分析が、いかに気温の上昇を低く見積もっているかを強調している。平均地球表面気温の一〇～二〇度の激烈な上昇にともなう損害を計算するにあたっての不確実性は、経済学的な計算を機能不全に陥らせてしまう。ウェイツマンはいう。「気候変動分析に関わる深刻な構造的不確実性が信じがたいほどに大きいということをもっとはっきりと認めよう。また従来のＩＡＭ[統合評価モデル]ベースのＣＢＡ[費用便益分析]がもたらすはっきりとした分析結果は人為的なものであり、気候変動でない事例に適用される通常のＣＢＡの状況と比較すると、きわめて誤解を招くものだということを政策立案者に説明しよう。そうするだけで、地球温暖化に関してなにをすべきかという点に関する公衆の見解の水準は上昇するだろう」(Martin L. Weitzman, "Some Basic Economics of Extreme Climate Change," 19 Feb. 2009, www.environment.harvard.edu/docs/faculty_pubs/weitzman_basic.pdf, p. 26)。Weitzman, "GHG Targets as Insurance against Catastrophic Climate Damages," *Journal of Public Economic Theory* 14 (Mar. 2012): 221-244 もまた見よ。

(12) ラブロック自身もガイアの概念をすくなくとも比喩としては擁護している。Lovelock James Lovelock, *The Vanishing Face of Gaia* (New York, 2009), p. 13 を見よ。以下 *V* と略記する。

(13) Wallace S. Broecker and Robert Kunzig, *Fixing Climate: What Past Climate Changes Reveal about the Current Threat—and How to Counter It* (New York, 2008), p. 100〔ウォレス・S・ブロッカー、ロバート・クンジグ『ＣＯ$_2$と温暖化の正体』内田昌男監訳、東郷えりか訳、河出書房新社、二〇〇九年、一五二頁〕。

(14) John Broome, *Climate Matters: Ethics in a Warming World* (New York, 2012), pp. 128, 129.

(15) Paul N. Edwards, *A Vast Machine: Computer Models, Climate Data, and the Politics of Global Warming* (Cambridge, Mass., 2010), pp. 438-439. 以下 *VM* と略記する。

(16) James Hansen, *Storms of My Grandchildren: The Truth about the Coming Climate Catastrophe and Our Last Chance to Save Humanity* (New York, 2009), p. 176〔ジェイムズ・ハンセン『地球温暖化との闘い——すべては未来の子どもたちのために』枝廣淳子監訳、中小路佳代子訳、日経ＢＰ社、二〇一二年、二五三頁〕。以下 *SM* と略記する。

(17) サスティーンは、「地球温暖化に関する最悪のシナリオ」はマキシミン原則の適用を必要としていると認めている。だが同時に再生可能エネルギーへの段階的移行を前提とした「キャップ・アンド・トレード」制度を推奨している。というのもそれが「最も有望と思われるからだ。理由の一部は、他の代替案よりもはるかに安価だからである」(*RR*, p. 129)。これは結局のところ、マキシミン原則を予防的な原則に置きかえていることになる。ここから分かるのは、地球温暖化に関係する「不確実性」という問題にたいして、通常のリスク管理戦略で十分に対処できると考える学者たちは、問題自体をほとんど理解できていないということである。

(18) Stephen M. Gardiner, "Cost-Benefit Paralysis," *A Perfect Moral Storm: The Ethical Tragedy of Climate Change* (New York, 2011), chap. 8 を見よ。

(19) Peter Newell and Matthew Paterson, *Climate Capitalism: Global Warming and the Transformation of the Global Economy* (New York, 2010), p. 7. 強調引用者。

(20) Sunita Narain, blurb for Newell and Paterson, *Climate Capitalism*, back cover.

(21) John Bellamy Foster, Brett Clark, and Richard York, *The Ecological Rift: Capitalism's War on Earth* (New York, 2010), p. 47.

(22) Sha Zukang, "Overview," *Promoting Development and Saving the Planet* (New York, 2009), www.un.org/en/development/desa/policy/wess/wess_archive/2009wess.pdf 以下 "O" と略記する。

(23) Anil Agarwal and Narain, *Global Warming in an Unequal World: A Case of Environmental Colonialism* (New Delhi, 1991). 以下 *GW* と略記する。

(24) United Nations Environment Programme, "Rio Declaration of the United Nations Conference on Environment and Development," www.unep.org/Documents.Multilingual/Default.asp?documentid=78&articleid=1163

(25) Shri Jairam Ramesh et al., "Climate Change and Parliament," in *Handbook of Climate Change and India: Development, Politics, and Governance*, ed. Navroz K. Dubash (New York, 2012), p. 238. D・ラフナンダンは、気候変動に関する多くの国際フォーラムでインドが支持したこの「気候正義」の立場は、「深い科学的理解」というよりも「地政学的評価」によって形成されたものだと主張している(D. Raghunandan, "India's Official Position: A Critical View Based on Science," in *Handbook of Climate Change and India*, pp. 172, 173)。

(26) Y. P. Anand and Mark Lindley, "Gandhi on Providence and Greed," www.academia.edu/303042/Gandhi_on_providence_and_greed, p. [1] で引用されている。ガンジーはこれを一九四七年にヒンディー語で、秘書であるピエアロル・ネイヤーにいったとされている。ネイヤーが彼の著書で報告している。Pyarelal Nayyar, *Mahatma Gandhi: The Last Phase*, 2 vols. (Ahmedabad, 1956–1958), 2: 552. アナンドとリンドレーは、ガンジーがJ・C・クマラッパの研究に影響されたとしている。クマラッパはガンジー派の経済学者であり、その著作 *Economy of Permanence* (1945) にガンジーは序文を寄せている。興味深いことに、気候変動に関するインドの国家行動計画は、ガンジーの言葉を「地球は人々の必要を満たすのに十分な資源を持っているが、人々の強欲を満足させるには十分ではない」と誤っていいかえている。そうすることで、倫理的責任が個人のものだというかにもガンジーらしい強調点を取り逃がしているのだ(Government of India, *National Action Plan on Climate Change*, pmindia.gov.in/climate_change_english.pdf, p. 1)。

(27) Peter Galuszka, "With China and India Ravenous for Energy, Coal's Future Seems Assured," *New York Times*, 12 Nov. 2012, www.nytimes.com/2012/11/13/business/energyenvironment/ china-leads-the-way-as-demand-for-coal-surges-worldwide.html?_r=0

(28) Ibid.

(29) 以下を見よ。Vaclav Smil, *Harvesting the Biosphere: What We Have Taken from Nature* (Cambridge, Mass., 2013), p. 221; Tom Butler, Daniel Lerch, and George Wuerthner, "Introduction: Energy Literacy," in *The Energy Reader: Overdevelopment and the Delusion of Endless Growth*, ed. Butler, Lerch, and Wuerthner (Sausalito, Calif., 2012), pp. 11–12.

(30) Stager, *Deep Future*, pp. 62–66〔ステージャ『一〇万年の未来地球史』一〇三、一〇八頁〕。*SM*, 145–146〔邦訳、二一一―二一三頁〕での議論も見よ。

(31) Michael Denny and Lisa Matisoo-Smith, "Rethinking Polynesian Origins: Human Settlement of the Pacific," lens.auckland.ac.nz/images/4/41/Pacific_Migration_Seminar_Paper_2011.pdf を見よ。

(32) Burton Richter, *Beyond Smoke and Mirrors: Climate Change and Energy in the Twenty-Fitst Century* (New York, 2010), p. 2.

(33) P. K. Haff, "Technology as a Geological Phenomenon: Implications for Human Well-Being," *Geological Society of London*, 395 Oct. 24, 2013, sp.lyellcollection.org/content/early/2013/10/24/SP395.4.full.pdf"html. この文献の存在は、ヤン・ザラシェヴィッチに教えていただいた。

(34) Will Steffen, Paul J. Crutzen, John R. McNeill, "The Anthropocene: Are Humans Now Overwhelming the Great Forces of Nature?" *AMBIO*, 36 (Dec. 2007): 614–621.

(35) この点についてのオーストリアの例として、Lesley Johnson, *The Modern Girl: Childhood and Growing Up* (New South Wales, 1993) を見よ。

(36) Assa Doron and Robin Jeffrey, *The Great Indian Phone Book: How the Cheap Cell Phone Changes Business, Politics, and Daily Life* (Cambridge, Mass., 2013).

(37) Jan Zalasiewicz, "The Human Touch," *The Paleontology Newsletter* 82, www.palasspubs. org/newsletters/pdf/number82/number82.pdf, p. 24. ザラシェヴィッチによるスミルの調査の要約はきわめて有用なものである。しかしスミルの努力の大部分は、ここで報告された変化を測定にあたって直面する方法論的課題について読者に思い起こさせると同時に、関連する数値がどれほど近似的なものであり暫定的なものであるかも思い起こさせるために費やされているということも忘れてはならない。ザラシェヴィッチが挙げる数値は以下にもとづいている。Smil, "Harvesting the Biosphere: the Human Impact," *Population and Development Review*, 37 (Dec. 2011): 613–636. この文献の存在は、ザラシェヴィッチに教えていただいた。

(38) Smil, *Harvesting the Biosphere*, p. 252.

(39) Broome, *Climate Matters*, pp. 112–113.

(40) Emile Durkheim, *The Elementary Forms of Religious*

Life, trans. Joseph Ward Swain (1915; Mineola, N.Y., 2008), pp. 134, 139〔デュルケム『宗教生活の原初形態』古野清人訳、岩波文庫、一九七五年、改訳上巻、二四〇頁、二四四頁〕。

(41)　Fazlur Rahman, *Major Themes of the Qur'an* (Chicago, 2009), pp. 12, 13, 12-13.

(42)　Ibid., p. 13.

(43)　ヒンドゥー教と仏教の展望を混合させたうえで、人間と神とのあいだにある特別な関係を主張した興味深い文書として、ラビンドラナート・タゴールが一九三〇年にオックスフォード大学で行ったヒバート講義がある。講義は *The Religion of Man* (1931) として出版された。そこでタゴールは、人間の営みに無関心なものとして神をとらえる立場がヒンドゥー教にあるということを認識しながらも、それを否定し、仏教の無限の理解を肯定した。無限とは「際限ない宇宙的なはたらきをもつ霊というようなものではなくて、善と愛の積極的な理想のうちにその意味をもち、したがって、人間的なもの以外のなにものでもないことを示している」(Rabindranath Tagore, *The Religion of Man*, in *A Miscellany*, in *The English Writings of Rabindranath Tagore*, ed. Sisir Kumar Das, 4 vols. [New Delhi, 1994-2007], 3: 111〔R・タゴール『人間の宗教』森本達雄訳、『タゴール著作集　第七巻　哲学・思想論集』第三文明社、一九八六年、六〇頁〕)。

(44)　Ernest Partridge, "Nature as a Moral Resource," *Environmental Ethics* 6 (Summer 1984): 103.

(45)　たとえば、Lawrence Buell, "The Misery of Beasts and Humans: Nonanthropocentric Ethics versus Environmental Justice," *Writing for an Endangered World: Literature, Culture, and Environment in the U.S. and Beyond* (Cambridge, Mass., 2001), pp. 224-242 を見よ。

(46)　Feng Han, "The Chinese View of Nature: Tourism in China's Scenic and Historic-Interest Areas," PhD diss., Queensland University of Technology, 2008, eprints.qut.edu.au/16480/1/Feng_Han_Thesis.pdf, pp. 22-23. この博士論文の存在に私の注意を向けてくれたケン・テイラーに感謝する。いうまでもなく、ハンはユージーン・ハーグローブに共鳴している。以下を見よ。Eugene C. Hargrove, "Weak Anthropocentric Intrinsic Value," *The Monist* 75 (Apr. 1992): 183-207; Karyn Lai, "Environmental Concern: Can Humans Avoid Being Partial? Epistemological Awareness in the Zhuangzi," in *Nature, Environment, and Culture in East Asia: The Challenge of Climate Change*, ed. Carmen Meinert (Boston, 2013), p. 79.

(47)　たとえば、Bryan G. Norton, "Environmental Ethics and Weak Anthropocentrism," *Environmental Ethics* 6 (Summer 1984): 131-148 を見よ。ノートンは、弱い人間中心主義という考え方を最初に提案した人物であり、以来この考えを多くの人々がとりあげてきた。

(48)　NightHitcher, "James Lovelock—Population Reduction 'Max 1 Billion,'" www.youtube. com/watch?v=dBUvZDSY2D0

(49)　Slavoj Žižek, *Living in the End Times* (Brooklyn, 2010), pp. 334, 332, 333-334〔スラヴォイ・ジジェク『終焉の時代に生きる』山本耕一訳、国文社、二〇一二年、四五七―四五八頁〕。Dipesh Chakrabarty, "The Climate of History: Four Theses," *Critical Inquiry* 35 (Winter 2009): 192-222 も見よ。

(50) Stager, *Deep Future*, chap. 2〔ステージャ『一〇万年の未来地球史』第二章〕を見よ。

(51) Gayatri Chakravorty Spivak, *An Aesthetic Education in the Era of Globalization* (Cambridge, Mass., 2012), p. 338.

(52) Raymond T. Pierrehumbert, *Principles of Planetary Climate* (New York, 2010).

(53) Hansen, *Storms of My Grandchildren*, pp. xiv–xv, xv〔ハンセン『地球温暖化との闘い』九頁〕。

(54) Michael Ruse, *The Gaia Hypothesis: Science on a Pagan Planet* (Chicago, 2013), p. 5. ここでＮＡＳＡが言及されていることは、この種の研究への政府の後援にあたって冷戦が果たした役割もまた思い起こさせる。

(55) いうまでもなく、これが名高いガイア仮説である。

(56) Zalasiewicz and Mark Williams, *The Goldilocks Planet: The Four Billion Year Story of Earth's Climate* (New York, 2012).

(57) Pierrehumbert, *Principles of Planetary Climate*, p. 13.

(58) 惑星規模と地球規模とのあいだの食い違いが増大しているということに私が触れるのは、これら二つの言葉をおなじことを意味するために使う伝統が確立しているからだ。たとえば、Carl Schmitt, *The Nomos of the Earth in the International Law of the Jus Publicum Europaeum*, trans. G. L. Ulmen (New York, 2006), pp. 86–88, 173, 351.〔カール・シュミット『大地のノモス――ヨーロッパ公法という国際法における』新田邦夫訳、上巻、一九七六年、七二―七五頁、二二六頁〕を見よ。

書評

誰のために歴史を書くのか
——ゼバスティアン・コンラート『グローバル・ヒストリーとはなにか？』——

小田原　琳

1　グローバル・ヒストリーという観念の登場

グローバル・ヒストリーという言葉が最初に登場したのが一九六〇年代であったとしても(1)、その表現を頻繁に目にするようになったのは九〇年代以降のことである。二〇〇〇年代に入っては、むしろ「ブーム」と呼ぶことさえできるだろう。私たちの日常の言語に「グローバリゼーション」がいつのまにか浸透していたことと、そのことは深く関連している。気づかないうちに私たちの暮らしは「グローバル化」していた。しかし、「グローバリゼーション」とは何なのか、「グローバル」であるとはどういう状態なのかについては、必ずしも確信があるわけではない。それをどのように評価するか、ということになれば、なおさらである。グローバリゼーションそれ自体を問うことと、

「グローバル・ヒストリー」とはなにかを問うことは、私たちの日常の「グローバル化」が認識にもたらした変化であるという意味で同一の地平にありつつ、しかも後者には歴史叙述特有の課題がはらまれている。本稿では、ドイツ出身の日本史研究者であり、またドイツの植民地主義の歴史に関する仕事もある歴史家、セバスティアン・コンラートによる『グローバル・ヒストリーとはなにか？』(二〇一六年)(2)が、近年日本語訳が出版されたパミラ・カイル・クロスリー(3)と、リン・ハント(4)の同種の議論とも比較しながら、歴史叙述としてのグローバル・ヒストリーという問題とどのように向き合っているかを検討し、改めて、今なぜ、私たちがかくもグローバル・ヒストリーを求めているのかを考えたい。

2　グローバル・ヒストリーという場の設定

本論に入る前に、著者ゼバスティアン・コンラートについて略歴を見ておこう。

一九六六年にハイデルベルクで生まれたコンラートは、良心的兵役拒否の代替としての市民奉仕活動に服務中にハイデルベルク在住の日本人家族と暮らしたことで、日本語と日本文化への関心を抱いた。歴史学と東アジア研究に携わり、大阪や東京への留学を経て、パリの社会科学高等研究院やフィレンツェの欧州大学院で教鞭をとったのち、現在はベルリン自由大学の歴史学教授を務めている。第二次世界大戦の敗戦を受けて日本とドイツの歴史家たちが国民の過去をどのように定義しなおしたかを問うた学位論文、一九世紀後半以降のグローバル化がドイツ・ナショナリズムに与えた影響を扱った教授資格申請論文を執筆したあと、ユルゲン・オスターハンメルやドミニク・ザクセンマイヤーらとともに、ドイツの植民地主義に関する研究やグローバル・ヒストリー研究に乗り出していった(5)。ユルゲン・コッカの指導のもとで学んだ伝統的なドイツ歴史学と日本研究、アメリカ合衆国やイタリアでの経験など、多様な場での歴史学研究の遂行、アカデミックな環境の国境を超えた広がりや移動、交流がコンラートの視野を形成していることはまちがいない。その意味で、彼自身が、われわれと同様に、グローバル化時代の歴史の主体であり、そのことが、包括的で教育的でもある『グローバル・ヒストリーとはなにか？』という仕事の背景になっている。

当然ながら、グローバル・ヒストリーを書くということと、グローバル・ヒストリーとはなにか、またどのようであるべきかを考えることは別のことである。後者は前者の実践を基盤として組み立てられなければならないが、同時に、前者の実践の、ときに無意識の前提となっている問題意識の結晶化でもある。コンラートを含め、グローバル・ヒストリーというジャンルを語るためには、そのための場を設定せねばならず、論者たちは実践と理論との関係性をさまざまに捉え返しながら、その課題にとりくんでいる。

クロスリーの『グローバル・ヒストリーとは何か』は、グローバル・ヒストリーと名乗るにせよ名乗らないにせよ(グローバル・ヒストリーという呼称そのものの新しさを考えれば、明示的にそれに挑戦している歴史叙述のほうが少ないのは明らかである)、すでに書かれている、グローバル・ヒストリーとみなしうるものを挙げ、それらをその語り(ナラティヴ)の型——〈発散〉・〈収斂〉・〈伝染〉・〈システム〉——によって分類する。つまり、グローバル・ヒストリーとはなにかという問いに関していえば、人は、古代からひとつの世界を描き出そうという欲求をもち、地球規模での「人類史」を語ろうとしてきたのだと、クロスリーは指摘する。ただその書き方は、カタログ集成的なものから、さまざまに異なる文化をひとつの一貫した物語に統一的に組み上げて語ろうとする仕方へと変わっていったというのがクロスリーの見立てである。ときどきに用いられるナラティヴの型は、社会ダーウィニズムから資本主義化、遺伝学まで、同時代の、ときに歴史叙述とは直接関わりのない技術や変化の影響を受けているととらえられている。その分析は、いくらかは、ナラティヴにおける進歩史観の様相を呈しているようにも見える。

一方、コンラートとハントは、両者とも実践を踏まえつつも、歴史叙述の新しい可能性をもつ方法としてのグローバル・ヒストリーに、議論を集中させてゆく。ハントは、近代の歴史叙述を規定してきたパラダイムとしてマルクス主義、近代化論、アナール学派、「アイデンティティの政治」の四つを挙げ、さらにそれが、一九六〇年代から九〇年代にかけて、ハントが総称する文化理論――カルチュラル・スタディーズ、ポスト構造主義、ポストモダニズム、ポストコロニアリズム、言語論的転回、文化論的転回など、「文化や言語に対する親和性を共有する」(6)諸理論――によって後景に退けられたことを示す。しかし、これらの文化理論は、その本質主義批判という性質において、新たなパラダイム(歴史的発展の包括的解釈)を提供することがなかった。ではグローバリゼーションはそれに替わるパラダイムになりうるだろうか？　ハント自身は、グローバリゼーションは人類の経験した共通のプロセスではあるものの、パラダイムを意味してはいないと考えている(7)。むしろ、私たちがグローバリゼーションという経験を通じて、歴史分析の基礎カテゴリーである〈社会〉と〈自己〉という観念の再考を促されること、〈社会〉と、その内部でのみ成立しうる〈自己〉という西洋生まれの観念を再検討する契機を得ることに、グローバルに視野を据えることの意義があるだろう、という。このようなハントの立ち位置にも示されているように、グローバル・ヒストリーというジャンルの興隆、このジャンルについて考察する態度には、近代歴史学の特徴といってもよい二つの論点に関する批判的眼差しがわかちがたく結びついている。すなわち、社会や個人が置かれる「容器」としての国民国家という歴史叙述の単位と、そのヨーロッパ中心主義的性質である。

クロスリーが語り方の型という視点から、ハントが歴史解釈の型という視点から、グローバル・ヒストリーというジャンルを見定めようとしたとするならば、ゼバスティアン・コンラートは、方法論や問題意識のうえでグローバル・ヒストリーに先立ち、あるいは並行して、これと競合するアプローチとの比較を通じて、それを試みる。ここで彼が挙げるのが、比較史研究、トランスナショナル・ヒストリー、世界システム論、ポストコロニアル・スタディーズ、複数の近代論の五つである。そのなかには必ずしも歴史学のディシプリンに属すわけでもないものも含まれるが、これらは何より、ナショナルな境界を超え、歴史解釈における西洋のヘゲモニーを超えようとする意図を共有している[三七—三八頁]。コンラートによれば、これらの五つのアプローチは、それぞれに有効性と限界をもつ。たとえば比較という古代から連綿とつづくアプローチのメリットは、異なる歴史的経験のあいだの対話を開くことだが、同時に二つの問題をもつ。第一に、異なる二者を比較するとき、往々にして、一方の発展を当然のものとみなし、そのために他方を「欠如」や「後進的」なものとして描く目的論的記述に陥ってしまう。第二に、比較される二者はそれぞれ、本質的には無関係に、独自に発展したものとして扱われかねない。比較という方法のこの二つの問題/特徴は、直接の接触や交換をもたない複数の対象を同一の地平で検討するという可能性をもたらすはずであるにもかかわらず、むしろ独自性や逸脱、例外というナラティヴ——ドイツの「特有の道(Sonderweg)」、あるいは近代=「ヨーロッパの奇跡」といった——を生みだしてきた[四一頁]。世界システム論は、比較史やトランスナショナル・ヒストリーと異なり、個別のケースの比較や関連性ではなく、より大きな地域ブロックとシステムを歴史的分析の単位とする。国民国家などを所与のものと考えないという点で重要だが、経済還元主義になりがちで、内部の歴史的特殊性がないがしろにされ、市場の統合に働く非対称な力関係が無視されること、具体的分析よりも体系的文脈が先行すること——ハントの言葉を借りれば「上からの」グローバリゼーションの説明であること——という限界があり、しかもヨーロッパ世界システムそれ自体の誕生が内在的に説明されることがない、すなわち、ヨーロッパ中心主義をふりはらうことができていない、とコンラートは指摘する[五〇頁]。他方ポストコロニアル・スタディーズは、世界システム論がマクロな経済統合プロセスに注意を払うのに対し、一九八〇年代以降、文化的境界を横断する複雑な相互作用について注意を喚起したことできわめて重要な役割を果たしてきた。ここではグローバリゼーションはたんなる支配と経済的搾取の形態としては理解されない。私たちが歴史的変化を説明するためのさまざまな知的カテゴリー——カーストや宗教、人種などの概念——それ自体が植民地との出会いの応答として誕生し、みずからと植民地との差異を示すために用いられたことを、この批評理論は自覚させた。グローバルな統合プロセスは、軍事力や資本主義化だけでなく、認識の枠組みにまで降り立って、そこから不平等な権力構造として位置づけられなければならない。「近代世界がまず相互に接続されているということは、それが起こった植民地支配の条件と切り離すことはできない」[五五頁]。コンラートはグローバル・ヒストリーが扱う対象とする時代を必ずしも近代以降、すなわちグローバリゼーション以降とはしないが[第五章]、彼がグローバル・ヒストリーというパースペクティヴにおいて、「グローバルな統合、あるいはグローバルなレヴェルでの構造化された変容」[六二頁]を重視するとき、まさに「構造化」という用語が示すように、力関係の問題に意識的であることは強調してよいだろう。比較の視点が進歩という近代的な時間認識に容易に取り込まれていくことへの警戒感もまた、そこに立脚している。

では、近いところにあるそれらのアプローチに対して、グローバル・ヒストリーはどのようなものであるべきだとコンラートは考えているのだろうか。

3　方法としてのグローバル・ヒストリー

競合する諸理論に対して最新版のアプローチであるからといって、それらが内包している限界が自動的に乗り越えられるわけではない。マクロな比較にかわって、グローバル・ヒストリーはしばしば、〈接続〉や〈交換〉、〈交流〉や〈ネットワーク〉といった語群で表現されるような流動的な事象に関心を寄せた。しかし、ただ移動や相互作用に焦点を当てることだけではこのアプローチは十分に新しいものにはならない。グローバル・ヒストリーを独自のアプローチとしうる方法論的選択としてコンラートは六点を指摘しているが、以下ではこれを三点に整理して提示しておこう。

(1)　空間性

「グローバル」という形容詞が端的に示すように、グローバル・ヒストリーは空間性について意識的であることが重要とされる(人文学における「空間論的転回」)。国民国家や帝国、文明、あるいは宗教など、歴史叙述における既存の空間的単位に対して、流動性に関わる問いが必要とするオルタナティヴな空間性を求めることになるだろう。たんに規模を惑星へと拡大することがグローバル・ヒストリーの空間なのではない。大西洋やインド洋、南シナ海など、大洋は複数のアクターが交差するトランスナショナルな空間であるだけでなく、ポール・ギルロイが『ブラック・アトランティック』(8)で描き出したように、ヨーロッパが副次的な役割しか果たさなかった空間であった。このように見ることで、空間的視野において脱ヨーロッパ中心主義の契機ともなるような、コミュニケーションが交換された新しい社会的空間を創造することが可能になるのである。たとえばその一例として、コンラートは環境史家のグレゴリー・クシュマンの仕事を挙げる。クシュマンは、グアノ(海鳥の糞)がラテンアメリカ、東アジア、オセアニアの農業と経済の発展に果たしたきわめて重要な役割を追っている。北アメリカとヨーロッパで人口が急激に増加した一九世紀、ペルーが輸出するグアノは、肥料としてこれらの地域の農業の増産に貢献し、ペルーの歳入を六割も増加させた。他方グアノのブームは大量施肥による集約農法への注目を高め、二〇世紀オセアニアにおけるリン鉱石の採掘へとつながった。クシュマンはこうして、海鳥の糞の導きにしたがって、近代世界における食糧生産と環境という大きな問題を語る(9)。このようなオルタナティヴな空間の設定において肝要であるとコンラートが考えるのは、グアノのように、それが具体的な主題に基づいて追求されることである。グローバル・ヒストリーの事例としてしばしば引用されるケネス・ポメランツの著作(10)のように、マクロな視野からの歴史叙述だけがグローバル・ヒストリーなのではない。いわばグローバルなミクロストリア——ハントが提示し、一世を風靡しつつある表現でいえば「下からの」グローバル・ヒストリー——でなければならないとされる。それはグアノのように商品であったり、ディアスポラのように人の移動であったりもするだろう。

暗黙のうちに前提とされる歴史叙述の単位に対する問いは、グローバル・ヒストリーを次のような認識へ導くはずだ。「歴史的単位——文明、国民、家族——は孤立して発展したのではなく、他の単位との相互作用を通じて理解されなければならない」[六五頁]。ある単位——たとえばヨーロッパ——の発展は内在的に説明されるのではなく、他の地域や社会とのさまざまな交換から考えられなければならない。先述のように、世界システム論に対するコンラートの批判はこの点にあった。グローバル・ヒストリーの求める広域的な空間性は、ある種の統合過程を描き出すことでもある。コンラートは「統合」を「構造化された変容」と同義で用いており[六二頁、一〇一頁など]、統合過程における権力の非対称性を強く意識しているが、空間性の議論とのかかわりからはさらに、この変容が「より少ないところからより多く」「不足から充足へ」[一〇一頁]という単線的なものであると前提してはならないという戒めが導かれる。社会構造は不動の存在ではなく、個々人の実践を通じて生産され、再生産されるものであり、「行為主体性の、日常的実践の、絶えざる変容と改変の産物」である[一〇二頁]。グローバル・ヒストリーの空間的射程は、ただ表層的にグローバルであるだけでなく、個人の実践が構造に働きかける可能性も含めてとらえているかどうかで違ってくるのである。

ただしグローバル・ヒストリーの空間性をめぐるこのような理解は、グローバル・ヒストリーにおいて時間をどのようにとらえるかという問題とのあいだに、緊張を孕むことにもなる。

(2) 時間性

叙述の対象の規模を空間的に拡大し、諸個人や社会の相互作用に目を向けるグローバル・ヒストリーでは、従来の歴史叙述に付随していた時間にかかわる語彙——発展、時間差、後進性——が、領域性や地政学、循環やネットワークなど空間的メタファーにその場所を譲った。時間の尺度の取り方においても、伝統から近代へ、といったような目的論的な叙述を排し、むしろ歴史的なできごとの同時性を強調するようになる。直近では「アラブの春」が示すように、社会の変化においてはそれ以前の歴史からの連続性と同じように、同時代の外的な諸力の配置が重要なのである［六六頁］。このことはそれ自体として、マルクス主義や近代化論など、発展という時間的枠組で歴史をとらえてきたパラダイムへの異議申し立てとなる［一四一頁］。とはいえ、それが歴史であるかぎり、グローバル・ヒストリーが時間性と無関係であるわけはない。そうではなく、そこでは空間性に関するのと同様に、歴史的説明における時間の再配置が試みられている。とりわけそれは、グローバル・ヒストリーが扱う対照的な二つの時間の尺度に表れる。人類史全体を対象とするような可能なかぎり長い時間と、発展的時間という観念に対抗する、もっとも短い時間、すなわち同時性である［一四二頁］。ここでは同時性に注目した研究として、コンラートは彼自身の仕事を挙げている。検証されているのは、一九九〇年以降の東アジアにおける第二次世界大戦の記憶をめぐる論争である(11)。しばしば抑圧された記憶の回帰、あるいはトラウマなど、「系譜学的モデル、言い換えれば過去と現在の関係、五〇年前のできごとへの遅れて現れた応答」［一五〇頁］と叙述されるこの現象について、コンラートはむしろ、日本、中国、韓国における「記憶の戦争」は同時代の、同時的変容、つまり一九九〇年代に起こったことへの応答と理解するほうが「生産的」だと主張する。冷戦の終結によって東西の二項対立にしたがって配列されていた体制が変化し、政治集団や市民社会のイニシアティヴ、企業の利害関心が東アジアに向かった結果、韓国と中国の犠牲者の声が日本で聴かれるようになり、「過去の解釈が、そのなかでアジア間の交換と協力の可能性が交渉される」、新たなアジア的公共圏の到来をもたらしたとみなすのである［一五一頁］。いまの東アジア、とりわけ日本における激しい政治的変動や歴史認識の歪みを目の当たりにして、私はさほど楽観的にはなれないが、コンラートが別の事例を引きつつ指摘しているように、相互に深く関連するできごとが離れた場所で起こったことの理由を同時代的に求めることによって、オルタナティヴな空間や解釈枠組の発見につながる可能性はあるだろう。ただし個々のできごとの、それぞれの固有の歴史的経験を等閑視してよいことにはならない。系譜学的追及と同時的コンテクストの双方に目配りすることが、グローバル・ヒストリーには必要である。

グローバル・ヒストリーの空間性と時間性双方において指摘された、課題ごとにそのつど関係的なものとして要請される時間的・空間的秩序を測るために、必要な尺度を選択するという態度は、技術的・方法論的な問題ではなく、規範的な含意があるとコンラートは注意を喚起する。ナチス・ドイツ——主としてドイツで知的形成を果たしたコンラートが、集合的意識に関わる課題としても、個人的な研究の課題としても向き合わざるをえなかった第三帝国の歴史——について考えるとき、個々人の実践と広域的な空間設定、極小的な時間と長い歴史的経験とのあいだの緊張関係が浮かび上がる。ユダヤ人虐殺は、短期的には個々の行為主体の決定の連なりの結果だが、それらの決定は一九世紀ドイツの反ユダヤ主義を背景として行われ、反ユダヤ主義はマルティン・ルターにまで遡ることができる。空間的にも、個人の動向が重要な意味をもつ家族や小さな町といった単位ではなく、党エリートや官僚、組織の論理が重要性をもつナショナルなレヴェル、第一次大戦後の世界体制や世界恐慌、資本主義の危機、その克服をめぐる思想の流行などの尺度をとれば、個人の行為主体性は後景に退くだろう。グローバルなアプローチの特徴である方法論的選択は、ホロコーストを同時代のグローバルな諸力によって説明することによって、ひょっとするとナチの犯罪者たちの罪を相対化することになるかもしれない。グローバル・ヒストリーは、尺度を広げることによって、起こったことが不可避であり、あたかも必然であったかのように見せかけ、ことによっては説明責任を外在化してしまう危険性をもつ、と自問しているのである[一五八頁]。ここでもコンラートは、構造の力と行為主体性の双方のバランスが重要だとくりかえす[一六〇—一六一頁]。

⑶ グローバル・ヒストリーとポジショナリティ

矛盾する二つの方向性のあいだのバランスを見失うべきではないという指摘は、結局のところ、歴史を書く者の認識、あるいは良心に頼っているにすぎないという批判もできるかもしれない。しかし、グローバル・ヒストリーが従来の歴史叙述が暗黙の前提としてきた知のヘゲモニーともいうべきものに対する批判的な営みとして登場したとしても、そのグローバルなアプローチが「公平無私」な歴史を保証するわけではない[一六二頁]。構造を論じる際の不均衡な力関係について意識的であったことにも示されているように、ポジショナリティの問題にきわめて自覚的であることは、コンラートのグローバル・ヒストリー論のもっとも優れた特質といってよいだろう。本書は全体として、構造への関心が高い。それはグローバルな統合現象に、すなわちグローバリゼーションという現象それ自体に向き合う歴史叙述を考えるにあたって、避けがたいことであろう。しかし空間と時間の尺度に対する倫理的とさえいえる配慮に見られるのは、構造との関係において個人の生を理解したいという欲求かもしれない。それは最終章のタイトル「誰のためのグローバル・ヒストリーか？」に端的に現れている。さまざまな歴史的アクター——社会主義者やアナーキスト、フェミニストや宗教的マイノリティ、ディアスポラ・コミュニティ、反植民地主義活動家たち——がそれぞれの仕方で「世界」を表象し、構築したように、グローバル・ヒストリーの歴史家は、書くことによって世界を形成する[一八五—一八九頁](12)。ナショナル・ヒストリーが一九世紀の国民形成プロジェクトに奉仕したように、地域研究が冷戦の産物であったように、グローバル・ヒストリーはグローバリゼーションのイデオロギーなのだろうか。この疑念に対して、コンラートは本書を通じて抗おうとしている。「グローバル」という視角によって導かれる可能性のある、権力構造の隠蔽や個人の役割の無視などの問題をくりかえす——本書の構成をいくらかは煩雑にしてしまっているほどに——のはそのためだ。先進国の大学における英語と英語圏の学問研究の圧倒的支配の批判や、非ヨーロッパ社会について知ること、複数の言語を学ぶことの利点など、実践的な指摘もそのなかにある。本書は、グローバルな環境に否応なく投げ込まれ、そこで過去の叙述に取り組まねばならない歴史家である彼自身が、同時代の諸力の配置関係のなかで歴史を書くことの意味と格闘し、応答責任を果たそうとする、そのプロセスそのものなのである。

(1)　木畑洋一「グローバル・ヒストリー——可能性と課題」、歴史学研究会編『第四次　現代歴史学の成果と課題』第一巻、績文堂出版、二〇一七年、四九頁。

(2)　Sebastian Conrad, *What Is Global History?*, Princeton University Press, 2016. 以下、本書の参照頁は本文に記す。

(3)　Pamela Kyle Crossley, *What Is Global History?*, Polity Press, 2008(パミラ・カイル・クロスリー『グローバル・ヒストリーとは何か』佐藤彰一訳、岩波書店、二〇一二年).

(4)　Lynn Hunt, *Writing History in the Global Era*. W.W. Norton & Company, 2014(リン・ハント『グローバル時代の歴史学』長谷川貴彦訳、岩波書店、二〇一六年).

(5)　Timothy Nunan, 'Global History as Past and Future: A Conversation with Sebastian Conrad on "What is Global History?"' http://toynbeeprize.org/global-history-forum/global-history-as-past-and-future-a-conversation-with-sebastian-conrad-on-what-is-global-history/(二〇一七年六月三〇日アクセス)

(6)　ハント前掲書、一九—二〇頁。

(7)　同前、五五—五七頁。

(8)　Paul Gilroy, *The Black Atlantic: Modernity and Double-Consciousness*. Harvard University Press, 1995(ポール・ギルロイ『ブラック・アトランティック』上野俊哉・毛利嘉孝・鈴木慎一郎訳、月曜社、二〇〇六年).

(9)　Gregory T. Cushman, *Guano and the Opening of the Pacific World: A Global Ecological History*. Cambridge University Press, 2013.

(10)　Kenneth Pomeranz, *The Great Divergence: China, Europe, and the Making of the Modern World Economy*. Princeton University Press, 2009(K・ポメランツ『大分岐——中国、ヨーロッパ、そして近代世界経済の形成』川北稔監訳、名古屋大学出版会、二〇一五年).

(11)　Sebastian Conrad, 'Remembering Asia: History and Memory in Post-Cold War Japan' in: Aleida Assmann and Sebastian Conrad (eds.), *Memory in a Global Age*. Palgrave Macmillan, 2010, 163-177.

(12)　ここで挙げられている「アクター」が、さまざまな局面で弱者とされた人々であり、それを自分たちに強制する力に抗った人々であることに気づいておきたい。

対談

「世界史」をどう教える／学ぶか
——歴史教育とジェンダー史の視点を中心に——

井野瀬久美恵
川島啓一

——グローバル・ヒストリーの流行や高校の新教科「歴史総合」の設置など、今、日本史・東洋史・西洋史といった従来の枠組みを越えた、歴史の語り方が模索されています。雑誌『思想』二〇一八年第三号の鼎談（「世界史」をどう語るか：本書所収）では、近年の歴史学における複数の「転回（ターン）」を軸に、研究・教育における歴史の「語り」の転換が議論されました。

今回は、甲南大学の井野瀬久美恵先生と同志社中学校・高等学校の川島啓一先生にお越しいただきました。歴史教育やジェンダー史の視点から、「転回」後の語り方、教師や生徒の「語り」の課題などについて、お話いただきます。まずは鼎談を読まれたご感想をお伺いいたします。

1　歴史的「転回」と二〇世紀

二〇世紀の歴史化と「事実」

井野瀬　鼎談で述べられているように、この間に歴史学は、さまざまな「転回」を経験してきました。時間的・空間的なスケールが拡大し、グローバル・ヒストリーが前景化するなか、言語論的、文化的、記憶的、帝国的な「転回」が、相互に関連しながら議論され、記述されて、歴史学のありようを変えてきました。

鼎談を読み、なぜ複数の「転回」が起こったのだろうか、何を見たいがため、何を知りたいがための動きなのかを改めて考えさせられました。私自身は、それらは、「二〇世紀をいかに歴史化するか」という問題と関わっているように思います。

かつて私が大学院に進学した一九八〇年代当時は、二〇世紀の歴史は現代史の専門家が研究するものという感じがありました。ところが今、二一世紀も二〇年近く経つと、二〇世紀とは何だったかが以前よりよく見えるようになってきた。

というか、二〇世紀を「現代史」に留める括りが緩くなってきた。一九世紀と二〇世紀の境界線がますます溶解してきた、世紀の転換前後がまとまって見やすくなった、ということかもしれません。その一方で、「映像の二〇世紀」といったドキュメンタリーに見られるように、映像技術の発展が二〇世紀を全体として捉える傾向を促している側面もある気がします。いずれにしても、「今」を考え直す新たな視点が歴史学に求められているように思います。

私は先日、アイヌの遺骨返還問題に関連して北海道でヒアリングしてきたのですが、差別と抑圧にさらされてきた世界各地の先住民が、奪われた自分たちの権利回復を主張し始めたのも、二〇世紀末から二一世紀初頭にかけての世紀転換期でした。言い換えれば、一九世紀から二〇世紀に引き継がれた近代の「暴力性」もまた、見やすくなった気がします。それは、いやが上にも、ヨーロッパ近代が推し進めた「民主主義」「自由主義」「啓蒙」への見直しを求めます。

「転回」を経験した歴史研究で大きく変わったものの一つは、「歴史的事実」に対する見方です。実際に起こったことは何だったのかということと、それをどう認識するかを分けて考える。起こったことという意味でのファクト、事実は一つでも、その認識は、認識する側の背景や事情によって同じではない可能性があります。その意味で、ファクトは一つではなくて、複数のファクツ。事実はそれぞれ断片的なものでしかなく、そうした断片を幾つか重ねないと全体が形を成さない。「転回」後の歴史研究では、歴史的事実に対する慎重さが、常識として要請されるようになったと思います。

かつて、歴史研究では「記録されているか否か」に重きが置かれていました。記録されていれば、すなわち記述された史料が存在すれば、「歴史的事実」として、額面通りに受け取ればいいと（漠然と）考えられていました。誰がなぜそのことを記述したのかといった情報が不明でも、記録があれば「事実」とみなされた。しかしながら、「転回」を経験した歴史学は、「事実」とされてきたものを冷徹に見直します。一九世紀は写真の時代であり、二〇世紀は映像の世紀ですが、写真も映像も嘘をつくことを、今では多くの人たちが知っています。例えば、一九五〇年代、パリ市庁舎前の雑踏の中、キスする男女を捉えた「奇跡の一枚」は、実は演出されたものです。演出となると、ストーリーテリング、物語の語り方が変わりますよね。記録された事実を記録した媒体とともに慎重に吟味し、記録から紡ぎ出される「物語」と、それを語る「主体」との関係を意識しながら、「二〇世紀とは何だったのか」を再考する時期に来ているように思います。

歴史を語る「主体」

川島　そうですね。鼎談の先生方も「主体」の問題に注目していますね。高校の歴史教育でいえば、これまでは語る主体は教師でしたが、これから課題になるのは、生徒の主体性の獲得ですね。二〇世紀についていえば、これだけ戦争して

井野瀬久美惠氏

きた世紀が、生徒にとってどういう意味を持つか、ですね。高校生は、卒業して大学に行かない生徒、そのまま社会に出る生徒も多くいます。卒業して、自分で生活をして、賃金を得る。結婚するかもしれませんし、子どもを持つかもしれません。その時に、歴史を学校で学んだ経験が力になるのかどうか、というのは切実な問題だと思うんですね。

生活に活きる歴史といいますか、彼ら・彼女ら高校生の生活感覚から、「歴史とは何だろう」、「何で二〇世紀にこんなことをしたのだろうか」という問いを持てるか、自分たちの生活を劇的に破壊するような同様の現象が、現在でも起きるかもしれないっていう感覚を持てるかですね。実際なかなかそこまでは難しいかもしれないですけれども。

僕がまだ高校生の頃は、歴史の授業はもっとのんびりしていて、先生も好きなことを話していて、面白かったですね。牧歌的といいますか、緩やかだった。未来は何とかなるなぁ、というように想像できたと思うんですね。

現代はそうではないと思うんです。高校生も、知識やスキルといいましょうか、そういうものを身に付けておかないと、例えば大学で落ちこぼれて、とんでもないことになるというような強迫観念に駆られている。牧歌的な時代は終わってしまったという感じがします。生徒も、一年間の世界史の短い授業の中で、とにかく力を付けたい、どこが論点になっているのか教えて欲しいと思っています。生徒自身が、社会に出て、また大学に行った時に、そこでの課題をきちっと乗り越えられるように、高校生の間にしっかり教えて欲しいっていうようなメッセージを教員に発してきているのを私はすごく感じます。それに私たち教員は応えなくてはならない。

井野瀬　大学も同じです。かつては大学教員も学生も、双方にもう少しゆとりがあったのですが、今は双方ともに忙し過ぎます。少し前までは、学生って、お金はなくても、時間だけはたっぷりあったものですが、今は補講日程に教員の方が気を遣う状態です。それに、現代の若者はどこか傷つきやすく、ゼミなどで報告内容の問題点を指摘すると、報告した自分自身が非難されたと思い、萎縮してしまうところがある。学生同士も、互いに一定の距離を置き、なかなか深くは関わろうとしない。今の大学では「コミュニケーション能力」という言葉があちこちで聞かれます(いささか食傷気味です)が、要するに対話が成立しづらい、ということ。それは、個人の能力以外の問題が大きいように思うのですが……。

川島 私もそう思います。恐らく少しのミスも許さないような現代社会の「空気」が、学生を萎縮させているのかもしれませんね。

井野瀬 「分からないこと、疑問に思ったことはちゃんと聞く(質問する)」という基本はどこにいってしまったのでしょうか。

忙しくて時間がないことで、学生たちには手っ取り早く結論を知りたがる傾向も強まっているように思います。それによって、学んだことを自分の中で消化し、自分なりの具体的なたとえ話につなげる時間も奪われている気がします。学んだという実感は、じっくり自分の中で吟味し、何度も自分に

川島啓一氏

問い直さなければ、生まれてきませんよね。

だから、私は、いまどきの学生の繊細な心に配慮しつつも、ゼミなどでの発表では、「なんで?」「ほんまかいな?」といった言葉を連発するようにしています。関西弁はこういう時にとても便利ですね(笑)。なかなか言葉で説明できない彼らに、こちらもそれは分かったうえで、「なんで?」「それ、誰なん?」「あんたはその人の連れ?　そうでないなら、なんでそんなこと知ってんの?」と言葉を次々と重ね、学生が知る基本情報とそれが何に基づくものかを、発表した学生自身に明らかになるようにしていきます。こういう基本情報こそ、歴史学の生命線です。史料の性格——どこにあった史料がどうやって発見・発掘されたのか、その記録、文書を書いた人物は誰なのか、出身はどこで、どんな家庭に育ち、どのような教育・職業経験を積んだのか。こうした史料の背景に関する具体的な情報がないと、書いたものがちゃんと読めないのは当たり前です。

今君が手にしている、見ているその史料(資料)がどのようなものかについて、きちんと語ることができなければ、君の言うことに何の説得性もないんだよ——これこそ、社会人になっても役立つ、歴史という学問が育むスキルの一つです。

大学という場は研究の場でもあり、研究の説得性はその根拠、エビデンスに依存しています。歴史研究では、その根拠自体の意味を考え、先行研究のなかで問い直す史料批判が不可欠です。今風に言えば「根拠に基づく」(evidence-based)と

いう言葉になるでしょうか。歴史研究は、問題の所在となる歴史的事実が、どこに、どのように書かれているのか、史料自体を検証するところから始まります。こういう訓練や習慣を身に付けていなければ、社会に出てからも、ヘイトスピーチやネット上に浮遊する情報をそのまま信じたり、使ったりしてしまうでしょう。エビデンス、根拠に基づいていることは、知識基盤社会の基本中の基本。それが広く共有されていれば、ヘイトスピーチへの対応も変わるはずですが、そうはなっていない。根拠も論拠も何もない、自分勝手な感情や偏見に基づく言葉や内容をSNSで発して、「いいね！」がつけばいい——って、それ自身、おかしいことです。教科書レベルで、起こった出来事をエビデンス、根拠に基づいて考えることは、とても大切な訓練だと思います。

川島　歴史を研究したり、学ぶことで獲得できる、そういった特有のスキル、能力は何かっていうことは、今、歴史教育で重要なところですね。

難しいところではあるんですけど、それは例えば、一言でいうとすれば、生徒が自分で、世界史を語ることができるか、ということだと思うんです。一年間も世界史を受けて、歴史と対話して——私はいつも、E・H・カーの「歴史とは現在と過去との尽きることを知らぬ対話」であることを教えているんですけれども——、一年後に自分で「世界史とは何だったんだろうか」と、世界史をこういうものだったと、一時間ぐらい語れるだろうか、ということですね。

もちろん一方では、そういう主体性を高校の間に身に付けさせることがそもそもできるだろうかという問題があると思います。現状、今のカリキュラムでは、それをやることは非常に困難です。時間もありませんし、とにかく次々と表面的に進めていくだけで精いっぱいになってしまいます。どのように実践できるのかは本当に課題ですね。

井野瀬　そうですね。歴史特有のスキルという点で、私が国や地方自治体の委員会に出席して常に感じることは、歴史学が育む力の一つは時間軸で物事を見られること、だということです。歴史の流れを、時間軸を通して、エビデンス（根拠）に基づいて、ナラティヴ（物語）として、自分の言葉で語ることができる——これが恐らく、歴史学が持っている最大の強みだと思います。「今」は突然やってきたのではなく、過ぎ去ったはずの「過去」とつながっている。過去とつながる時間軸の中で物事や事象を考える。その延長線上に、未来がある。だから、現在が変われば、過去も未来も変わるのです。

2　可視化される弱者

「先の読めない過去」

井野瀬　それに関連していうと、私が最近学生たちに強調するのは、「先の読めない過去」です。ちょっとひねった表現でしょう（笑）。「先の読めない未来」というのはよく言われますが、実は過去、歴史的事実こそ、今、先が見えない、読めない状態にあると思うのです。

それを痛感したのは、二〇〇九年、植民地時代のケニアにおける反英独立運動の組織、マウマウの闘士たちが、捕虜収容所などにおける拷問やレイプといった人権侵害に対し、イギリス政府に賠償責任を求めて起こした裁判でした。彼らが訴えたのは、独立後のケニア政府ではなく、マウマウ闘争当時、ケニアを植民地支配していたイギリスです。闘争自体は一九五〇年代、一九五二―六一年の出来事であり、イギリス政府は、出訴期限をすでに過ぎており、賠償責任は独立後のケニア政府が継承したとの見解を示しました。イギリス外務省によれば、反英活動家らに対する人権侵害を示す史料が残っておらず、立証は難しいと思われていました。ところが、訴訟から二年後の二〇一一年、彼らに対する人権侵害を記録した文書が歴史研究者によって「発見」され、彼らを勝訴に導きます。独立後のケニアで差別と侮蔑にさらされてきたマウマウ闘士とその家族は、ようやく、自分たちの主張を証明することができたのです。多額の和解金も支払われました。マウマウ関連を含み、植民地で独立機運が高まる一九五〇、六〇年代当時、植民地省の指示で秘密裏に持ち出され、多くが廃棄され、一部はイギリス本国に移された公文書――今回「発見」された大量の植民地関連文書――は、「移送文書群」(migrated archives)と呼ばれ、現在、イギリス国立公文書館で閲覧できます。

不都合な過去、処分したはずの文書が、亡霊のように今という時代に現れた。廃棄処分を命じた時には、まさか二一世紀になって、マウマウ闘士とその家族がイギリス政府を訴えてくるなど、思ってもみなかったでしょう。しかしながら、イギリスの高等裁判所は「植民地責任」に対する時効を認めず、今回の判決となった。まさしく「先の読めない過去」です。

川島　そこで、イギリスが認めるというのも、一つ特徴的ですね。

井野瀬　そうですね。他にもいくつか類似の訴訟が起きていますが、マウマウに対する高裁判決をイギリス政府も受け入れました。背後には、文書に記録されたことは軽視できないという考え方があるように思われます。その一方で、「先の読めない過去」は、グローバルにつながった現代国際情勢と深く関わっているがゆえに、政治利用されやすい点には注意が必要です。

だからこそ、過去とどのように対話するか、「先の読めない過去」をどのように扱うかは、歴史家の仕事なのです。慎重さが求められるこの作業とともに、「過去と対話する」とはどういうことなのかを人々に教え、社会に伝えることもまた、歴史家のミッションです。二〇世紀が戦争の世紀、暴力の世紀だったとすれば、そこから噴出してくるものと向き合わねばならないのが今、二一世紀です。どこからどのように噴き出してくるかがわからない、「先の読めない過去」との対話は刺激に満ちていて、歴史家として面白くてなりません。

川島　不可視化されるという現象、不可視化というキーワードは現代でもとても重要だと思うんですね。社会的に弱者に追い込まれる多くの人々がいて、これが力のある者や、為政者、権力によって非常に不可視化されていて、存在するのに表面上は無いものとして扱われていく。人間の尊厳が、本当に踏みにじられている、不可視化されているものがあるんだという前提で歴史を見ないと、実際に何が起きたのかということにしっかり迫っていけないと思います。高校の教科書には、政治的な事項が淡々と並んでいますけれども、「〇〇戦争によって多くの人が殺された」というあの一文では表に現れない、「いのちの声」といいますか――鼎談で小川幸司先生が「いのち」との対話性について言及されています――、その「いのちの声」にどれだけ共感できるか。過去からのメッセージを受け取れないと、われわれはまた同じ過ちを、直近に繰り返すんじゃないかという不安を高校生も持つと思うんですね。そういうことを高校の段階である程度学習しておかないと、社会に出てから困ると思うんです。

井野瀬　よく学生にこんな話をします。日々起こることの全てを日記に書き留めることはできない。人は記録する時、必ず取捨選択をしている。歴史記録はそうした取捨選択の連続であり、どの事柄が重要かは記録する人次第。私にとって記録すべきことでも、別の人にとっては取るに足らない、記す必要のないことかもしれない。その落差は、国家のような集団になるともっと大きくなる。だから、「行間」を読みなさい。「行間」には、文字で書かれていない存在とその声が残っているはずだから、と……。

川島　不可視化される視点といって、一つ思い浮かぶのは、やはりジェンダーの視点です。井野瀬先生やジェンダー史学会、比較ジェンダー史研究会の先生方はじめ、多くの先生方が、中学や高校の教材としても使用できる『歴史を読み替える　ジェンダーから見た世界史』(三成美保・姫岡とし子・小浜正子編、大月書店、二〇一四年)という非常にまとまった、一次資料も付いている書籍を作られました。

この本を読むと、世界史のほぼ全時代、全領域にわたって不可視化されたものがあるということが分かって、ジェンダー史が歴史教育に与える影響って甚大なものがあると分かります。これを私も二〇一四年から授業に反映しています。しかしながら、なかなか教えにくいところもあります。戦時性暴力などの話をどこまで高校生に学習させていいものか、という悩みもあります。多くの生徒はこのジェンダー史を学ぶ意味をよく理解してくれているんですけど、ただ、「学ぶのがつらい」、「男性が怖くなる」といった感想も聞かれます。男性がいかに覇権的に振る舞ってきたかというのを学ぶと、男性が怖くなったり、女性がかわいそう過ぎると感じたりする。ジェンダー史を学ぶことの辛さですね。現代は決して平等な時代じゃないんだということに気づいてしまいます。不都合な真実かもしれないですし、こんなことは知らないほうが良かったと、もしかしたら思っている生徒もいるかもしれないです。でも私は、高校生の未来を切り開く力になってほしいと思いつつ、紹介しています。受け取り方は、十人十色です。それぞれの受け止め方があって、もちろん嫌だという生徒もいます。それも尊重しなければならないと思うんですね。でもだからといって、こうした授業をしては駄目だということではありません。私が授業で提供する内容を学ぶも学ばないも全て生徒の自由意思に基づいています。いずれジェンダー史の重要性を分かって欲しいと思うんです。

井野瀬　そうですよね。今おっしゃった不可視化ということと、その典型的な視点としてのジェンダー。そこにはアンコンシャス・バイアス、無意識の偏見が常につきまといます。アンコンシャス・バイアスは家庭や教育現場で醸成され、子どもたちはさまざまにバイアスのかかった躾や教育を受けて、社会人になっていきます。アンコンシャス・バイアスの存在を知らなければ、そのバイアスを再生産するだけです。だから、知ることが何よりも重要。知ることが、女子生徒・女子学生たちの力になることを願ってやみません。

例えば、両親と子どもから成る核家族像は、昔からずっとあったわけではないのに、本の挿絵などには、古代に関しても似たような親子が描かれ、男性は狩猟をし、女性は家事をしている。「男性は外で仕事、女性は家で家事」という近代のジェンダー役割分担の反映でしょうが、「古代にそんな家族はないやろ」って、思わずツッコミを入れたくなります（笑）。古代において重要な経済活動であった採集は女性が担当でしたしね。イラストにもアンコンシャス・バイアスが入り込み、正しい歴史理解を邪魔するのです。歴史の中で、家族が、情愛や血縁を前提とするようになったのはフランス革命以降のことでしかなく、それ以前には、それ以外の在り方がありました。最も身近な家族の形ですら時代と共に変わっていくこと、家族にはいろいろな形があることを知れば、親の暴力や虐待に晒されている若い世代の力にもなるのではないでしょうか。

川島先生もおっしゃっていましたが、歴史を学び、それぞれの時代・地域に今と異なる見方、考え方があったことを知り、命の大切さを生きる力につなげていくことは、とても重要だと思います。時代とともに、社会も人々の考え方や感じ方も変化して、今がある。あなたの時間は決して止まっておらず、未来に続くその針を動かすも動かさないもあなた次第――生徒や学生がそんなメッセージを受け取れるように、歴史を慎重かつ丁寧に教える必要がありますね。

川島　そうですね、そういうアンコンシャス・バイアス、無意識の偏見っていうのは、特に近代国民国家の中で醸成されてゆくということを私は強く感じます。私もこの『ジェンダーから見た世界史』で生徒と一緒に学んでいるんですけれども、近代国民国家が、教育にしても、徴兵にしても、ありとあらゆる分野で国民国家の枠組みを押し付け、男性性や女性性を植え付けていく。二〇世紀は、そういうナショナリズムの暴力性を、嫌というほど見せつけました。

昨今、世界中の為政者が自国中心主義に陥って、例えば恥ずかしげもなく「アメリカ・ファースト」とかいう言葉を述べていますが、こうした一国史的枠組みの陥穽をグローバルな視野でどう乗り越えていくのか。高校の段階で、こうした不可視化されている国民国家の暴力性といったものを、ひと通り学んでおかないといけないと思うんです。今は、少し戦前に回帰しているといいますか、国家が個人の生き方を制約するような時代の芽が見えるように思えます。これにどう対処するか。アンコンシャス・バイアスがいつ作られてきたか、といったプロセスを歴史的事実として知っておくっていうのは、高校生にとっても、今後、不確実性の高い未来を生きる力になるんじゃないかと思います。

井野瀬　国家や社会の仕組みは不変ではなく、変えなければならないと思えば変えられることを知る若い世代を育てていかないと、この国は方向を見誤るような気がしてなりません。

例えば、先ほど川島先生が言及された戦時性暴力の問題に関連して、非常に考えさせられることがありました。オクスフォード大学出版局が出している手引書シリーズに、『ジェンダーと紛争に関するハンドブック』(二〇一八年)があります。執筆陣には国連関係者、国際法学者や歴史学者、人類学者をはじめ、多様な分野の専門家がいます。この中に、当然レファレンス、参照される事例として、日本の慰安婦問題があると思っていたんですが、ないのです。旧ユーゴやルワンダ、コンゴなどはあるのに、日本の事例は索引にもない。これは大変ショックでした。書籍であれ論文であれ、史料(資料)であれ、歴史研究にとって大事なことは、あるテーマを論じるときに言及されること、絶えずふり返って参照されることです。レファレンスされることに意味があるのに……。

川島　言及されるか否かは、大きな問題ですね。

井野瀬　大きいですよ。プラスにしろ、マイナスにしろ、こういうことがあったとレファレンスされることが大事です。この問題がその後、どういう経過をたどってどうなったかということを含めて。ところが、全くメンションがない。現実の紛争現場にいる国連やNPOの関係者がこの手引書の主たる読者対象だとはいえ、慰安婦問題は現在なお、慰安婦像という「記憶の形」でも、グローバルなコンテクストで問題化しています。言及があってもいいのにない、つまり、無視されている。なぜでしょうか。

問題の一つは、日本からの国際発信にあるように思われます。二〇一六年度以降、慰安婦問題への言及は、中学や高校の教科書で大幅に削除されました。では、この問題が有するグローバルな意味を、われわれはどんな言葉、表現で次世代に伝えればいいのでしょうか。文部科学省の検定を通ったにもかかわらず、慰安婦問題に触れた教科書を採択した中学校に、脅迫めいた匿名のはがきが送られたことはまだ記憶に新しい。不可視化されるとは、こういうことなのですね。

歴史教育のなかでも、不可視化が孕む問題を議論しようとする動きがある一方で、議論するといろいろ面倒なことになるといった抑制も働くようです。しかしながら、歴史学が過去と現在の「対話の学」である以上、対話を失った途端、歴史学は衰退の道をたどるのではないでしょうか。それが一番怖い。だから、できるだけいろいろな場で意識的に議論せねばと思うのです。

川島　これまで高校の歴史教育では、「慰安婦問題」のような論争のある歴史問題を一般的には、ほとんど扱ってきませんでした。歴史との対話を避けてきたと言われても仕方がありません。私自身も深く反省しています。しかしながら、新しい学習指導要領にも「多面的・多角的に」考察することや「社会に見られる課題の解決に向けて構想したりする力」を養うことが書かれていますので、これからの歴史教育では論争的な歴史問題を扱ってゆかなければなりません。その際に、やはり評価が問題となるのですが、私は、少なくともその歴史論争がなぜ生じているのかという論点を、生徒自身で丁寧に整理することが必要だと思います。意見の対立や見解の相違がなぜ生じて、その対立や相違は、一体、どんな歴史的事実に基づいているのか。そして、それらはどんな理屈や論理で構成されているのか。ここでは、つまり「事実立脚性と論理整合性」（遅塚忠躬『史学概論』東京大学出版会、二〇一〇年）が問われているのです。このような論点整理がなされた上で生徒が自分の意見が述べられれば、さらに良いですが、歴史論争の性格によっては生徒にそこまで求めなくてもよいと思います。その歴史論争の論点が的確に整理されていれば、高校歴史教育では満点です。十分に社会に出てゆけると思います。たとえ、ヘイトスピーチに出会ったとしても、それを必ずや批判的に認識することが出来るでしょう。

3　歴史研究・教育の課題

グローバル・ヒストリーの陥穽

――そう見ていくと、歴史学の現在の語り方には、様々な課題が見えてきますね。

井野瀬　先ほども触れましたが、二一世紀に入って以降、グローバル・ヒストリーが注目されています。従来のヨーロッパ中心主義、一国史的国民史（ナショナル・ヒストリー）を克服し、対象となる時間と空間を拡大して、マクロな視点を打ち出すグローバル・ヒストリーは、「グローバル化する世界」という現代のトレンド――少なくともトレンドの言説――ともマッチしているかに見えます。ただ私には、あと一歩物足りないと思うところがあります。

グローバル・ヒストリーの典型的なテーマに環境史があり、気候変動と紛争の関係性は、近年多くの研究者の関心を集めています。温暖化や干魃（かんばつ）、洪水などで生計を立てられなくなった人々の貧困化、社会格差の拡大、移動を余儀なくされた人々と移動先の人々との軋轢、そこから起こる暴力の激化――埋め込まれた紛争要因の分析は、自然科学と人文社会科学の視点が混じり合った興味深いものです。しかしながら、そこにジェンダーの視点を入れないと、見えるべきものも見えてこない。例えば、紛争地が集中するアフリカや中東といった地域で農業に携わっているのは、多くが女性です。貧困や不平等に直接さらされるのは、女性たちなのです。疾病もグローバル・ヒストリーの大きなテーマですが、マラリアはじめ、感染症の罹患率も、ジェンダーで差があります。薬品開発が成人男子を基準として行われていることも問題を拡大している一因だという報告もあります。詳細は、二〇一一年にヨーロッパで始まった「ジェンダーサミット」(Gender Summit)という国際会議のホームページをご覧ください。

グローバル・ヒストリーという手法、語り方では、ときに人の顔が見えなくなってしまいます。この欠点を補完し、グローバル・ヒストリーならではの大きな視点を生かすためにも、ジェンダーや民族といった視点を入れて、人間を、生きていた命を、見えるようにすることが必要ではないでしょうか。

川島　まったくそのとおりだと、私も日々痛感しています。高校の歴史学習においても、なかなか人の顔が見えてこない。それ故に、生徒たちは歴史に興味・関心を持ち、理解することが困難になっているのだと思います。なぜ生まれた街を離れ、移民とならざるを得なかったのか、なぜ昨日も今日も明日も貧困な状況に追い込まれているのか。ジェンダーの視点を取り入れて、弱者の立場に追い込まれてしまったあらゆる人々の視点を学ぶことが、生徒の歴史学習に大きな意味を与えると思います。

井野瀬　今、人の顔が見えなくなるという話をしました。例えば近ごろ、人新世(Anthropocene)という地質年代の区分概念が注目を集めています。その捉え方はさまざまで、産業革命で化石燃料の使用が増える一八世紀後半を起点とする説、大量生産や都市の巨大化など人間活動の「爆発的増大」(Great Acceleration)が統計的に目立ってくる二〇世紀の半ば以降を問題視する説など、いろいろです。いずれにしても、人類の活動が地質学的レベルで地球を苦しめている「危機の時代」を一括りにして考えようとする大きな目線には、とても興味を惹かれます。大事にしたいと思います。

こうした地球規模で抱える問題の議論に、「対話の学」である歴史学は、ちゃんと寄り添っているでしょうか。例えば、日本の歴史家があまり参加していないように見える重要テーマに、国連のＳＤＧｓ(Sustainable Development Goals)、「持続的発展のための目標」があります。グローバル・ヒストリーとおおいに関わりますし、大学あげての取り組みもいくつか始まっていますが、どうも歴史研究者は、こうした現代のキーワードと対峙することが苦手なようです。ＳＤＧｓには一七の目標(ゴール)がありますが、その一七を——例えば「ジェンダー」「平和」「水・衛生」といったように——どう組み合わせるかが、ＳＤＧｓを進める上で重要なポイントとなります。歴史研究には、これらを実証的に示す事例が数多くあるのではないでしょうか。

川島　グローバル・ヒストリーの視点は、高校歴史教育を相対化する視点として、非常に有効だと感じています。特に、国民国家を相対化する枠組みを十分に提供してくれます。新科目の「歴史総合」や「世界史探究」、「日本史探究」でも「多面的・多角的」な視点で国民国家を相対化し、一国主義的でナショナリスティックな歴史認識に陥らないようにしないといけません。グローバルに移動する移民の視点から各国の政府見解を読み比べて、その相違がなぜ生じるのかを考察すると、例えば移民せざるを得なかったマイノリティーの視点を生徒は学ぶことができます。特に、論争的な歴史問題について、各国の政府見解を比較してその相違点や類似点がなぜ生じるかを考察し、今後どのように解決すべきかをその当事国に住む一人ひとりの視点から構想する歴史教育は、今後ますます重要になってくると思います。また、そのような「深い」学習を新しい指導要領でさえも求めています。

井野瀬　その「深い」学習の先に過去との対話があり、その延長線上に未来との対話も開かれてくるのではないでしょうか。

歴史家は、過去を議論するのみならず、未来を考えられるところにいるのです。まとめサイトに頼りがちな昨今、実際、まとめ上手の人たちがたくさんいる中で、歴史の専門家がしなければならないことがあるのです。現代の課題を自らの研究経験で受けとめ、少しだけ時代の先を読む――そこに、若い世代との新たなつながりも芽生える気がします。

歴史と想像力

――歴史を見通す力の育成は、非常に大事ですね。ただ近年、高校でも大学でも歴史教育や人文学を巡る環境は、決して良好とはいえないと思います。そのあたりいかがでしょうか。

井野瀬　一九九〇年代以降、「大学改革」は今に続くキーワードです。人文社会科学系の学部・大学院に「廃止も視野に入れた」改革を求めた、二〇一五年六月八日付の文部科学大臣通知は、「文系不要論」はじめ、物議を醸すとともに、人文社会科学の研究者の心を大いに挫きました。これは日本だけにとどまらず、グローバルな動きなのですが、「人文学――歴史学もここに位置しています――が縮小、衰退していけば、私たちから何が失われるのだろうか」を想像する力は、これまた、歴史学が養う力。歴史学ならではのスキルでしょう。残念ながら、想像力が欠如して先が読めない、先を読まない、短絡的な人たちが増えているように思います。

川島　歴史教育における想像力の育成という点では、学校での課題は話し出すと切りがないぐらいあります。教員にも生徒にも時間がないことは問題ですが、かといって、ただ単に時間がたくさん与えられたら、想像力や歴史的思考力を育成できるのかというと、そうでもないですね。例えば、今の教科書にはあまり問いが付いていないですし、一次資料や二次資料もほとんどありませんので、生徒たちに考える素材が与えられていません。

教科書本文の叙述自体は、多くの先生方のチェックも通っていますので、叙述の信頼性は他国と比較しても高いと思うんですね。しかし、その一行の文章を学ぶ時に、肉付けとなるような「いのちの声」や史料がない。たった一行の文章、例えば「日本が韓国を併合した」、「アメリカは沖縄を返還した」という一行にも多くのストーリーがあることを実際には高校でなかなか学習できない。例えば、NHKスペシャルで放送されましたが(「決断なき原爆投下——米大統領 七一年目の真実」二〇一六年)、原爆の話にしても、トルーマンが迷いなく一直線に投下を決めたわけではない。彼はルーズベルトから何も知らされずに、いきなり副大統領から大統領になってしまい、軍が自分をどう見ているか怖いと感じつつ、右往左往しながら投下に至る。私の勤務校は京都にありますが、軍は京都に原爆を投下することを何度も提案しています。しかしスティムソン陸軍長官とトルーマンに断られた。そういう当時の意思決定の過程や歴史的な事実を見ていかないと、歴史を想像しようにも想像するべき素材がないですね。

かつては、高校用の世界史資料集というのが出版されていました。教科書以外に、一次・二次資料の入った資料集を生徒は買わされて、学習していたと思うんです。その改訂は九〇年代で止まってしまいました。いまでも私がよく参照する『一〇〇時間の世界史——資料と扱い方』(綿引弘著、地歴社、一九九二年)——これは今でも手に入りますけども——と、『新 世界史学習資料集』(福島県高等学校地歴・公民科研究会世界史資料集編集委員会編、清水書院、一九九四年)は、歴史の資料がふんだんに入った資料集です。後者は残念ながら絶版になっています。いずれも掲載されている資料は難しいですけれども、こうした資料集が減ってしまったので、生徒が「ああでもない」「こうでもないと」、想像力を巡らす授業展開がしづらくなったのではないかと思います。

かつて、高校の先生方には教材を作る時間もたくさんあったようです。教科書と資料集だけではなくて、自分が作ったプリントで補っていたんですね。現在は、そういう時間は一ミリもないと思うんです。ぴんっと張り詰めた状態で、とにかく時間が足りないという、そういう現場になっています。ゆっくり図書館に行って、資料を生徒のために選ぶような時間がない。だから、現在、ある程度きちっとまとまった資料集があれば、現場では重宝されると思います。

現行の教科書はどうしても考える素材が少ないですね。比較しましても、イギリスのGCSE(General Certificate of Secondary Education)の規格や国際バカロレアのテキストのほうが資料や問いがたくさん付いていますし、アメリカのAP(Advanced Placement)の教科書はちょっと分厚いですけれども、ふんだんに資料も載っていますので、考える素材の量が違うと思いますね。

井野瀬　その差は大きいですね。

研究と教育

――その違いには各国での研究と教育の関係も影響しているでしょうか。

井野瀬　教育と研究が接合しているかどうかを考えるひとつのヒントは、教科書にあります。例えば、イギリスの中学生レベル(Key Stage 3、一一―一四歳)の教科書には、奴隷貿易で蓄積された富が産業革命の資本を提供したという説(いわゆるウィリアム・テーゼ)と、両者は無関係だったという説が紹介されています。産業革命の起源をめぐる古典的論争です。教科書では、この二つの説を検証するためのデータや資料がいくつか挙げられ、それらを総合して自分の意見を述べることが求められます。中学校レベルですよ。中学レベルで、教育と研究がしっかりつながっているのです。そういう教科書はアメリカでも多く見られます。

日本の教科書では、こうした古典的論争を生徒に問い、検証を促すことはほとんどないように思われます。研究上の論争は教育への刺激でもあると思うのですが――。先ほど川島先生が言われた原爆投下の意思決定過程の話にも似て、資料やデータがなければ、「イギリスで世界初の産業革命が起こった」という言説をめぐる想像力が封じられてしまうでしょう。今の日本の教科書は、歴史的事実について、生徒に考えさせるようになっていないのですね。

歴史学研究は、鼎談に出てきた「転回」を重ねながら、歴史的事実を見る目を鍛えてきました。それが、教育現場にうまくつながってない気がします。その接合面、インターフェースである教科書が変わってくるといいのですが……。

川島　そうですね。次の二〇二二年度以降の新課程の教科書には、例えば独仏共通歴史教科書(福井憲彦・近藤孝弘監訳『ドイツ・フランス共通歴史教科書【現代史】――一九四五年以後のヨーロッパと世界』明石書店、二〇〇八年)のように資料とか問いが付くでしょうから、各社、いろいろ入ってくるとは思うんですけどね。

歴史教育と評価

――そうした、生徒が考えることができる歴史教育というのは、一方では採点や評価が大変ではありませんか。

川島　高校の歴史教育で、生徒の解釈を評価することは非常に難しいですね。高校教員の場合は、ありとあらゆる時代を教えなければなりませんので、通常、一次資料を読んで、その問題を考えているわけではありません。研究者の本を読んで、一般的にはこう言われているという程度でしか評価できません。それが通常だと思うんですね。大学で専門としてよく学んだ領域であれば深く教えられるかもしれないですけれども、主には二次資料によって、あの研究者はこう言っている、その理由はこうだ、という感じで理解しています。だから生徒に示すことができるのは、自分の学習の履歴ですね。教員自体の学習履歴を生徒に開示することによる、いわゆる反証可能性が大切です。生徒が教員の語りを後でチェックできる形にして、担保しないといけない。

これは授業で一番困るんですけれども、なぜという問いを立てたときに、いろんな解釈の可能性が出てくる。そこで、例えば二つの資料を使って、この二つの資料からは、生徒にこういう解釈を合理的には導くことができるというふうに読むんです。けれども、もしかすると、本当は私が知らない確固たる一次文献が実はあって、専門家の間ではその見解は完全に否定されているという場合もあり得るんですね。高校では、テストで出てきた時には、マルかバツをしないといけませんので、論理的に書けている、合理的な筋道ができているという点においてマルにせざるを得ない。でも、その生徒が大学に進んで、高校で学んだことが実はバツだと気付く。これはあり得るパターンだと思うんです。

そこで大事なのは、教員である私自身がどういう学習履歴でこの問いを立てて、その解答を与えているか、つまりマルの根拠は何かですね。そのエビデンスとして、この研究者はこのように書いていると、こういう理由であるというのを、生徒に開示しないといけないですね。そうでないと、対話が続かない。生徒が家に帰って、なぜバツにされたのかを、「Google先生」を使って研究者の説を自分で調べて、「先生、ちょっと読み間違えていませんか」と言うこともできる。よくそういうこと、あるんです。生徒からの指摘をもらって、そっちのほうが正しい読みだねと。そうやって、生徒との対話が続けられます。

井野瀬　いま言われたように、評価には透明性、オープンさが重要です。先生は何でも知っている偉い人ではなく、先生も答えに悩むことがあり、日々学んでいるという実態を伝えることも、生徒たちには学びのひとつでしょう。もっとも、今どき、先生が偉いと思っている生徒や学生は、(すごく偉い先生は別として)あまりいないかもしれませんが(笑)。

こうした生徒や学生に対する評価とは別に、研究者の評価については留意が必要です。日本の(そして世界でも)研究評価は、現在理系中心であり、国際学会での発表回数、国際共著論文数、論文の被引用数などが基準とされているのです。多くの歴史研究者が重視する著書の出版は、「査読が不十分」という理由から、理系では軽視される傾向にあり、国際学術雑誌に設定されているインパクトファクターでは、『ネイチャー』や『サイエンス』などの点数が高くなっています。この理系の仕組みを人文社会科学系にそのまま当てはめることは適切ではありません。理系の研究で重視される「再現性」(reproducibility)を歴史学に求められても、それは無理です。カエサル暗殺や魔女狩り、フランス革命など、歴史的事実のどれをとっても、全く同じことは二度と起こらないからです。似たようなことはあるかもしれませんが、それはそれで、比較という歴史学研究の大切なテーマとなります。

再現性ではなく、分析過程の履歴が追跡可能であること(traceability)、すなわち、どこでどのようにして得た知識、情報であるかが検証可能であることは、理系同様、文系でも、とりわけ歴史学ではとても重要です。履歴の開示から生まれる学生や生徒たちとの対話は、研究者仲間による査読という評価、ピアレビューにも通じるように思います。

4 これからの歴史研究・教育

IT・AI時代の歴史教育

――このあたりで、歴史学とITやAIとの関係についてもご意見を伺いたく思います。歴史研究や歴史教育への影響を、どのようにお考えですか。

井野瀬 グローバルにつながったネット空間、電子化されたデジタルデータは、歴史資料のありかを大きく変えました。以前は現地で資料(史料)を発掘したり、その発見自体を楽しんだり、時に未公開の書簡を図書館や文書館の好意で見せてもらえたり……などが、歴史研究の醍醐味でした。今なおそれは変わらない一方で、史料のデジタル化と、ネット上での公開も大幅に増えています。ネット検索に頼るいまどきの学生を鍛えるのに都合のいい環境が、歴史学の世界でも整ってきたと言えるかもしれません。かつて学生には「史料がない」という弁解も可能でしたが、今それはまずあり得ません。だから、「史料がない」と言う学生に訊くことは……。

川島 細かに隅々まで調べましたかと。

井野瀬 その通り(笑)。IT時代で変わったと感じることの一つは、それです。ネット上に浮遊している情報は山ほどあり、キーワードで検索すれば、中身の説明も参考文献も、史料そのものも、たいていは見られます。ですから、ますます、資料に書かれている内容をどう読むかという読解・解釈の力、史料批判の力が必要となります。

川島 ITやAIの問題は興味深いですね。私もよく生徒に、「高校教員の講義もAIに取って代わられるかもしれない。気が付けば、AIのものすごく良質な講義がYouTubeで見れるようになっているかもしれない」という話をします。そうすると、教室にわざわざ集まって学ぶことには、どういう意味があるのかと問い直さなくてはならなくなるんですね。講義を聞くのであればスマホでできるじゃないかと。それに対して、わざわざ教室に人が集まってする歴史教育の意義は、一人でできない学びですね。家で一人でスマホの講義を見ていても思いつかなかったけれども、教室に来て何人かと話し合えば、何か思いついたりする。他者の視点ですね。学友の視点に共感できて、新しい捉え方が生まれると。そういう良い意味での相互作用ですかね。それを生み出す場に、高校の歴史教育もなっていくのがいいと思うんですね。

井野瀬 他者と対話する、その中で自分とは異なる意見があることを知り、自分の見方、考え方を相対化する、そして何よりも、こうした一連のプロセスを楽しむ――それが教育現場の醍醐味です。問題は、そこに、先ほども触れた評価の問題が伴うことです。その場合の評価とは、ネット上で常態化、自己目的化している「いいね！」の獲得では、もちろんありませんよね。人間は評価されたい生き物なのかもしれませんが、「いいね！」ではない、評価の仕組みを作らなければならないと考えます。IT・AI時代の歴史教育・歴史研究における評価の議論は、研究者でもある教員がリードしていかねばならないと思うのです。

川島　さまざまな意見が出てきて、自己を相対化して、その後に何かしらの価値判断をしないと次に進めないですよね。そのときに、どの選択肢がより吟味されているか。事実に立脚しているか。どの選択肢が最も論理整合性が取れているか。最も吟味された意見はこれだというふうに生徒同士で一致して、そこからまた前に一歩進むことができれば、歴史教育はさらに展開して、生徒たちも飽きることはないと思うんですね。恐らく、大学のゼミがそれを実践している場かと思うんです。高校では、大学のようなそういう深みまではできませんけど、大学に行くにせよ、行かないにせよ、批判的な読みをできるようにして、社会や大学に送り出すというふうに高校の歴史教育も変わっていかざるを得ないと思いますね。

井野瀬　そのあたりを鍛えられるように、改革が進められている高校歴史教育がうまく機能するといいのですが、新設科目の歴史総合はじめ、やってみないとわからない未知の部分が数多くありますよね。

川島　そうですね。また、これからを担っていく若い教員たちが、こうした難しい議論を一から全て、先輩の背中を見て一人で学ぶっていうのは、現代では恐らく難しいですね。若手研究者の問題でもあるとは思うんですけれども、全てを一人で抱えてやっていくって、今の時代、高校の歴史教育ではもう不可能かなと思っています。

今後、若手の教員の支援では、ノウハウをデータベースで公開したり、共通教材をネット上にオープンソースで上げたりする必要があると思います。そういうことは欧米の歴史教育では随分進んでいるようで、それを日本でも構築していかないといけないと思うんですね。私も、現在、高大連携歴史教育研究会で運営委員の一人として第二部会(各地の教育実践や史料集作成などの交流とデータベース構築)を担当しているので、そういうデータベースの構築を部会のみなさんとともに一歩ずつ進めています。

また、教材研究の時間を確保するのもそうですが、現場の長時間・過重労働を解消してディーセントワーク(働きがいのある人間らしい仕事)を推進していくことも大事です。生徒支援と教員支援の両面ですね。教員も自分の人間としての権利が守られているという感覚がないと、ずっと長時間労働、過重労働だと、生徒の人間としての権利、人権を守って授業ができるようにはならないですよね。「いのちの声」に共感できるわけがないんです。教員も教室内の一人の人間として保証されることが必要になってくると思います。

交流と対話

川島　今、井野瀬先生と話しているようなこのような議論を、若い教員たちにも理解してもらいたいと思うんですね。

彼らは採用試験に受かると、二二、三歳ですぐ教壇に立ちますから、歴史教育のトレーニングのシステムが必要です。教員が不当な理由で攻撃されるリスクも高まっていますので、自分も生徒も守れるように、彼らが二〇代の間に力をつけられるようなトレーニングの機会をきちっと確保しないといけません。今のままでは、若い教員は勉強する時間がとれませんので。

井野瀬　そうですね。その中に、本書の鼎談や本日議論したようなことも含まれているといいですね。

川島　若い教員に知ってもらいたいのは、教員自身にも実際に対話する機会があるということです。グローバル化時代ですので、海外にも行くことができますしね。この前、歴史教育者協議会のプログラムで、教員二五人ぐらいで南京に行きまして、現地の高校の先生や生徒と交流をしてきました。

何年も続いている人気のあるプログラムで、私は初めて参加したんですけれども、実際に南京の高校の先生がたと面と向かって対話すると、お互い考えていることがよく分かる。

ちょっとびっくりしたんですけど、南京の先生からアクティブラーニングっていう言葉が出てきたんですね。欧米スタイルの影響といいますか、教育のグローバル化を感じました。韓国も中国もベトナムも、覚える型の歴史教育が主流だったようですが、それが今、思考する型に変わってきているようですね。ただ中国では、授業も見させてもらったんですが、アクティブラーニングには苦慮をされているようです。同じ悩みを抱えているんだなと感じました。中国の場合は、言論の自由の問題もあると思います。私は中国語ができないのでなかなか深い話はできませんでしたが、お互いに高校教員としていろいろと感じることはできますので、こういう経験を若い先生がたにもしてもらいたいと思いますね。

先月は、韓国の先生が私の勤める中学校に来ました。若い教員もどんどん日本の外にも出ていって、現地の歴史の先生と対話して、交流を重ねて、経験をたくさん持って帰ったらいいですね。中国史や韓国史を教えるモチベーションも上がります。やはり、歴史は対話ですので、相手を理解しようという気持ち、そういう感性や共感の姿勢を持たないと前に進みませんよね。政治レベルでの混乱・対立はどの時代でもありますから、それと市民レベルでの対話は分けて考える。現代はどの国を見てもひどい政治家がたくさんいて、極端なポピュリズムが蔓延している時代ですので、それとは分けて対話を続けていく。ぜひとも若い世代にチャンスを与えたいですね。それが、今後の歴史教育の未来をつくっていくように思います。

井野瀬　私たちはいくつもの「転回」の経験を通して、歴史の中の「事実」をどう見るか、当時の人々のものの見方や世界観に目と耳を研ぎ澄ますにはどうすればいいかなどを、問題意識として共有してきました。グローバル・ヒストリーはじめ、時間軸・空間軸を広げ、人間と地球の歴史を絡めて考える試みも始まっています。それでも、歴史は過去と現在の対話であり、歴史研究が「対話の学」であるという基本は変わりません。

変わったのは、教育環境です。ＩＴやＡＩといった技術の進展は、わずか一世代のうちに、教育をめぐる環境を劇的に変えてしまいました。毎年一定の年齢、一五—二二歳くらいで入れ替わる生徒や学生とは違って、われわれ教員は一世代、三〇年余りを同じポジションで過ごします。だからこそ、激変する教育環境の中で歴史学が「対話の学」であり続けるためには、教える側がまずはこの激変を受けとめ、変わるべきところ、変わらなくていいところを熟慮しないといけませんね。

本日は、〈世界史〉の語り方を糸口に、川島先生との議論はどんどん広がっていきました。ＩＴ・ＡＩがさらなる進化を加速化させていくこれからの時代を見据えると、歴史学が育む他者と対話する力、他者を想像する力が、今ほど求められ、発揮される時代もないように思えてきます。

川島　その通りだと思います。生徒もやはり歴史を必要としているんですよね。本当に世界史を理解したいと思っているんです。訳の分からないこの現代の、すさまじいグローバリズムの暴力が吹き荒れるこの世界で、本当に自らを取り巻く世界を理解したいと思っている。高校生も、それを理解しないと、自分たちの未来が構築できないと強く思っているんですね。いま歴史教育っていうのはこれからの生徒や学生たちにとって、非常に重要な教育になっていると思うんです。

（二〇一九年二月二六日　於甲南大学）

イギリスとイスラーム　一六〇〇―一八〇〇年

――差異に関する多様な視座――

リンダ・コリー
訳＝長谷川貴彦

〔訳者解題〕　リンダ・コリーは、一九四九年生まれのイギリスの歴史家で現在はプリンストン大学教授。ケンブリッジ大学でネオ・ホイッグ派といわれるジャック・プラムの門下に学び、当初は一八世紀の政治史を研究していたが、イギリスのナショナリズムや国民国家の形成を論じた『イギリス国民の誕生』(原著一九九二年、川北稔監訳、名古屋大学出版会、二〇〇〇年)の著者として一躍有名となる。その後は研究の射程をイギリス帝国のグローバルな展開にまで拡大し、さらに近年では立憲政体としてのイギリスの国制史を研究し、そこから現代世界に対する積極的な問題提起をおこなっている。

本稿のもとになる『虜囚』(原著二〇〇二年、中村裕子・土平紀子訳、法政大学出版局、二〇一六年)は、帝国拡大の過程で虜囚となった民衆の語る物語を通じて、世界各地での文化的遭遇の事例を取り上げたものだ。そこでは、「虜囚の語り」を挿入することによって、帝国史ならびにポストコロニアル研究のなかで前提とされてきた「大きな物語」を書き換えようとしている。

ここでいう「大きな物語」とは、エドワード・サイードの『オリエンタリズム』(原著一九七八年)によって確立されてきた、植民地主義ないしは帝国主義の進展の過程で集合的表象の果たした役割に関するものである。つまり西欧は、さまざまな二項対立を設定することによって「オリエント」を本質化して捏造し、自己を定義することになったというものだ。しかし、コリーは、こうした表象を構築してきたテクストの性質を問題化する。西欧の植民地事業が産出したテクストは、植民地官僚、商人、聖職者、知識人、旅行家といったエリートによって執筆されたもので、特権化された優越者の立場から叙述されていた。これに対して、コリーの取りあげるのは、従来は見過ごされてきた虜囚という弱者の立場から叙述されている史料群である。

実際のところ、ヨーロッパ人は、地中海世界、アメリカ新大陸やインドにおいて、イスラム教徒やアメリカ原住民などによって捕らえられ、捕虜や奴隷となり拘束を受けることになった。「虜囚の語り」は、一般的に敵とみなされる非ヨーロッパ人によって捕らえられた男女が虜囚としての体験を語り、最終的には、解放されたり脱走したりするというプロットから構成されている。こうした史料は、エゴ・ドキュメントと呼ばれており、近年、急速に注目を集めるようになっている。それは、「一人称」で書かれた史料、具体的には、日記、書簡、自叙伝、回想録、証書などを示す言葉であり、そこからはエリートとは異なる民衆独自の視点が表出されてくる。本論文は、バーバリ諸国と呼ばれる北アフリカ地域を対象として、この点を論じている。つまり虜囚となった人びとにとって、オリエントは「帝国の劇場」ではなく不安と恐怖を呼び起こす存在であり続けたということだ。

虜囚というかたちでの文化的遭遇は、植民地主義や帝国主義という「大きな物語」について何を語ってくれるのだろうか。コリーのアプローチが、現在のいわゆるグローバル・ヒストリーの潮流に棹さすものであることは明らかだろう。グローバル・ヒストリーでは、近世のヨーロッパがアジアに比べて決して経済的・政治的に優位に立つものではなかった点が強調されている。ケネス・ポメランツの大著『大分岐』(原著二〇〇〇年、川北稔監訳、名古屋大学出版会、二〇一五年)が提起したのは、一八〇〇年前後にイギリス産業革命を経験して発展の経路が分岐していくまでのヨーロッパとアジアの経済成長の同型性であり、近世のアジア経済の優位性にあった。「虜囚の語り」は、「西欧の勃興」と呼ばれる事態が直線的にではなく跛行的に進んでいった点を明らかにしてくれる。つまり、「不安」や「恐怖」という同時代人の心性は、近世のユーラシア規模の世界における西欧の相対的な位置を表現していたのである。

一　オリエンタリズム再考

およそ三〇〇年の時を隔てて著述された、宗教、人種、文化的差異に関する二つの著作について考察をしてみよう。その二冊のうち、新しい方の書は、常に示唆を与え続けているエドワード・サイード(Edward Said)の『オリエンタリズム』(*Orientalism*, 一九七八年)であり、その中心的な議論は、いまやよく知られるところとなっている。サイードの関心は、表象に常にまとわりつく限界として彼が認識していたものを見つけだし、それを詳細に叙述することにあった。つまり、何世紀にもわたって西欧人をして、オリエントを、異質性、後進性、野蛮性の眼差しの下に見ることを促してきた、あの恒久的な目隠しの道具についてである。ここで言うオリエントとは、アジア、アフリカ、中東地域を緩やかに定義しているが、とりわけイスラーム諸国を指している。そして、この種のオリエンタリズムは、弁証法的に機能しているとサイードは論じている。すなわち、このようにオリエントを本質化し、捏造することによって、その過程において西欧が自分自身を定義し、自画自賛することになったのだという。つまり、専制に対して自由、後進性に対して先進性、そして感覚的で放縦で残酷なものに対して、古典的教養をもって抑制された中庸なものとしての自己である。サイードの最も論争的な議論がこれに続くことになる。オリエントの「他者化」は、一八世紀末からのアジアやアフリカへの西欧による帝国主義的侵攻にとって不可欠の補完的機能をもっていたとするのである。

ジョン・オギルビー『アフリカ』の扉絵
(London, 1670)

サイードの見解によれば、オリエンタリズムは、帝国主義を正当化しただけではなく、オリエンタリズムが、第一義的に帝国主義を可能としたのであった。

第二の書物は、サイードの書に比べてあまり知られてはいない。それは、『アフリカ』(*Africa*, ロンドン、一六七〇年)と題された分厚い四つ折り版の書物である。この書物は、荘厳な口絵から始まっている。きらびやかで支配者風のアフリカ黒人が、豹皮のマントに身を包み、手には杖をもち、悪意をもった駝鳥、横柄な顔をしたラクダ、小型化されたピラミッド、蜷局(とぐろ)を巻く蛇、風変わりな鳥といった、ヨーロッパの芸術家のイメージするアフリカ大陸の民族、動物、風景のなかに、崇め奉られながら座っているのである。ここには、視覚化されたオリエンタリズムを観ることができる。すなわち、アフリカに対する表象として魔術、脅威、怪物を強調するものである。しかし、ここには、現代の観察者を動揺させることになる光景が存在している。やや下の右手中程には、ターバンを巻いた人物が、黒人である主人の命令を待ち受けて立っているが、ふと見れば、その人物は、拘束された裸の奴隷に繋がれた鎖を手にしている。それらの奴隷は、白人であり、また男性でもあるのだ。

同時代人であったならば、すぐさまこの視覚化された隠喩を理解したであろうが、われわれはその意味するところをほとんど忘れ去っている。一七世紀を通じて、そして一八世紀の前半においては、イングランド、その後のイギリスによる最も論争を呼ぶことになったイスラーム文化との接触は、いわゆるバーバリ諸国、つまりモロッコ、そしてオスマン・トルコの植民地であったアルジェ、トリポリ、チュニスなどとの接触であった。一六二〇年から一六四〇年代にかけて、北アフリカ諸国を基地とする私掠船は、地中海や大西洋で活動するイングランド、スコットランド、アイルランド、ウェールズの通商船を少なくとも三〇〇隻は捕獲した。このわずか二〇年間に、北アフリカでは、約七〇〇〇人のイングランド臣民が投獄され、しばしば奴隷化されたのである。一六七〇年から一七三〇年にかけては、さらに少なく見積もって五〇〇〇人のイギリス人が餌食となった。その犠牲者となった圧倒的多数は、男性の民間人であり、彼らもまた北アフリカの奴隷市場に連れていかれることになった。総計すると、一六二〇年から一八〇〇年の間にバーバリ諸国の虜囚となったイギリス人は、一万五〇〇〇人を下らなかったであろう。だが、そうしたイギリスの奴隷や虜囚は、北アフリカで拘束されたヨーロッパ人の氷山の一角を表しているにすぎない。というのも、フランス、ナポリ王国、オランダ、スカンジナヴィア諸国、ドイツ、ポルトガル、とりわけ、スペイン人の捕虜が存在していたからである。一七六〇年になっても、アルジェからだけでも、一四〇〇人のスペイン人虜囚が救出されたほどである。

ここに本稿の目的が存在する。サイードの分析、そして彼の古典に刺激されたポストコロニアル批評のほとんどの作品においては、暗黙のうちに、そしてしばしば明示的に、一九世紀のヨーロッパの支配領域の規模から形づくられることになったひとつの仮定が存在している。すなわち、西欧のオリエントやイスラームへの対応は、もっぱら強者の立場、つまり自信に充ちて、究極的には侵略者の立場から形成されていたというものである。それならば、近世のイギリスが北アフリカのイスラーム諸国の私掠船に対して及び腰であったことは、サイードらの見いだしてきたオリエンタリストの思考様式に、どの様な影響を与えていたのであろうか。イスラーム諸国が、想像の上においても現実においても略奪者であり、その結果、ヨーロッパ人が個人レベルにおいて一段下であると見なされ、公式の外交レベルにおいても不利な立場から交渉をおこなっていた時に、現実には一体、何が起こっていたのであろうか。

二　イスラームの表象

もちろん、このことに対する部分的回答は、ノーマン・ダニエル(Norman Daniel)が『イスラームと西欧』(*Islam and the West*, 一九六〇年)の中において指摘しているところである。つまり、一二世紀以来ヨーロッパは、イスラームに関する正典と呼ばれたもののほとんどを、自己満足の立場からではなく、不安と脅威の感情から形成してきたというのである。キリスト教に対する宗教的啓示のライバルとしてのイスラームに対する恐れ、あるいは、ヨーロッパそのものに対するイスラームの軍事的侵攻に対する恐れ、こうした双子の恐れは、時おり一般的に認知されることはあったが、実際にはずっと長く存続していたのであった。一七世紀のヨーロッパ人は、インドのムガール朝、ペルシャのサフィヴィー朝、とりわけ、オスマン・トルコといった大帝国からなるイスラーム世界に囲まれて生活し、その存在を当然のものと見なしていた。現在のオスマン研究者が強調するようになっているが、オスマン・トルコは、多くの点において、一六〇〇年代、あるいは、一七〇〇年代にいたるまで、現実には衰退を経験していたわけではなかった。一六三六年にヘンリー・ブラント卿が述べるように、トルコ人は、「唯一のモダンな民族であった」(彼の用いる形容詞に注意せよ)。一六六〇年には、ポール・ライカート(Paul Rycaut)が「トルコ人は、いまだにかなりの領域を支配している」と述べているが、ヨーロッパに対するトルコの進出が次の一〇年間に絶頂に達するのを見れば、これはかなり正確な物言いであったことが分かるであろう。確かに、オスマンの軍隊は、一六八三年にウィーン市門から退却することになった。だが、歴史家の見解を長らく支配してきたのとは違って、それが決定的な敗北を喫したのかどうかは同時代人には明らかではなかった。オスマン軍は、一七三九年にベオグラードを奪取するなどその力は強大であり続け、一七六〇年代、七〇年代のロシア・トルコ戦争にいたるまで帝国の実質的な支配領域を奪われることはなかったのである。

これらのことが意味するのは、一七〇〇年代の初頭になっても、西欧諸国家の人間は、戦闘において最強のイスラーム諸国と対峙しなければならなかったということである。ジョージ一世は、この点において顕著な例となっている。彼はトルコとの戦闘において頭角を現し、一七一四年にイギリスの王位についた時には、側近には二人のトルコ人捕虜、ムハメットとムスタファが含まれていた。二人は、キリスト教へと改宗し、高位の職へとジョージ一世が取り立てたのであるが、それはオスマン宮廷がキリスト教徒からの改宗者を用いたことに対する鏡像をなしていた。他方、イスラームに関する領土的脅威とは区別される宗教的脅威は、ずっと長く存続することになり、イギリスが何よりもイスラーム諸国に対して優位性を主張することになった一九世紀の帝国の絶頂期においてさえも、イギリスの伝道協会は、イスラーム社会に対しては最も有能で教育を受けた者だけが派遣に適格であるという規則に基づいて活動していた程である。歴史家のアンドルー・ポーター(Andrew Porter)が論じているように、一八六〇年代まで多くの伝道協会の指導者は、イギリス支配下の領域においてさえも、イスラーム教徒の勢力の伸張を阻むことができなかったばかりか、ましてや大規模な改宗などは期待し得なかったのである。

この程度のことであるなら、一七世紀および一八世紀初頭におけるイングランド、そしてイギリスの北アフリカ諸国の私掠船に対する及び腰の姿勢は、先例がないわけではなかった。イスラーム諸国とイギリスの関係は、他のヨーロッパ諸

トマス・トラフトン『野蛮人の残虐性』(ロンドン，1751年，第3版)にある挿絵．その細部はモロッコで虜囚となった彼の仲間のひとりによって描かれたものに基づいている．

国と同様に、しばしば不安と懸念によって特徴づけられてきたからである。だが、ここで意味するのは、同時代人がいみじくもバーバリ(野蛮)と名づけたように、北アフリカ諸国、あるいは、トルコの私掠行為が、新たな脅威を産み出していたということにある。中欧東欧諸国やイベリア半島とは違って、イングランド、ウェールズ、スコットランド、アイルランドは、それ以前において、直接的にオスマンやイスラームの軍事的脅威にさらされたことはなかったのである。だが、北アフリカの私掠行為は、イギリス人を襲って、少数ではあるがその生命、自由、財産を侵害しただけではなく、集合的意識にも影響を与えるようになった。「イギリス人は奴隷とはならない」と愛国歌ルール・ブリタニアが謳いあげる所以である。しかし、北アフリカの私掠行為は、イギリス人をまさに奴隷の状態にする力量を保持していたのであった。私掠行為はまた、海洋帝国ならびに商業帝国としてのイギリス人の誉れに対しても攻撃を加えていた。すなわち、イギリス人を海上にて攻撃し、その通商活動を妨害していたからである。一七一一年だけを見ても、モロッコで活動していた私掠船は、虜囚の生命に加えて、船舶・貨物に対しておよそ一〇万ポンドの損失を与えた。しかし、北アフリカの私掠行為のイギリスへの影響は、たとえそれが甚大なものでなかったにしても、商業上の損害や個人間の暴力というレベルだけの問題ではなかった。海賊によって惹起された脅威はまた、イスラームに関する情報の獲得という点においても顕著な増大の傾向を示すことになり、必然的に個々のイギリス人と北アフリカのイスラーム教徒との接触と対話の増加、そしてその多様化をもたらすことになった。

　北アフリカの海賊に対する認識がイギリス国内で深まるにつれて、アラブやイスラームに対する関心が高まっていったことは偶然の一致ではない。もちろん、それらは、そうした私掠行為を後押しするものとして誤って認識されることになるのが常であった。一六三〇年代にデヴォンシャとコーンウォールシャでは北アフリカの私掠船のためにおよそ船舶の五分の一を失った。イングランド人奴隷の救出のために、モロッコは最初の公式大使をロンドンへと派遣した。私掠船によるイングランドとアイルランドの沿岸の村落への攻撃。オクスフォードやケンブリッジにおけるアラブ語講座の確立。一六四〇年代におけるバーバリの奴隷を救出するための議会による通商に対する関税の導入。最初のコーラン英語訳、そして一七三四年、アラブ学者のジョージ・セール(George Sale)による改訂版の登場。同年、モロッコから救出された一五〇人のイギリス人奴隷によるロンドン市内の行進。私が言っているのは、北アフリカの私掠行為がイスラームに関する関心の増大の唯一の、そして主要な原因であったということではない。にもかかわらず、その関係性は明らかである。一七世紀後半最高のオリエンタリストであるオクスフォードのトマス・ハイド(Thomas Hyde)は、北アフリカ諸国との外交文書を翻訳するために歴代の内閣に仕えることになった。ケンブリッジ大学のアラブ学の教授であるサイモン・オークリ(Simon Ockley)は、ロバート・ハーリー(Robert Harley)のトーリー党内閣において同様の職務をおこなっており、モロッコのイングランド人奴隷のために匿名の雑誌を刊行し、編集に携わっていた。

もちろん、イギリス人の全てが、そのような学問上の仕事からのみイスラームに関する情報を得ていたわけではなかった。民衆レベルにおいても情報源が増大していたのである。商店や宿屋の商標を例にとってみよう。この分野の権威であるブライアント・リリーホワイト(Bryant Lillywhite)が認めているように、一六五〇年から一八〇〇年の間に「トルコ人の頭」を描く看板の数の多さのために、彼でさえその全てを識別することに困難を覚えているというのである。偉大な辞書編纂者サミュエル・ジョンスン(Samuel Johnson)は、一人で夕食を取る時はストランドにある「トルコ人の頭」に通った。友人や文化的著名人を連れてクラブに通う時は、ソーホーのジェラルド通りにある別の「トルコ人の頭」を訪れた。このあまねく現れるトルコ人の存在は、時に十字軍の民衆的記憶に起源を求めうると考えられがちである。だが、そのよく知られる街頭芸術としての起源は、かなり後のことになる。ロンドンにおいてトルコ人の頭があらゆる種類のビジネスにとって馴染みの商標となったのは、一七世紀中葉になってからのことであった。言い換えれば、北アフリカの私掠船は一般人の認識をも大きく変えることになったのだった(ヴィクトリア時代まで「トルコ」はあらゆる種類のイスラームを意味していた)。トルコ人の頭の商標は、実際のところ、私掠船との関係を明示することになった。ブリックレーンで、スピタルフィールドで、一九世紀になってもトルコや奴隷の名前をもつ宿屋を発見することができるであろう。

しかしながら、イスラームの意味内容、あるいは、その権力に関する解釈を流布することになったのは、教会、とりわけイングランド国教会であった。これは他のヨーロッパ国家と同様に、教会がバーバリの捕虜に対する身代金の醵金に最も尽力したことによる。イングランドとウェールズの教区では、一五九七年に、さらに一六二九年にもう一度、トルコ人によって捕らえられた船乗りに対する醵金(きょきん)がおこなわれた。しかし、一六六〇年以降になると北アフリカの奴隷を奪還することに対する圧力が増加したために、教会の関与がより重要になる。続く五〇年にわたり、北アフリカでのイギリスとアイルランド人虜囚に対する身代金のための基金を募る全国規模でのキャンペーンが五度もおこなわれることになった。そうした醵金の媒体となったのが「慈善勅書」であった。これは、全ての信仰の場で、特定分野の慈善目的のために醵金をおこなうことを認可する国王勅令であった。醵金は国王の印刷工が発行した号外を合図としたが、それはそれぞれのキャンペーンで約一万二〇〇〇部ものコピーが出回ることになった。そうした勅令の中では、もっともらしい言葉で、なぜ北アフリカの虜囚がそのような特別の関心の対象となるのかを述べている。主教と教区牧師は、その後の礼拝で醵金を訴え、教区管財人は全ての家庭を訪問して、「全ての教区民、すなわち主人、女主人、奉公人やその他の家族の構成員からキリスト教徒の慈善を要請し受け取ることになった」と一六八〇年の勅令は述べている。

　これだけではない。慈善勅書は、全国規模での醵金に認可を与えただけではなく、ときおり個人のイニシアティブをも認めることになった。一六六〇年から一七〇〇年の間に五回もおこなわれた北アフリカの虜囚や奴隷に対する大規模な醵金は、この問題に対するもっとも劇的に要請された市民の活動のひとつであるにすぎない。それ以外にも何百人もが個人的に訴えを起こしたが、その多くは虜囚となった者の妻によるものであった。一六七六年には、ジョーン・バンプフィールドなる人物の息子でモロッコで虜囚となったエドワードのための身代金を徴集するため、勅令が発布されている。四年後、国中でメアリー・バトランドの夫アンブローズをアルジェから取り戻そうと庶民は躍起になった。毎年、しばしば年に数回、教会員および教会役員の手の届く範囲の全ての住民が、イスラームの軛の下に置かれている北アフリカでの同胞の状態について講義を受けることになったのである。デヴォンシャのタビストックでは、一六六〇年から一六八〇年だけをとってみても、虜囚のために三四回もなにがしかの金銭を差し出しており、他と同様にここでも関心の高さは突出したものとなっていた。一六八〇年、多くは男性の成人である七三〇人のタビストックの市民は、バーバリの虜囚のために一六ポンド以上をクラブに集まって醵金した。多くは少ない額であったが、乞食や浮浪者以外のほとんど全員がなにがしかを差し出しており、上はメアリー・ハワード婦人の一〇シリングで寄付者のリストの最高位に位置しており、下はエリザベス・ハリスでわずか一ペニー〔一シリングの一二分の一〕だけであった。

　身代金の醵金に関するこれらの方策の有効性を問うことよりも更に興味深いのは、イスラーム教とイスラーム諸国に対する性格付けがこのプロセスにおいて進展したことである。ある程度まで、これらはサイードらによって確認されたオリエンタリストの思考様式に一致している。当然のことながら、それは多くの点においてノーマン・ダニエルやサザーン(R. W. Southern)らサイード以前の研究者によって論じられていた中世ヨーロッパのイスラームに関する偏見とも合致している。そのような場合に産み出されたコメントの多くは、儀礼化された性質をもっている。一六八〇年にアルジェの虜囚を救済するための勅書では、ほとんど常に「トルコ人の野蛮な行為の根源にあるのは、性格の獰猛さや宗教の血生臭い原理である」ということが言及されたのであった。より詳細に残虐性を指弾しようとする場合には、十字軍にとっては馴染みであったような言葉が用いられた。アルジェで虜囚となったものの妻や親たちによる議会への請願は、「その主人(すなわち、北アフリカの奴隷所有者)は、その虜囚となった者を男色でもて遊んでいる。またほとんどの者は、尻に鉄をいれられ、ナイフで腹部を開けられ、ズボンを横に切り裂かれ、塩や熱い油のなかに体を晒し、馬のように馬車をひかされている」と主張した。一七世紀及び一八世紀初頭の教会での北アフリカにおける捕虜生け捕りに関する説諭では、母国とのコントラストを描こうとして他者なるイスラーム教に改宗した者を召喚することがしばしばあった。一七二二年にセントポール寺院で聖職者のウィリアム・ベビントンは、救出されたモロッコの虜囚に次のように語っている。「このめでたい式典において、異教徒の軛の下で奴隷の状態にあった汝の帰還を祝福する」「専制君主の支配から自由になって、イングランドの空気とイングランドの自由を享受することになったのである」と。

この点に関しては、二つのことが重要である。第一に、一七世紀、そして一八世紀初頭のバーバリ諸国に関する言説は、宗教的・政治的攻勢にある立場というよりは、しばしば表象レベルでとらえられたイスラームの脅威に直面して、懸念と防衛的な立場からおこなわれたということが特徴的である。この段階においては、イスラーム文化に対して首尾一貫した植民地主義的な志向を孕んでいたとするような兆候は見あたらない。第二に、他のヨーロッパ諸国と比べてイギリスでは、バーバリの脅威とその意味に対する論評は、一枚岩的なものではなかった。教会や国家による公式の分析は、イギリスで特に盛んであった出版文化の中で提出された言説とは常に矛盾するものであり、少なくとも虜囚自身による証言とは異なるものであった。

三　虜囚の語り

北アフリカの私掠行為の脅威に曝されていたほとんどのヨーロッパ諸国は、例えば、ジェノバがおこなったように、捕虜を救出してその詳細なる事情を説明するために民間の団体を設立したり、あるいは、一三世紀以来イスラーム教徒に捕まったキリスト教徒を責任をもって担当する二つのカトリック教団、「聖三位一体修道会」「メルセデス派修道会」に全権を委任することになった。スペインと同じようにフランスでは、これらのカトリック教団が精力的であり、虜囚のための身代金を募り、北アフリカに救助に出かけたり、帰還の際には手の込んだ行進を組織し、虜囚の経験と災難を著述し出版するなどの活動をした。換言すれば、カトリックの文化においては、虜囚のナラティブは、全てがそうであったというわけではないが、主として教会を主体として著述されたのである。それと対照的に、プロテスタントのイギリスでは、一七三六年にあるパンフレット作家が高らかに述べているが、「虜囚の同胞を救済する基金を募り、救出して帰国の際には、大げさで荘厳で金をかけた行進をすることを生業とするような三位一体教団が存在していない」のであった。それに代わって、意図的なプロテスタント的誇張を孕んだ作品が示唆しているように、イスラーム諸国から帰還したイギリス人虜囚は独自の回路を通じてそれをおこなったのであり、なかにはみずからの物語を話し始める者もいた。

帰還した虜囚は、あらゆる手段を用いてそれをおこなった。例えば、北アフリカの石版に書き記すものもいた。一六九二年アルジェのムスタファの家において、ジョン・ロブスンは、誰がそれをおこなったか分かるように、自分の名前とイスラーム暦ではなくキリスト暦をみずからが作り上げた壁土に慎重に刻み込んだ。一七二四年にランカシャのジョン・ケイのように、帰還のための援助をおこなうカトリックの教団がなかったために、浮浪者となって治安判事に虜囚の体験談を語って息絶えた者もいた。また虜囚としての証言を墓石に刻む者もいた。

> エドワード・ハリス、船員、その遺体はここに眠る。
> 一八年間バーバリにて奴隷となり、イングランド国教
> 会の信仰を守り、
> 一七九七年、その教会の信仰の下に永眠する。

しかし、最も意味深いバーバリ諸国に関する物語の形態は、虜囚による体験談である。一五〇〇年から一九世紀にいたるまで西欧諸国や北アメリカでは、この種の物語が盛んとなった。通常は自叙伝の形を採ったが、虜囚の体験談が描写しているのは、一般的に敵である非ヨーロッパ人によってある人間が捕らえられ、それら男女の虜囚としての経験を語り、最終的には解放されたり脱走したりするという顛末である。イギリスの男女による一六三〇年から一九世紀初頭にいたるまでの間に捕らえられ奴隷となった虜囚の体験談に関しては、二〇を越えるものが印刷されたり草稿の形で残っており、またそれに加えてさまざまな種類の短い体験談も数多く残存している。

そうしたテクストの信憑性、ならびに、この文脈のなかで信憑性を構築するものは、別なところで論じたように複雑な問題を構成している。ここで示唆したいのは、サイモン・シャーマ(Simon Schama)が適切に定式化しているような「生の出来事とその後の語りを分離させているギャップ」のことではなく、遭遇のドキュメントとしてのそうした体験談がもっている特別の性質のことである。虜囚の体験談は、通常の生活から隔離され、慣れ親しんだアイデンティティや身分の記

号を剝がされ、差異との恐怖の接触に曝されている、いわば境界状況に置かれている男女の心理的状態を覗く窓の役割を果たしている。さらに言えば、異文化的接触から派生するテクスト、つまり旅行記、植民地官僚の著作、探検談とは違って、虜囚の体験談は、主として弱者の立場から著述されている。ここでのヨーロッパ人は、特権化された者、調査をおこなう観察者、あるいは能動的な主体ではない。男女とも少なくともしばらくの間は、必然的に受動的な客体、餌食としての見せ物、そして北アフリカに関する限りでは、奴隷となることを余儀なくさせられたのであった。

ヨーロッパ人の論者が認めていたように、概して、北アフリカにおける白人奴隷は、数の上では圧倒的に多い大西洋奴隷貿易に連れていかれた黒人、さらに言えば、スペインやマルタ島、教皇領にいたイスラーム教徒よりも、待遇の面において恵まれていた。北アフリカ社会では、領域内の白人奴隷に対して、黒人とは異なる言い回しさえあったのである。一六五〇年以後においては、全てとは言わないまでも、ほとんどのヨーロッパ人奴隷や虜囚は、ある時が来れば、解放されることを期待できた。この点がヨーロッパ人奴隷と黒人奴隷とを分かつ重要な点である。このことは、特に一七二〇年以前、モロッコ、アルジェ、チュニス、トリポリで奴隷となることは、危険に充ち、残酷で、拘束が長期にわたる可能性があったことを物語っている。虜囚は、公開奴隷市場にて売買され、公衆の面前で裸にされ、年齢や社会的身分や身代金の指針とするために歯並びや手の様子を吟味された。また、全ての奴隷がそうであったように、邪悪な主人の下につれていかれたり、性的虐待を受ける危険に曝され、ガレー船や公共事業での厳しい肉体労働を余儀なくされた。そして、もちろん程度の差こそあれ、道徳的堕落や恥ずかしめ受け、自尊心を奪われることを経験した。白人奴隷や捕虜の死亡率は、年間二〇パーセントにのぼったようで、その原因は、虐待によるものよりも、疫病や食物汚染や日射病の方が多かったようである。

これらに対するヨーロッパ人の解釈は、残虐で恐ろしいオリエントという高度に選択されて構築された西洋人の偏見を単に強化しているかのように思われる。そして、北アフリカの私掠船に対する聖職者や当局の声明に関して見たように、多くの場合、それは事実であった。しかし、バーバリでの虜囚自身は、ほとんど共通して、状況によってさまざまなレベルの適応と再評価を余儀なくされ、それについて著述し出版する者もいたのである。

虜囚たちは、自身の偏見を隠さねばならないことを熟慮の末に学ぶことになった。例えば、ウィリアム・オークリは、一六三五年から一六四四年までアルジェで虜囚になったイングランド人であるが、面と向かって主人の信仰に対する侮蔑をおこなうと、すぐさま殴られたと叙述している。「それで、私は二つのことを学びました。一つ目は、奴隷の身である時は、理性を働かすこともまた自由であるとは期待できないこと、二つ目は、奴隷が内面の自由を享受することは、他人の宗教を悪く言わない限り正当であることでした」。虜囚はまた、イスラームに関するみずからの偏見に疑問すら挟まない一方で、北アフリカ人もまたキリスト教やヨーロッパ人に関する偏見を持っていることを自覚させられることになった。ヨーロッパ人の奴隷と同様に、イギリスの奴隷は、当局が許可した信仰の自由に関して肯定的にコメントすることがしばしばあった。しかし、虜囚たちは、このころ北アフリカを訪れた西洋の外交官のように、ヨーロッパ人が地元の群衆から言葉によって罵倒され、異教徒とか野蛮人とかいう名前で呼ばれたり、衣服や外見を笑い物にされたり、頭の上で銃をうたれて飛び上がるなどさまざまな侮辱を受けたことについてコメントしている。北アフリカとのイギリスの条約は、イギリス国民を敬うことを求めた条項をしばしば含んでいたのであるが、全く効果はなかったといえよう。

ある者にとっては、虜囚となることは世界が逆さまになることを意味していたし、またヨーロッパ人であるという自我をくるんでいた保護膜に穴が空くことを意味していた。虜囚が、優雅で豊かな階層で世間の荒波から隔絶された生活をおくっていたならば、その人はこのように感じる度合いが強かったであろう。中産階級の役人の娘であるエリザベス・マーシュが驚きのあまり我を忘れつつも描写しているのは、彼女自身がいまや客体としての他者となった事実を認識させられた恐ろしい瞬間についてである。一七五六年にモロッコで捕虜となって、彼女はサレーにある邸宅の女性達のアパートにつれていかれ、いろいろと調べられた。「そうした婦人達の中には、私の注意を引く人がいましたが、私もまた彼女の注意を引いていたようです。彼女は驚く程、背が高く太っていました。彼女は、モスリンからできた、シャツのカラーのごとく首のところにボタンのある聖職者のような衣類をまとっていました。彼女は極めて詮索好きで、私の人となりに関心をもっており、私の外見をひどく楽しんでいるようでした」。なんとか心の状態をコントロールしようと思って、彼女は読者と彼女自身のために異質なモロッコの衣装を慣れ親しんだ英語の言葉で描写しようとしている。マーシュ嬢は、突然に彼女が置かれている状況を自覚させられたのだが、それはすなわち、彼女は単に優越者の視点から非ヨーロッパ人を眺めたり、見たものを記録しようとしているのではなく、みずからが虜囚になって非ヨーロッパ人の観察の対象となっていることを意味していた。

しかし、こうした体験談に含まれている発見や認識を単にイスラームや非ヨーロッパ人を意味する「他者」への態度という文脈で議論することは誤りであろう。北アフリカに居住を強制された個々の人間にとって、比較の参照点となるみずからの社会の内にある差異を鋭く自覚させられることになったからである。例えば、社会階層の問題を取り上げてみよう。文化的遭遇の状況について著述をしている研究者は、征服者、知識人、政治家、教養ある聖職者、男性、時に女性の貴族といった類いの支配層の人物によってもっぱら執筆された、はなはだ史料的基盤としては脆弱なテクストに基づいて、非ヨーロッパ人へのヨーロッパの反応を一般化している。そのような著者が書き残したテクストというのは、多くの場合、中世や近世のものだけである。だが、虜囚の体験談は、もっぱら非エリートによる作品である。例えば、北アフリカの体験談は、小商いの商人や船乗りによって書かれたものとなる。母国において貧困であり社会的上昇の展望がなかったことは、そうした人物が海外での虜囚になった時の差異の問題への反応の仕方に影響を与えることになった。

北アメリカの黒人奴隷と同じように、北アフリカの白人の奴隷は、「良い奴隷主」という不思議な人物に遭遇した。イングランド人ウィリアム・オークリは、三人目の所有者となったアルジェ人について、次のように書き残している。「わたくしの新しい主人には、哀れみと同情だけではなく、愛情と友情とを見出しました。私がもし彼の息子であったなら、尊敬をもって相対し、親切に扱われることはなかったでしょう」。故国においてオークリは、さまざまな土地所有者の執事として働いたが、奴隷の間の思考の過程を再構築してみると、たまたまアフリカのイスラーム教徒であった善良なる人物に比べたら、同胞であるイングランド人の社会的優越者は、必ずしも好ましい存在ではないことがはっきりしたのであった。「どこへ行っても暮らし向きはよくなりません。またそのような境遇を期待することもできません。イングランドにおいては、この点は最悪の状況です。自由というのは良い言葉ですが、言葉では食事の肉を買うことはできないのです。奴隷という言葉は、不快な言葉ですが、その言葉は誰の害にもならないのです」。ジョセフ・ピット(Joseph Pitt)は、アルジェの私掠船に捕らえられたデヴォンの船乗りであるが、より率直にこのことを語ってくれている。彼は一六九三年まで奴隷であり、イスラーム教に改宗したが、そのことを名目上のことだけで圧力がかかったためであると釈明をしている。エクセタに帰ってから、ピットは体験談を出版したが、それは、自分自身を取り戻すためと、献身的なプロテスタントとしての自分を再確認するためであった。とはいえ、最後の主人となったアルジェ人の優しさに関しては、「その人は、自分が死んだ時に金を残すことを約束してくれました」と、彼に対して抱いていた愛着、イスラーム教徒であり続けたいという強い誘惑を隠すことはなかった。「私は、アルジェにおいて、イングランドでは期待できないような名誉と厚遇を、より公正なものとして受け取る立場にあったのです」と主張した。

この主張が真実であるか否かは、ここでは問題ではない。特筆すべきは、他の著作と同様にここでも、なんらかの不利益を被っているキリスト教徒に絶好の機会を提供してくれるものというイスラーム社会に対する表象である。実際のところ、少数のイギリスや他のヨーロッパの虜囚でイスラーム教に改宗したキリスト教徒にとっては、これは真実であった。

例えば、ピットは、少なくとも三人のアルジェに留まることを選んだイングランド人のことについて書き記している。ひとりは実際に救出されて故国に帰還したが、「自発的にかつなんらの強制もなく、アルジェに再びやってきて、イスラーム教徒になったのである」。言い換えれば、一七世紀末、一八世紀においても、フェルナン・ブローデル(Fernand Braudel)が一六世紀の地中海社会において発見したものを見て取ることができる。「半ばキリスト教徒で、半ばイスラーム教徒で、国家が面目を保つように要求しなかったならばより明白であったろう、友愛的な関係のなかにある二つの世界の境界線に住んでいる異種混淆体の民族」のことである。

だが、帰国し、キリスト教徒に留まることができた者は、実際にそうしたのである。またイギリス人による北アフリカでの虜囚の体験談のほとんどは、一九世紀の初頭まで、アイデンティティや差異が宗教に起源があることを強調している。一九九九年一月イギリスのイスラーム教評議会の報道官であるジャミール・シェリフ(Jamil Sherif)は記録に基づいてこう言っている。「一九六〇年代には民族性が重要な問題であった。しかし、社会は変化しており、人々は何を信じているかにより注意を払うようになった。信仰は、みずからをどのように見るかということに関して、より重要性をましたのである」。この評価が適切か否かがここでの問題ではない。また、もちろん民族性の問題が、宗教的な問題と関連していることを否定するつもりはない。だが、この時期のキリスト教徒とイスラーム教徒の関係を主に民族という観点から論じようとするのは、どちらの側においても時代錯誤をおかす危険性を含んでいるというのが私の理解である。また宗教がいつも参照点となるということは、虜囚の体験談やイギリスの文献に関する限り、キリスト教やイスラーム教の信仰体系、またそれぞれの信徒の間で試みられている単純な分極化に帰結するとは、必ずしも限らなかったのである。

このことの理由のひとつとなっているのが、宗教改革後のヨーロッパのキリスト教世界が深刻な分裂を来していたことである。歴史的・地理的理由によって、北アフリカ諸国は、スペイン、オーストリア、南イタリア諸国、それ程ではないにしても、フランスをヨーロッパの最大の敵対者とみなしていた。プロテスタントのイギリス人にとって、これは北アフリカ人からの支援として、親しみを抱かせる点である。その結果、エリザベス一世は、高度の政治的レベルの問題として、一六世紀の末にはカトリックのスペインやポルトガルに対抗するための武器をモロッコ人に売っていた。チャールズ一世は、スペインに対抗するためモロッコの援助を求めたり、一七〇四年からイギリスは、アルジェ人とモロッコ人をあてにしながら、ジブラルタルで物資を供給し、スペインに対抗するためにジブラルタル島を保持したのであった。一八三〇年になってもイギリス政府は、アルジェ占領に反対することになった。しかし、カトリックとプロテスタントの分裂は、個人レベルでのイスラームへの反応にも影響を与えた。イギリスのカトリックがイスラームに対してより敵対的であったように見えるのは、しばしばオスマン・トルコやその北アフリカの衛星国と戦闘状態にあったスペインやオーストリアのような大陸のカトリック諸国と自己を同一視していたからである。逆に言えば、急進的プロテスタントのイギリス人であれば、イスラームについて好意的なことを言ったものである。ピットは一六世紀以降にメッカ巡礼に行って、それについて書き記した最初のヨーロッパ人であった。したがって、彼のイスラームの慣習や信仰についての説明は、こうした類いの文献としては通常よりも詳細なものとなっている。これまで見たように、ピットは、自分のテクストを用いて自分がキリスト教徒であることを重ねて主張しようとしている。しかし、彼の意味するところはプロテスタンティズムである。他の識者と同じ様に、ピットはカトリックとイスラームとを比較して、「いくつかのことにおいて類似している」と述べている。ピットがそのどちらを悪質であると考えていたかどうかは、疑う余地はないであろう。礼拝所からの偶像の排除、他人の信仰に対する迫害がないこと、貧しい者までがコーランを学んでいる熱意、これらイスラーム教へのコメントは、次のカトリックに対するコメントとは似て非なるものである。「貧しきローマ・カトリック教徒は、司祭によって教えられた曖昧な信仰の内に生き、そして死んでいった」。

ピット程には誘惑に弱くはないが、一度ムスリムに改宗して元に戻ろうとしている非国教徒は、カトリックの他者だけでなく、国内の国教会エスタブリッシュメントに対して攻撃を加えるために、イスラームに関してお世辞を言い、イスラームに言及することもあった。例えば、クエイカー教徒は、国内で直面した迫害をイスラームの政治体制の下でのより寛容な慣習としばしば対照的に描いた。エドワード・コックセリーは、一六五〇年代のごく短期間チュニスで捕らえられて捕虜となった船乗りであったが、その後クエイカーとしてイングランドで投獄された話をもって虜囚の体験談を終えている。「キリスト教徒が背教者と呼んでいるトルコ人の下で奴隷であった時には、そのような非情な扱いを受けたことはなかった」と。

しかし、最も影響力のあったクエイカーの虜囚の体験談は、トマス・ルーティング(Thomas Lurting)の『戦う船乗り平和なキリスト教徒になる』(*Fighting Sailor Turn'd Peacable Christian*)であり、それは一六八〇年代に最初の版が出版された。ルーティングは、リヴァプールで生まれた船乗りで、彼の乗船はマジョルカ島の近海でアルジェの私掠船に一時的に拿捕された。数日後、彼と仲間の船員は、説得によって平和裡にアルジェ人の海賊を武装解除させた。彼らは、その男達をスペイン支配下のマジョルカ島で奴隷として売ることができたのであるが、その代わりに、アルジェの海岸に連れ戻すことを決めた。そこで、彼が言うには、「慈悲の心に包まれて別れたのであった」。イングランドへ帰ると、ルーティングはひとかどの有名人になっており、チャールズ二世と宮廷の取り巻き達が、グリニッジにいる彼のもとを訪れた。「国王は、トルコ人達を王の下へ連れて帰るべきであったとおっしゃられました。それで、私は答えました。彼等は故国にいる方が良いと考えました。事実、そこでは、全員が笑顔に包まれて去っていったからです、と」。この平和主義的で寛容な、暗に反植民地主義的でもあるパンフレットは、その事実の正確性はともあれ、単に一七世紀のクエイカー教徒による印刷業の成功という意味だけではなく、一八世紀から一九世紀にかけて、一八一五年から一八五〇年の間に現れただけでも、五回も版を重ねているのである。

四　オリエンタリズムの転倒

英語で書かれた虜囚の体験談が豊富にあるため、そこからは他にもたくさんの個別の事例を指摘することができるが、そろそろ特殊な例をあげつらうことから一般化へと向かうことにしよう。ヨーロッパ人と非ヨーロッパ人との関係を理解するには、アメリカ人の歴史家フィリップ・モルガン(Philip Morgan)が記しているように、「一方で、全体的なパノラマ、相互に関連したシステムの全体、真にグローバルなコンテクストを包摂するだけではなく、個別事例がもつ特殊性、地方の環境、特異な状況論的枠組みにも注意を向けなければならない」。ここで私が考察してきたのは、忘れられた男女による個別の証言であり、しばしば歴史家が手を触れてこなかった北アフリカ諸国という特異な地域であり、そして白人の捕虜と奴隷という無視されてきた論点であった。しかし、はじめに述べた大きな問題に関してはどうであろうか。つまり、こうした詳細で、かつおそらくは逆説的に見える遭遇は、イギリスとイスラームについて、すなわち、帝国と差異の構築の問題について何を語ってくれるのであろうか。

最初に最も強調しておかねばならないのは、それらは、イスラームとトルコがヨーロッパ人の心性に対して持った長期にわたる重要性を語ってくれている点である。ジョン・エリオット(John Elliott)は、『旧世界と新世界』(*The Old World and the New*, 一九七〇年)の中において、一六、一七世紀の教養あるヨーロッパ人でさえも新世界における発見に対して無関心であった時代、文字の読めない人々の間では、アメリカに関する無知がずっと長く続いたことを明らかにしている。近世のヨーロッパ人が差異のイメージを呼び起こす時、カリブ海の黒人奴隷やアメリカ原住民を第一に考えていたわけではない。彼等の念頭にあったのは、長い間に数多くの文献から知らされて、驚きとともに恐れを抱いていた他の民族のことであった。中国人のことも念頭にあったろう。だが、より強烈に頭に置かれたのはトルコ人のことなのである。ナビル・マーター(Nabil Matar)は、最近刊行された『イギリスのなかのイスラーム人』(*Islam in Britain*, 一九九八年)の中で次のように述べている。「一五五八年から一六八五年までの間、(私はこの時代区分を前後双方に拡長することも可能だと思うのだが)イスラームは、イギリス人がかつて遭遇した他のいかなる非キリスト教文明とも比較できない程、その痕跡をイギリスに対して残したのであった」。

エドワード・サイードらが示すように、宗教としてのイスラーム教とイスラーム社会の性格の双方に関する偏見は長らく存続することになった。しかしながら、こうした問題に関するコメントは、いつも異口同音である。われわれは常に偏見や知識の集積のみならず、権力の作用に関しても注意を払う必要があろう。歴史家のトニー・ホプキンズ(Tony Hopkins)が記しているように、最近の研究者は、過度に非ヨーロッパの他者に対するヨーロッパの偏見を明らかにすることに心を奪われてしまっている。しかし、問われねばならないのは、何時どのような状況の下で、過去の社会は他者に対して敵対的な解釈をおこない、誤った知識に基づいて行動したり、それらを強制したりすることが可能となったのかということである。現在でも蔓延する偏見が、現在では失われた帝国主義として実際の効力を発揮するように翻訳されていったのは、何時どのようにしてなのであろうか。

イスラームに関するイギリスの知識や先入観は、一八〇〇年以前のオスマン・トルコや北アフリカ諸国に関する限り、長らく続く植民地化の試みへと翻訳されなかったし、その可能性もなかったといえよう。少なくとも一七〇〇年代の半ばまでは、オスマン・トルコは、イギリスにとって侮りがたい、また多くの点において、より洗練された国家であった。他方、北アフリカ諸国は、ヨーロッパから独立した存在であったし、西欧の通商隊を餌食とすることに成功して、ヨーロッパ人を捕まえていた。一七二〇年までのイギリスは、条約の交渉に当たり、最初にアルジェと、次にモロッコと通貨との交換で船舶だけを残すことに同意していたが、これではバーバリ諸国の脅威は終わらなかった。一七五六年にイギリス海軍の外交使節が、モロッコのスルタンに対して無礼な振る舞いをしたことがあった。その結果、海賊が動きだして、一七五八年までに約四〇〇人のイギリス人が虜囚となった。イギリス政府は、いち早くスルタンに対して詫びを入れて、二〇万スペイン・ドルで買い戻すことになった程である。

もし、イギリスが一七五〇年代までに帝国の絶頂にあったのならば、どのようにしてこの及び腰の低姿勢を理解したらよいのであろうか。私が描いてきたように、このエピソードは、イギリスの国力に重要な制約が課され、また差異の構築に関する限界を指摘している。当初イギリス人は、一般的にバーバリの私掠船に寛容で、特に一七五八年には、兵站学的に北アフリカ諸国を必要としていたために金銭さえも支払ったのであった。歴史家は、一八世紀イギリスの地中海帝国を無視してきたが、それはおそらくヨーロッパの外部でのみ帝国が発生したという思い込みのためであろう。しかしながら、一七五〇年以前においては、北アメリカよりもジブラルタルやミノルカに駐屯していたイギリス兵の数の方が多いくらいである。北アフリカ諸国からの穀物、牛、魚類、果実などの定期的な物資の供給がなければ、ジブラルタルやミノルカの兵員は飢えてしまったことであろう。このようにして、プロテスタントの帝国であるイギリスは、バーバリ諸国というイスラーム勢力からの物資の供給に依存し、カトリックのヨーロッパ人から奪った領域を支配しようとしたのである。一八世紀においては、それ以前と以後とも同様に、キリスト教圏とイスラーム圏との分離は、実際の政治というよりは紙の上で宣言されたものに過ぎなかったことを思い出させてくれる。

しかし、イギリスが取り引きをしていたのは、バーバリ諸国を制圧するのが困難なためでもあった。この期間を通じて、ヨーロッパの海軍は発作的に北アフリカ沿海を急襲した。だが、一八二〇年代以前は、その効果は地域的にも時代的にも限定されたものであり、危険をともなった。緯度が発見される以前の時代には、陸地との関連でどこにいるのかを正確に測定することができなかったために、北アフリカ沿岸を探索している船舶は座礁する危険性を常にともなうことになった。他方、陸上戦闘をこの地域で展開することは困難であった。しばしばモロッコ人が繰り返しているように、装備に優る軍隊は、イギリスの平和時の規模に比べて四倍にのぼった。それどころか、モロッコ人は一八四〇年代にいたるまで、主要な戦闘においてヨーロッパ軍に敗れることはなかった。ほかの北アフリカ諸国も同様に、攻撃を跳ね返す力があった。一八三〇年以降、アルジェがフランスに占領されたことは知られている。しかし、一七七五年にアルジェが、二万二〇〇〇の兵と四〇〇の船舶をもつスペインの侵攻を撃破したことに関してはあまり知られていない。このようにヨーロッパ大陸に直面することを運命づけられたイスラーム社会は、長期間にわたって自律性を保持していただけではなく、高度に危険な存在であり続けることになったのである。

最後に、以下のことを述べて結びとしよう。私はこの論文をサイードの『オリエンタリズム』を論じることから始めたが、その作品に関してはかなりの敬意を払っているつもりである。しかしながら、重要な点において、サイードの提示する分析は、超歴史的で、実際のところ、イギリスだけではなく西欧に対してこびへつらうかたちになっている。サイードと、そして彼の弟子たちになるとより顕著なのであるが、イギリスの国力に関してその絶頂の時期にあった一九世紀の視点からアプローチをおこなってきたのであり、あらかじめ知っているはずもないイギリスのヴィクトリア時代のグローバルな覇権を、それ以前の時代に生きた作家や政治家達の言説の中に読み込んでいく傾向が存在している。しかし、イギリスは未来を予測できなかったばかりか、多くのものはみずからを取り巻く世界を過去へ言及することによって判断してきた。ここにおいて、オスマン・トルコ帝国やバーバリ海賊の長期にわたる略奪行為のもつ意味が重要になってくる。一七〇〇年代後半まで、イギリス人エリートは、オリエントを「帝国の劇場」として考えるようになっていた。しかし、ある者にとっては、オリエントは偏見のためだけではなくて、いまだに「恐怖の記憶」のために不安を呼び起こす存在であったのは無理もないことであった。

もし、このことに関する更なる例証を探そうとするならば、アメリカの歴史を見ればよいであろう。合衆国が独立を達成した時、その船舶はイギリス海軍の保護を失い、バーバリの海賊に対して無防備となった。ジョージ・ワシントン、トマス・ジェファースン、そしてジョン・アダムズの下で、海賊の脅威は、アメリカ外交政策の第一義的課題であったことは間違いない事実である。実際には、北アフリカの海賊は悩みの種ではあったけれども、この段階になると致命的であることはめったになかったのだから、これは過剰なる反応であるとも言えよう。しかし、新生共和国の政治家たちは、イギリス人、つまりヨーロッパ人たちと同じように考えていた。すなわち、彼らは、バーバリ諸国を当時の姿からではなく、それ以前の過去の姿ゆえに恐れていたのである。一八一五年に国務長官ジェームズ・モンローは、「想像力が産み出したほかの怪物のように、いかに理性を働かせようとも、バーバリ諸国はその帝国を保持していた」といっている。

西欧の勃興と呼ばれた事態を、あるいは、西欧と他の世界との関係を評価する時、忘れてはならないのは、国家や集団がどのようにみずからの力を認識して他者の力を判断したかということが、当時の軍備や経済的資源の配分状態だけではなく、神話や記憶によっても決定されていたのではないかということである。これに関連して言えば、事実上オリエンタリズムの議論を転倒することになるのかもしれない。たしかに、オリエンタリズムが帝国の発展の潤滑油になった状況があったことは明らかであろう。しかし、バーバリ諸国やオスマン・トルコに関する限り、まさに西洋の偏見や収集された知識によって、帝国主義的進出を遅らせ、またその障害となっていたのは、ほぼ間違いのないことだからである。

Linda Colley, "Britain and Islam, 1600-1800: Different Perspectives on Difference," in *Yale Review*, Vol. 88 (4), 2000, pp. 1-20.

コスモポリタニズムと内戦

デイヴィッド・アーミテイジ

訳＝石川敬史

〔訳者解題〕 本稿の筆者であるデイヴィッド・アーミテイジ(David Armitage)は、ハーヴァード大学歴史学部教授である。本稿は筆者が原注の冒頭で述べているように、Joan-Pau Rubiés and Neil Safier, eds., *Cosmopolitanism and the Enlightenment* (Cambridge: Cambridge University Press, forthcoming)という刊行予定の論文集に寄稿した同名の論文をもとに、新たに検討を加え、改稿したものである。このため、論文集の編集方針に寄り添ったオリジナルの論文と比較すると、本稿は、より筆者の近年の研究における問題関心を端的に表現したものになっている。それはグローバルな時代における内戦を、従来の主権者と反乱者という枠組みから解放して、コスモポリタニズムにおける公式戦争として内戦を再定位することである[1]。

アーミテイジのこれまでの研究課題は、近代的諸原理を構成したヨーロッパ近世の政治思想(それは啓蒙思想と要約され得るだろう)をグローバル・ヒストリーの文脈に据えつつ、先行研究を批判的に再検討し、近代国際思想の基礎を明らかにしようというものであった[2]。こうした筆者の国際思想史研究の関心は、筆者自身の言葉によれば、近代政治思想史研究者の中心的な関心が、「いかにしてわれわれは国家という概念を獲得するに至ったのか」であるのに対して、「いかにして世界中のわれわれすべては、諸国家の世界に生きていると想像するようになったのか」であるという[3]。

本稿では、コスモポリタニズムの思想家の多くが、その思想を平和主義と結びつけていると通俗的に思われてきたのに対して、カントの『永遠平和のために』というテキストに忠実に従うならば、コスモポリタンな世界においては、平和というのは、可能性として存在する偶発的なものであることが最初に指摘されている。筆者はこれを古典古代の事例と、歴史家や思想家の考察から跡づけているが、本稿の独創性は、エメール・ド・ヴァッテルによる内戦についてのコスモポリタンな再定義の影響力についての指摘であろう。それは、主権に対する反乱であっても正式な交戦者と認めるという法理論であり、具体的には、一七七六年のアメリカ連合諸邦による「独立宣言」に国際法的な根拠を与えた(4)。しかしこのヴァッテルの法理論は同時に、革命フランスへの介入を主張したエドマンド・バークの事例が示すように、内戦に対して、周辺の主権国家が介入することをも合理化するものであった。

　近代以降の世界が経験し始め、今後さらに進展するグローバルな世界は、かつては分断されていた諸社会を、より普遍的な人間性に基づくコスモポリタンな共同体に変えていくであろう。それは啓蒙思想の革新的なテーゼの論理的帰結であることは確かである。しかし、筆者が指摘するように、啓蒙思想の全体像には影の部分があり、啓蒙思想を苗床とするコスモポリタニズムには、当然ながら平和と内戦という光と影が存在する。本稿は、こうした筆者の近年の問題関心を理解する上での導入となるだろう。

(1)　本稿の直近の研究としては次のものがある。デイヴィッド・アーミテイジ『〈内戦〉の世界史』平田雅博・阪本浩・細川道久訳、岩波書店、二〇一九年。

(2)　デイヴィッド・アーミテイジ『帝国の誕生――ブリテン帝国のイデオロギー的起源』平田雅博・岩井淳・大西晴樹・井藤早織訳、日本経済評論社、二〇〇五年。

(3)　デイヴィッド・アーミテイジ『思想のグローバル・ヒストリー――ホッブズから独立宣言まで』平田雅博・山田園子・細川道久・岡本慎平訳、法政大学出版局、二〇一五年、一四―一五頁。

(4)　アーミテイジの研究におけるケース・スタディとしてアメリカ革命が重要な位置を占めている。デイヴィッド・アーミテイジ『独立宣言の世界史』平田雅博・岩井淳・菅原秀二・細川道久訳、ミネルヴァ書房、二〇一二年。

　イマヌエル・カントの『永遠平和のために』(一七九五年)は、二一世紀初頭にとって啓蒙のコスモポリタニズムの象徴となったテキストかもしれない。カントの論考は、その普遍主義と、収奪的なナショナリズムを嫌悪しグローバルな正義にその基礎づけを行なっている特質によって、近年のコスモポリタンな思想家たちの試金石となってきている。この中でカントは次のように主張している。「コスモポリタンな法[ius cosmopoliticum]」の体制下でならば、永遠平和という目標がついに実現されるかもしれないと。もっとも、彼は議論の最初の方で、永遠平和によって「一般的に人類が、ことに戦争によって十分な利益が決して得られなくなる国家の支配者たちが一体になることができるか、それともそれが甘い夢を夢見る哲学者たちだけのものになるにすぎないのか」は、不明瞭であると認めている(1)。カントは平和の可能性を想像したかもしれないが、アンソニー・パグデン(Anthony Pagden)が述べているように、彼は「平和主義者などではまったくなかった」。彼のコスモポリタニズムの概念は、革新的なものであり、発展途上のものであり、それはまた根本的に論争的なものである(2)。その原動力は、「非社会的社交性[ungesellige Geselligkeit]」であり、争いという破滅的な形態を経験してもなお人間をして平和を追求せしめるものである(3)。こうしたことを肯定するように、カントは論考のタイトルを共同墓地の情景を描く皮肉な居酒屋の看板からとっている。すなわち、唯一の真の永遠平和とは、墓地の静けさのようなものかもしれない。彼のコスモポリタニズムの行き着く先は、諸個人と国家間の間の静けさのようなものにすぎないのかもしれないが、しかし平和への道には、依然として死体が散乱していることになるだろう。

カントにとってコスモポリタニズムと平和の間に存在する関係とは、本質的なものでも自然なものでもなく、可能性としてあるかもしれないものであり、偶発的なものなのである。対照的に、ほとんどのコスモポリタンな思想家たちは、もっとも意識的にカントに依拠している人々においてさえも、コスモポリタニズムは平和の哲学であり、特別に平和主義的な哲学でさえあるということに疑いを持っていない。現在のコスモポリタニズムが伝えている価値とは、諸個人が諸個人として相互の間での対立を減じさせたり回避したりすることに向けられているのであって、国民あるいは国家の市民または臣民としてのそれではない。寛容とは、理性と自律性の担い手として他者の行為や信条に敬意を払うことを要求するものである。共通の人間性という相互認識にもとづく対話によって、論争は合意した状態に導かれるのである。グローバルな正義に関与し、各人相互にふさわしいものを与えることによって、潜在的な対立を回避するという目的をもって、差異よりもむしろ共通性を認識することもできるのである(4)。

近年のコスモポリタニズムの究極的な目標は、「諸国家を限定してきた地域的、領域的なものに基礎を置くよりもむしろ、世界規模で構築されるポリスまたは国制(polity)に実質的なユートピア的理想」をもたらすものとして定義されてきた。グローバルなポリスにおいて、伝統的に敵対心――ナショナリズムや部族主義、あるいはそれに類する分裂をもたらす偏見――を涵養してきたようなより低次なものへの愛着は、相互理解や平等な包摂、そして平和という広範なコスモポリタンなものへの関与に道をゆずるのである。最低次元の共通要素よりも最高次元の共通要素に献身することによって、コスモポリタニズムは、瑣末な違いにもとづく自己愛を抑制する役割を果たせるだろう。個人間、国際間の対立は、理性的な討議と、普遍的な正義の規範に服従することによって解決されるのである。コスモポリタニズムによる想像の共同体が、寛容で、平等主義的で、普遍主義的なものであるならば、闘争を生じさせ得るあらゆる動機は蒸発してしまうだろうし、それゆえ平和が訪れるだろう。すなわち「陣太鼓はもはや打ち鳴らされず、軍旗は畳まれるだろう／人間の議会、世界の連邦の中では」である(5)。

近年までは、コスモポリタニズムと平和主義は部分的に密接に関わっているという見解があったため、コスモポリタニズムが戦争について何かを示唆するかもしれないこと、あるいは戦争がコスモポリタニズムの限界と可能性を明らかにするかもしれないことを研究者たちが認識するのが困難であった。一九八九年以来、世界中で起こっている戦争の波に触発され、ある研究者たちは、コスモポリタニズムが紛争を緩和するために何を示さねばならないかと様々に問い、それが二一世紀に起こるこれまでにない戦争状態という難局に対応するに足るだけの理論的な堅固さを持っているかと尋ね、そして紛争や気候変動から国境を越える犯罪にいたるその他の分断的な挑戦への応答として、「競合的コスモポリタニズム」を提起するために様々なことを述べている(6)。こうした方向における最初の動きは、コスモポリタンな構想を持った政治的リアリズムの提言であり、その大部分はカント自身が心に描き続けてきたものである。それらはまた、「歴史と我々とは何者であるかという両方の問題からなる最も有害な要素を否認したり、解決を主張したりするのではなく、それらを独自の構想の中に組み込んだ傷ついたコスモポリタニズム」を求める近年の求めに応答するのに役立つかもしれない(7)。

本稿では、コスモポリタニズムに付随するあらゆる観念の中でも、もっともありそうにないものに焦点を絞り、こうした考察のための歴史的材料を提供する。それは内戦である。現代のコスモポリタンのほとんどは、コスモポリタニズムと内戦の間のいかなる関係もせいぜい逆説と見るか、最悪の場合、何の関係もないものと考えるだろう。結局のところ、コスモポリタニズムは、「トランスナショナルな境界なるものは、道徳的に恣意的なものであるという見解であり、境界内部で発生する紛争について我々に何を教えてくれるのだろうか」。それは慣例的に「市民間の」戦争か、あるいは非国家間の武力衝突と考えられてきたのである。近年の政治理論家セシル・ファーブル(Cécile Fabre)がこうした疑問を掘り起こすようになり、彼は主に二つの理由から「コスモポリタニズムには、内戦について語るべきある興味深いものがある」と主張している。それは第一に、内戦が行われているという極限の状態においてすら、自己決定という倫理が許容されるからであり、第二に、内戦に従事している当事者たちの権利や責任と、国際的な性格を持つ紛争に関与する人々の権利や責任との間には、道義的な違いは何ら存在しないからである。ファーブルの「個人主義的、平等主義的、そして普遍主義的」なコスモポリタニズムは、それが戦争の論理に適用される際に、あらゆる場合にコスモポリタンは必然的に平和主義者であるということにはならないのである(8)。この主張は、規範的な帰結ではあるが、コスモポリタニズムと内戦は、まったく無関係なものではないし、まして概念的に両立不可能なものなどではないと信じるに足る歴史的基盤も存在するのである。

コスモポリタニズムと内戦とが絡み合っていたともいえる起源を、我々はヨーロッパの啓蒙の中に見ることができる(9)。啓蒙のコスモポリタニズムは、カントをもって最高潮に達したが、それは先行するトマス・ホッブズ(Thomas Hobbes)の人間本性の概念と、ザミュエル・プーフェンドルフ(Samuel Pufendorf)の、商業社会における自然法という一七世紀と一八世紀の理論家たちが連想させる人間の社会性へのより楽観的な洞察の組み合わせから出現したものである(10)。この混合物は、目的論的に平和主義的なコスモポリタニズムを生み出したのであり、それはグローバルな帝国が競合する時代に適合するものであった。スイスの法学者エメール・ド・ヴァッテル(Emer de Vattel)は、彼の『諸国民の権利(*Droit de gens*)』[一七五八年]のなかでこれを古典的に表現した。

> 諸国民は互いに、自分たちの生産物や知識をやり取りするようになるだろう。そうなれば、平和は世界中により深く行き渡るだろうし、世界は無限の果実でより一層豊かになるだろう。産業、科学、芸術が、我々の幸福を増進させるのにも利用され、それに劣らず我々の困窮状態を和らげるのにも利用されるだろう。争いに決着をつける暴力的な手段はもはや聞かれなくなるだろうし、節度や正義や平等によって、すべての不和は終結を迎えるだろう。そのような世界において、一つの巨大な共和国[une grande république]が姿を現わすだろう。そこでは、人間はいたるところで兄弟のように生き、各個人は普遍世界の市民として存在するのだ(11)。

ヴァッテルにとっては、約四〇年後のカントにとってそうであったように、これは同時代に享受できる現実というよりも未来に到達すべき夢であった。個人の自己利益は常に共通善と一致しないからである。暴力という手段は不可視的なものではなかったし、暴力を使わないことが常に高潔なものであったわけでもない。

ヴァッテルの構想の多くの特徴――世界規模の平和によって超国家的な共同体が形成されること、普遍的な相互関係から人間の平等が導かれること、戦争、特に国家間の戦争は終わること、啓蒙された公正な支配が行われること――は、啓蒙思想の哲学的かつ政治的立場と同様に、コスモポリタニズムの性格の定義を開花させ進展させた。ヴァッテルの諸構想の勝利は必然的なものではなかった。それらがコスモポリタンな思想内部のより論争的な系譜を克服しなければならなかったかについては語られていないが、その起源は一八世紀のヨーロッパに見出すことができる。ヴァッテル自身は、コスモポリタニズムと平和には必然的な関係があるとは明言していなかった。実際のところ、彼は商業的コスモポリタニズムの思想家の中で最も影響力のあった人物の一人であっただけでは無く、我々がこれから見るように、啓蒙思想家の中で最も革新的で最も永続的な影響を与えた内戦の分析者であった(12)。ヴァッテルは、多くの啓蒙思想家たちのように、同じく強力に表明される古典古代に起源を持つ矛盾した」コスモポリタニズムに直面して、コスモポリタンな平和を「主張」しなければならなかったのである(13)。

歴史的には、啓蒙されたコスモポリタニズムは、ヨーロッパの「第二次百年戦争」[一六八八—一八一五]の間の内政と外交の対立の影に覆われていた。イタリアの偉大な啓蒙の歴史家フランコ・ベントゥーリ(Franco Venturi)は、一八世紀の戦争は、ヨーロッパ人のインテレクチュアル・ヒストリーにとって、決定的な出来事であったと、五〇年以上前に記している。オーストリア継承戦争は、「フィロゾーフ」の第一世代[ディドロ、ルソー、ラ・メトリー、ドルバック、そしてコンディヤックである]を刺激した。それはちょうど、七年戦争が、ギボン、レナール、ロバートソン、ヒュームの歴史叙述と、テュルゴーやスミスの政治経済学、そしてヴァッテルの法学に着想を与えたのと同じようなものである。世界規模の戦争によって知識人たちが挑戦を強いられていなければ、「啓蒙のコスモポリス」などは存在していなかっただろう(14)。この意味で、啓蒙されたコスモポリタニズムとは、紛争を省察する手段であると同時に、紛争の産物なのである。それは単一の教義ではなく、一連の論争である。例えば、我々は、オランダのコスモポリタンであるアナカルシス・クローツ(Anacharsis Cloots)のフランス革命期における普遍主義と、カントの共和主義を比べてみよう。自らを「世界市民」と自認するクローツは、諸国家なき一つの世界を構想したが、その一方、プロイセン市民で、ケーニヒスベルク住民に深く根ざしていたカントは、諸国家というものが確保されることを——実のところ、確保されなければならないことを——前提としていた。両者とも啓蒙思想家のコスモポリタンの代表とみなされている人物だが、彼らそれぞれの構想の基盤にあるものは、ほとんど変わるところはなかった(15)。コスモポリタンであると自認している人々の間の論争は、その結論と同様に、今日に至るまで維持されている。一八世紀においても、二一世紀におけるのと同様に、平和主義的コスモポリタニズムは、戦争の世界、そこでの「市民の」戦争の世界を暗示する闘争的なコスモポリタニズムと反対のものを積極的に構想してきたし推進されねばならなかった(16)。

＊　＊　＊

啓蒙思想におけるコスモポリタニズムと内戦の関係性は、文明化についての思索と、その最も破滅的な不一致という古典的伝統にさかのぼる。そうしたより長い歴史とは、二つの都市の物語(a tale of two cities)である(1)。あるいはむしろ、「ポリス」あるいは「キウィタス」としての国家と、それらの後の運命という古来より続く二つの概念の物語である。比喩的な意味においても、形而上学的な意味においても、ギリシアもローマも、人間と動物、文化と自然、世界における秩序の要素と無秩序の要素の間に境界を設けていた(17)。最も初歩的な語源学的知識からみても、ギリシア語の「ポリス」とは、「ポリティックス(政治)」の語源であり、ラテン語の「キウィタス」とは、人為的に構成された市民あるいは「キウィス」の住処であり、それは「文化性(civility)」の住処であり、「文明(civilization)」の母体であることを我々に想起させる(18)。都市(city)とは、そこにおいてこそ人間が活動し、共同と平和の中で十全に人間性を発揮できる場所であり、それは法の支配のもとにあり、野蛮な自然という、危険と粗野からさらに遠くに存在する場所であった。それは、不合理性、野蛮さ、獣性の脅威を砦の外に押しとどめるものであり、それが覆る時、文明それ自体が脅威にさらされたのである。

しかしここ二〇〇〇年の間、都市はしばしば、その名が示す通り都市住民である市民[cives]の間で抗争が行なわれる内戦の舞台でもあったのである(19)。これが「市民の」戦争――「キウィタス」内部での武装対立――が「内乱(intestine)」や「異常事態(unnatural)」と長いこと呼ばれてきた一つの理由であり、古典古代から現代までの内戦像の多くが、その野蛮さや残忍さにもとづいて描かれてきた理由である(20)。それはまた、文化性(civility)、文明(civilization)、内戦(civil war)が単純に語源的関連性だけではなく、世界都市やコスモポリスという観念にもとづいたヨーロッパのコスモポリタンの伝統それ自体における歴史的な関連性を持つ理由でもある(21)。

二つの都市の物語は、二つの矛盾語法の物語でもある。つまり都市(city)は単なる都市(city)ではないし、戦争(war)は必ずしも軍事的(warlike)なものではない。コスモポリスと内戦(bellum civile)という言葉は、どちらも内在的に矛盾するものとしてつくられ、依然として概念的に不安定なものである。犬儒学派の思想家として有名なディオゲネスは、自身をコスモポリテス(cosmopolites)あるいは世界市民(citizen of the world)として描き、ポリスの拘束性や内向性への不満を示し、自分に対していかなる集団の関与も認めなかった。宇宙(cosmos)のような不確定で拡張的な国制(polity)の市民であるということは、いかなる意味でも市民ではあり得なかった。それゆえ、世界市民を主張することは、この意味で、原理的に「あらゆる形態の文化性に冷然とし無礼であることであり、普遍主義を表明することではなかった」(22)。似たような意味合いで、内戦とは、外敵[hostis]に対する敵意を正当化する条件である戦争[bellum]という、支配的であったローマ的な概念を覆すものであった。「市民の」戦争における敵とは、明確に同胞市民である。ローマの正戦論によれば、市民間の戦いは、正当性を欠き、でも外部の敵との戦いでもないがゆえに、戦争ではあり得ない(23)。「内戦(bellum civile)」とは、同じ「国家(civitas)」の構成員の中での敵意を公的なものにするという考え方への嫌悪をあえて逆説的に表現したものであり、そのような戦闘は文化性それ自体を破壊するものであるという認識を示したものであった(24)。それはまた柔軟性のある概念でもあり、その境界は拡張し、究極的にはコスモポリタニズムそれ自体の概念と交わるものであった。

ローマの内戦の物語が示す一つの重要な教訓は、文明化されるためには、都市に住むという意味において、内戦をおかしかねないということであり、宿命的に内戦に陥りやすいということである。「都市国家」に住むということはそもそも、暴動や扇動だけではなく本格的な内戦にまきこまれる危険――そして実際にそれに類した状況下に置かれる――に遭遇することを意味していた。それはローマの歴史で繰り返し展開してきたものである。内戦の災厄の餌食になることによってのみ、しばしば国家(commonwealth)それ自体、それはまさにローマという都市国家の最初の境界を示した「ポメリウム(pomerium)」内部でのことか、ローマが拡張して以降のイタリア半島を横切ったものか、あるいは共和政ローマが成長し、やがてローマ皇帝の意向にとり囲まれることになる領土と人民を覆い東地中海全域に達するものでさえあるのかについての境界線を確認できたのである。こうしたローマの伝統を概観すると、マキャヴェッリの『ディスコルシ』を読むものは誰でも、帝国の代償とは国内の騒乱であると知るだろう。それはモンテスキューが一七三四年にローマ帝国の偉大さと衰亡を省察した際に述べた次の言葉に示されている。「ローマが世界を征服する一方で、その壁の中では隠れた戦争が進行していた。これらの炎は火山のそれのようなものであり、何らかの可燃性のものに触れるやいなや爆発を起こすのである」[25]。

コスモポリタニズムは、人間の相互作用の舞台装置としての国家それ自体の境界を拡張することによって、内戦の想像し得る舞台装置を拡大した。その境界は緩められ、地中海世界の人間が住む領域、ローマ帝国、およびその後継者たちをヨーロッパという多様な諸概念に、さらにはヨーロッパの海外帝国の中に含み込み、それと同時に究極的には、一つの国家としての世界を、市民どうしが抗争する潜在的な場としての地球全体を想像するようになった。ローマという国家(civitas)の境界がローマ市民権の付与によって拡大することによって、まさにその領域は、成長し続けるローマ市民たちの中での内戦(bellum civile)によって満たされるのである。ローマ帝国が拡張すると、内戦の場はますます増え、同盟諸国[ソキイ socii]を市民と同様のものにしていった。内戦とは、国家それ自体の支配権をめぐる戦いではあるが、それらを「同盟国どうしの(social)」戦争〔2〕や外国との戦争と区別するのは決して簡単ではない。なぜなら、それらはローマ世界という闘技場からあふれ出し、ついにはその担い手たちをローマの帝国中からその渦中に引き込んだからである。

内戦とはある種の情け容赦ない自然の力のようなもので、潜在的に普遍的なものであるため、もはやローマの「キウィタス」の境界には何らの顧慮もせず、はるかにより破壊的なものになった。二世紀のローマの歴史家フロールス(Florus)は次のように記している。「カエサルとポンペイウスの猛威は、洪水や火炎のように都市国家とイタリア全土、諸部族や諸国民、そしてついには帝国を圧倒し、その凄まじさのために、もはや内戦とも同盟国家戦争とも外国との戦争とも判別のつき得ないものであったが、むしろそれらのすべての要素を兼ね備えたものであり、しかして戦争以上のものであった」(26)。このようなローマの物語が啓蒙の時代を通して、歴史理解、内戦理解を形作っていった(27)。フロールスの書は、四世紀の歴史家エウトロピウス[Eutropius 彼のローマ史を、一七三〇年代にアダム・スミスが少年だった頃に学んでいた]の概説によるものが、一八世紀を通してほぼ毎年のように版を重ねていた(28)。これが一九世紀になると、革命の連鎖という政治史の脚本が、内戦の連鎖というこのローマ史の上演目録にとって代わったのである(29)。

その時までに、二つのコスモポリタンな内戦の観念が姿を現わした。一つは、すべての人間が相互に関わりを持っているがゆえに、「すべての」戦争は、内戦的なものであるという観念である。いま一つは、ローマの概念をさらに積み上げたものであり、内戦とは、国民や国家を超えて広くすべての共同体に拡張するものであり、諸文明や諸帝国、あるいは地球規模での内戦においては、人間性の全体さえも飲み込むものであるという観念である。内戦についてのどちらのコスモポリタンな概念も、啓蒙の象徴であると同時に、今日に至るまで続く啓蒙思想の末裔なのである。

*　*　*

すべての「人間」は兄弟なのだから、すべての戦争は内戦的なものであるという観念の古典的な表現は、ヴィクトル・ユーゴーの『レ・ミゼラブル』[一八六二年]の中にみられる。そこでは、ワーテルローの戦いを経験した高位の退役軍人の息子マリウス・ポンメルシー(Marius Pontmercy)が、内戦の意味を考察している。マリウスが、一八三二年に復位したブルボン王朝と戦うために、パリのバリケードに向かう時、彼は「今度は自分が戦うために、戦場に降り立とうとする。しかも自分がまさに降り立とうとしている戦場とは街路であり、自分が行おうとしている戦争とは内戦なのだ!」ということを知る。マリウスは、英雄だった父親ならば、どのような行動を起こしたのだろうかと身震いした。そして、バリケードの上の友人たちや同志たちと、自分がどのような種類の戦争に今まさに加わろうとしているのかを問うことになった。

内戦だって? それはどういう意味だ? 外国との戦争なんて存在するのか? すべての戦争は人間の間でのものではないのか? 戦争は、その目的によってのみ形容されるのだ。外国との戦争もなければ、内戦もない。正しくない戦争と、正しい戦争のみが存在するのだ。……戦争が恥辱となり、剣が凶器となるのは、それが権利、進歩、理性、文明、真理を暗殺するときのみなのだ。そうなれば、内戦も外国との戦争も、不正なものとなり、その名は犯罪となる(30)。

ポンメルシーの考察は、一八三〇年代と一八四〇年代に経験した内戦と他の種類の紛争との間の曖昧な境界についてのユーゴー自身の理解を反映したものであり、後に彼は、パリ・コミューンの鎮圧後の日々に、一七九三年のヴァンデでの反革命派の虐殺を描いた彼の小説『九十三年』[一八七四年]の中で検討することになった(31)。そうした試みは同時代のものだったが、その起源は啓蒙の時代に見いだすことができる。

「ヨーロッパ人の戦争はすべて、ヴォルテールが言ったように、内戦でした。二〇世紀においては、彼の定義は地球全体に当てはまります」と、ユネスコの理事ハイメ・トレス・ボデ(Jaime Torres Bodet)は一九四九年の国際連合の日[一〇月二四日]に主張した。そして彼はこう続ける。「私たちの世界ではコミュニケーションがより迅速になるにつれて革新的に縮まり、すべての戦争が内戦になりました。すなわち、すべての戦いが同胞市民の間のものになり、否むしろ、兄弟の間のものになったのです」(32)。トレス・ボデの共感は、彼の学識よりもいささか健全なものであった。ヴォルテールは実際には、ヴァッテルのように、ヨーロッパは「いくつかの国家に分かれているある種の巨大な共和国」であり、それらの諸国家には「世界の他の地域では知られていない、同じ公法と政治の原則がある」と主張していたのはよく知られているが、彼はヨーロッパの文化的統一性というヴィジョンを拡張し、そこでの戦争を内戦として想像することはなかった(33)。

それにもかかわらず、トレス・ボデがヨーロッパ規模の内戦というこのコスモポリタンなヴィジョンを啓蒙の時代に位置づけたのは妥当だった。ただし、最も適切な知的源泉としては、ヴォルテールではなく、フランスの大司教で政治思想家のフランソワ・ド・サリニャック・ド・ラ・モート＝フェヌロンであった。広く読まれた彼の若い君主のための助言の書、『死者の対話(*Dialogues des morts*)』[一七一二年]の中では、ソクラテスを通じて、フェヌロンは共通の人間性というコスモポリタンな原則にもとづいて雄弁な平和主義的主張を提示している。

> すべての戦争はまさしく内戦なのです[*Toutes les guerres sont civiles*]。これはさらに人間が互いの血を流し合うものであり、内臓を引き裂き合うものです。戦争が拡大すればするほど、それはより破滅的なものとなります。それゆえ、人々の人々に対する戦いは、名家による国家に対する戦いよりも悪しきものなのです。ですから、我々はよほどの窮地に陥らない限り、決して戦争に巻き込まれるべきではありませんし、それは我々の外敵を退けるにとどめるべきなのです(34)。

フェヌロンの動機は、平和主義的なものだが、彼のコスモポリタンな概念の含意は諸刃のものであった。世界が普遍的な人間性というコスモポリタンな観念により密接に近づくほど、国際的な、さらには地球規模の戦争によりいっそう近づいてしまう。平和のよりいっそうの保証ではなく、より鋭い痛みを生み出すというのは、世界が革新的に縮小されたことがもたらす意図せざる結果なのかもしれない。ヨーロッパの文化的統一性を信じたフェヌロンのような啓蒙期の思想家たちは、ヨーロッパ人の間で行なわれる戦争がすべて内戦となることを恐れた。なぜなら、彼らは同胞市民と相互に認識している紐帯の内部で戦うからである。カントのコスモポリタンな権利という概念のもとでは、情愛ある相互性の領域はグローバルなものとなり、[狭いものか広いものかにかかわらず]地上の諸国民という共同体の影響力は、地球の「ある場所」で起こる権利の侵害が、「すべての人々」のものに感じられるようになるまでに行き渡るのだ(35)。こうして、様々な位相の啓蒙されたコスモポリタニズムは、内戦が行なわれる場となる共同体の概念的境界を拡張し、ヨーロッパというコスモポリタンな共同体からすべての人類を包含するグローバルなコスモポリスへと広がるのである。

ヨーロッパ諸国やそれらの植民地帝国で、ほぼ慢性的に戦争があった世紀において、ヨーロッパ人の内戦という比喩的用法は、文化的統一性の指標となるまでに増殖し、同様にそれ以外の世界との文明的な違いを再確認させるものとなったのである。こうした用法で、ルソーは彼の『永久平和論』[一七六一年]の中で、ヨーロッパ諸国間の戦争を次のように評価している。「彼らのむすびつきが親密であればあるほど、それはより一層悲惨なものになる。……彼らがしばしば行なう仲違いは、ほとんど内戦のごとき残酷さである」(36)。その四〇年後、ナポレオンは一八〇二年のアミアン条約の交渉の中で、チャールズ・ジェイムズ・フォックスに次のように語ったと伝えられている。「トルコを除けば、ヨーロッパはこの世界の一隅であるにすぎない。我々が戦う時、我々は内戦を行なっているのとまったく同じことなのだ」(37)。すべてのヨーロッパ人が再び内戦を行なうという言説は、二〇世紀の二つの大戦を契機に再び人口に膾炙するようになり、しばしばナポレオンがこの言説の考案者だと思われている。おそらく、一八〇二年の彼の上手い言い回しが思い出されたからであろう(38)。

ヨーロッパは、啓蒙思想の時代において、内戦の場として想定したような国境を超えた唯一の共同体であったわけではなかった。なぜなら一つの帝国なればこそ、ヨーロッパとそれを超える領土の両方を含むものを単一の「キウィタス」と呼び得たからである。それは後に革命——例えばイギリス領の、その後のスペイン領アメリカでのものである——として考えられるものであり、それらは同時代において帝国の内戦と受け止められていた(39)。この観点から、環大西洋世界の評者たちは、一七七〇年代のイギリス帝国の危機をイギリス人どうしが争う「市民間の」戦争ととらえたのだ。他のローマの先例に従いながら、マサチューセッツ湾の代理人ウィリアム・ボランや、リチャード・プライス、そしてアダム・スミス『諸国民の富』の中で述べている」のような観察者たちは、共通の連邦の構成者たちによる「同盟都市戦争(social war)」とまずは考えたのである[40]。しかし、一七七五年四月にレキシントンとコンコードの戦いにおいて最初の弾丸が放たれて以降は、大西洋両岸の人々は、内戦という言葉を環大西洋世界の対立の軍事化を描くのに使い始めた。例えば、オランダ生まれの測量技師で地図製作者だったバーナード・ローマンは、「アメリカにおける内戦地地図」と題するマサチューセッツの案内図を出版し、他の書き手もまもなくそれを「内戦」、「アメリカとの内戦」、さらには「アメリカの内戦」とさえ呼ぶようになった[41]。一七七五年七月までは、大陸会議はイギリス議会を武装抵抗によって脅かしたが、しかし依然として、「穏健な言葉での和解、……それにより帝国を内戦の惨禍から解放」したいとの希望を主張していた[42]。その対立は、翌年一七七六年七月の独立宣言によって、大陸会議がそれまでのイギリス領アメリカ植民地を「アメリカ連合諸邦(the United States of America)」〔3〕として構成した時に、結局は内戦として想像されることを終えた。大洋をまたいだ一つの帝国内部での内戦は、これにより——少なくとも新たに誕生した連合諸邦とその潜在的な同盟諸国にとっては——国家間の国際戦争に転換したのである[43]。

一八世紀という革命の時代は、内戦の時代でもあり、それらは当時のコスモポリタニズムにとって複雑な挑戦を提起した[44]。ヴァッテルは、内戦によって提起された知的な諸問題に最も刺激を受けたコスモポリタンであり、彼は、アメリカ、フランス、スペイン領アメリカでの諸革命における似たような問いに対して他の知識人たちが応答を形作るのに最も強い影響を与えた。ヴァッテルは、「我々が力によって自分たちの権利を追求する状態」というグロティウスによる戦争の定義を採用しつつ、それにもかかわらず、戦争という行為は国家によるもののみに限定されるというルソーの定義に同意したのである。すなわち「公的戦争(public war)とは、……諸国民あるいは諸主権の間で行なわれるものであり、公権力(public power)の名の下に、その命令によって遂行されるものである」[45]。ヴァッテルの重要な革新は、主権あるいは「公権力」に対する反乱であっても、正当的な交戦者であると認められ得ると主張したことにある。「一つの党派が統治機構の中に形成され、彼らがもはや主権者に従うことができないと考え、主権者に抵抗するに足る十分な力を持っている場合、あるいは、一つの国家(republic)の中で、国民が対立する二つの党派に別れてしまい、双方が武器を手に取るに至った場合は、これは「内戦」と呼ばれる」。このような場合であれば、抵抗者は自分の側に正義を持つのだから、反乱とは区別することができる。もし抵抗の原因が正当なものであるならば、主権［あるいは国家の中で分断された権威］は、抵抗者たちに対して戦争を遂行しなければならない。「慣習によれば、「内戦」という用語は、同一の政治社会の構成員との間のすべての戦争に適用されるのである」(46)。

ヴァッテルの内戦についての「諸国民の権利」を基にしたコスモポリタン的な再定義によって、戦時法(the laws of war)を市民間の紛争に適用する道が開かれた。彼は二つの陣営が、「厳密には二つの国民と見なされるような境遇にあり、抗争状態にあり、合意に達することが不可能である場合は、武力に訴えることができる」と主張したのである。だとすると、もし二つの自立した団体がこれに相当するのだとしたら、諸国民の法(the law of nations)が彼らの争いを規制すべきものとなる。つまり、「市民間の」戦争は、国際的な戦争となったのだ。主権者は、それゆえ、彼らの反抗的な臣民を、彼らが正当な理由を持って武器を取ったならば、戦時法に沿って取り扱うべきなのである。この点において、単一の国民あるいは国家というものは、すでにその存在を終える。なぜなら、紛争は「二つの国民の間の公的戦争」になり、もはや国内法に該当するものではなく、その代わりに諸国民の法あるいは「国際法」を適用しなければならないからである(47)。この論理によって、アメリカ大陸会議は、彼らの一七七六年の独立宣言を起草するに際して、ヴァッテルを主要な根拠として注目したのであった(48)。

ヴァッテルの構想は、他の主権国家の出来事に外部の勢力が介入するという潜在的には急進的な原理を提起した。例えばエドマンド・バークは、ヴァッテルの権威に訴えて、一七八九年以降のフランスは、二つの敵対する国民に分裂しており、彼らの双方が主権を主張していると論じた。一方は国王の名において、もう一方は人民を代表していると。バークは、ヴァッテルを持ち込んで、イギリスとその同盟諸国は、国王とその支持者の側として革命フランスに介入することができる――実際、すべきである――ことを明らかにし、そしてヴァッテルの定義を用いて、「このような状態[王国が分裂している場合]においては、諸国民の法によって、グレイト・ブリテンは他のすべての諸国と同様に、取り得る選択をすべて取り得る」(49)ということを論証した。フランスは、内戦状態の中で二つの国民に分裂していて、事実上、二つの国民がそこに存在しており、イギリスはどちらの側が正義であるかを自由に決められたのである。

ヴァッテルは、自分の「格言」が乱用され、「国家の内的な静穏さに対して、諸権威が憎むべき策謀を思いのままにめぐらせるようになる」ことは望んでいなかったはずだが、そのような環境にあって現実的な主張をしようとすれば、バークがその論法を用いたことに示されるように、容易にあらゆる介入行為を擁護することになっただろう(50)。このような国家理性によって、彼らが支配者となることを容易にするだろうということが、一七九五年にカントが『永遠平和』の中で、自分たちに都合のよい倫理的規範を用いて不道徳な政治的行為をとることを奨励する近代の自然法の支持者たちを意味する「厄介な慰め手[*leidige Tröster*]」の名簿にヴァッテルを含ませたことにつながっている[51]。このような分類は、おそらくはやや不正確なものであろう。というのは、ほんの一〇年前の一七八四年に、カントはケーニヒスベルクでの自然法についての講義の中で、ヴァッテルの著作を「諸国民の権利」に関する最高の書物[Das beste Buch]と讃えているからである[52]。カント自身の内戦における外的な介入を可能とする理由についての限定的な考察は、永遠平和の予備条項第五条でなされているが、それは実際のところ、ヴァッテルの『諸国民の権利』から直接的に引用したものである。

> ……もし、ある国家が内的な不和によって、二つの陣営に分裂し、それぞれが独自の国家であるとして、全体を支配することを主張する状態になった場合はどうだろう。そのような場合は、もしある外の国家が彼らの一方に支援を与えたとしても、他国の国制に介入したという理由で責めを負わせることなどできないだろう[なぜならこれは無秩序だからである]。しかし、この国内紛争が、必ずしも致命的なものでない場合は、外国勢力によるそうした介入は、独立自尊し、自身の内的な病に立ち向かうという人民の権利への侵害になるだろう。そうなると、介入それ自体が不名誉を与え、すべての諸国家の自立性を不安定なものにしてしまうだろう[53]。

フランス革命戦争という文脈においては、そのような原理が、永遠平和よりも永久戦争に一層強力な正当化の根拠を与えることもある。カントが執筆した一年後、バークは、『国王弑逆者との和平についての書簡』[一七九六年]の第二書簡の中で、フランスの人民主権の支持者たちは、彼らの「武装の原理(*armed doctrine*)」をヨーロッパの他の諸国にも向けるようになったこと、これらのジャコバン派にとって、引き続く紛争とは「その精神においても、その目的にとっても、……「内戦」なのです。そして彼らは確かに内戦を追求しています。……それは、ヨーロッパ古来の、道徳的な、政治的な秩序を求める陣営と、それらすべてを変えてしまおうと企図する狂信的で野心的な無神論者たちの党派との戦争なのです」ということを主張した[54]。すべての国家が、今や疑いようもなく不安定なものになっていて、バークの信じるところでは、フランス革命が最初はフランス内部の内戦であったものが、ついにはヨーロッパのすべての住民にとっての内戦に変異し始めたということであった。バークはもちろんコスモポリタンなどではないが、彼が一つのコスモポリタンの概念をヨーロッパにおける紛争に当てはめたことは、もともとの「キウィタテス」よりもさらに大きな共同体が、内戦の舞台になり得るし、さらには普遍的かつ全包括的な人間性それ自体というグローバルな共同体とも言える一つの共同体でさえあり得るという、コスモポリタンたち、非コスモポリタンたちの間での後の理解を予示するものであった。

＊　＊　＊

グローバルな内戦という概念は、啓蒙期のコスモポリタニズムの、予期せざる[そして意図せざる]一つの帰結である。その思考上の共同体は、少なくともカントが永遠平和への展望を見いだしたような穏健な形では、確かに平和主義的で、普遍的に統合されて、ある場面では進歩主義的なものであると通常は想定されてきた。啓蒙期のコスモポリタンな紛争の概念の意味するところは、二〇世紀になるまでは十分には気づかれてこなかった。二〇世紀は、一八世紀と同じように、世界中に戦争が拡散し、市民間の紛争の境界がかつてないほど拡張したことに対して哲学的省察が刺激されたからである。この世紀のネイションを超えた紛争——第一次世界大戦から冷戦、そしてその後の二一世紀初頭の「グローバルな対テロ戦争」——は、内戦が、大陸規模のかつてないほど巨大なスクリーンに映し出されたものとしてしばしば見なされていた。内戦が起こることが想像されるような諸共同体はかつてないほど広くよりいっそう大きくなっていて、「ヨーロッパの内戦」から、我々の世紀の初頭には、「グローバルな内戦」をめぐる多様な諸概念にまで拡張している。

内戦の想像上の限界が大きくなる過程は、内戦とはそれ自体がその形態において国境を越えるものであり、その影響においてグローバルなものであるという認識と軌を一にしていた。このようにして、イタリアの反ファシストの著述家だったガエターノ・サルヴェミニが、読者に対して、彼らが今目撃しているものは、諸国民の戦争ではなく、誰もが中立ではあり得ない諸民族、諸階級、諸党派による「グローバルな内戦[una mondiale guerra civile]」であると警告した言葉の中に、フェヌロンの沈痛なコスモポリタニズムの残響を見てとった[55]。五年後の一九一九年、ジョン・メイナード・ケインズは、「ヨーロッパの内戦」という道程の中で、フランス、ドイツ、イタリア、オーストリア、オランダ、ロシア、ルーマニア、そしてポーランドが、「共に繁栄し、……一つの戦争の中で共に揺れ動き、そして……おそらく共に転落する」という共通の文明を想起した[56]。その後同じ世紀に、第二次世界大戦の前夜に憎悪の心が漂ってきたことによって、ヨーロッパの諸国を分断する「赤と黒」の間での「国際的な内戦」への不安が惹起された[57]。その紛争が到来した後に、この「国際的な規模の巨大な内戦」は民族解放のための機会を提供したとインドのマルキシストであるM・N・ロイの一九四一年から四二年にかけての著述には示されている[58]。

冷戦とは、内戦という観念のこうした拡張をさらにいっそう推し進め、そのような対立は、アメリカ合衆国大統領ジョン・F・ケネディが、一九六二年の二度目の教書で述べたように「人間を分断し激しい苦痛を与えるグローバルな内戦」と呼ばれることになるだろう[59]。二カ月後の一九六二年三月、断固たる反コスモポリタンであるカール・シュミットは、レーニン主義的社会主義によって解き放たれた「革命的な階級対立というグローバルな内戦」という言葉をスペインでの講義で使っている(60)。革命的な普遍主義という遺産により共感を持っていたのは、アメリカの「民主社会を求める学生(Students for Democratic Society)」という団体であったが、彼らの一九六二年のポートヒューロン決議は、「今迫っているように思われる戦争は、合衆国とロシアとの戦いではないし、二つの国民国家の間でなされる外的なものではない。それは世界に広がる「キウィタス」に対して何の敬意も顧慮も払わないことによって生じた国際的な内戦なのである」と述べている(61)。翌年、ハンナ・アレントは『革命について』〔一九六三年〕の中で、二〇世紀は、戦争と革命の相互関係から生じた新たな現象を目撃してきたと主張している。「世界大戦とは、革命の結果であるように思われる。それは地球規模で起こったある種の内戦であり、第二次世界大戦でさえ、世論のかなりの部分によって、驚くほどの正当化がなされているのである」(62)。

「グローバルな内戦」という言葉はより近年では、アルカイダのゲリラ隊員のような、アメリカやイギリスといった既存の国家というアクターに攻撃を行なう国境を越えるテロリストとの戦いを意味するのに使われるようになっている。その唱道者たちのある者にとっては、この「グローバルな内戦」というポスト九・一一の用法は、国内的な対立のグローバル化を意味しており、特にそれはイスラム内の分裂であり、スンニ派とシーア派の対立として、世界規模に投影されてきている。テロリズムへのより広範なメタファーとして、「グローバルな内戦」という言葉はまた、伝統的な戦争の形態に課されていた制約というものが何ら存在しない対立党派間の抑制のない戦い、万人の万人に対する戦争というルールがまったく存在しない自然状態への回帰、そして「内部の」と「外部の」や、「国内の」と「国家間の」といった紛争の境界が完全に曖昧になってしまう特殊な類型の対立であることを意味している(63)。こうして、マイケル・ハートとアントニオ・ネグリは、二〇〇四年に「我々の同時代の世界は、概して永続的なグローバルな内戦によって、デモクラシーを実質的に停止してしまう絶えざる暴力の脅威によって特徴づけられるのだ」と記している(64)。「「グローバルな内戦」と呼ばれるものの抑制なき展開に直面して」と、ジョルジョ・アガンベンは二〇〇五年にこう述べている。「例外状況がますます同時代の政治における統治の支配的パラダイムになりつつある」。彼が言うパラダイムとは、一方ではホッブズを経由してトゥキディデスにまで遡るものではあるが、より直接的な系譜は、啓蒙期のコスモポリタニズムに存在するものである(65)。

そのように内戦の領域を比喩的に拡張したことによって、それらは内戦についての過去の観念から認識可能な特徴を持ち込んだ。それは例えば、一つの境界づけられた共同体、その中での支配をめぐる争い、そして政治あるいは「文明」という何らかの正常な行程からの逸脱である。「グローバルな」内戦という観念によって、普遍的な人間性という観念を伴い、すべての内戦という概念と同じように、それは分裂と敵意が明瞭になったその瞬間に、包摂と共通性の境界を明確化するのを助けるのである。人間性というものは、敵意をもつ同胞市民たちが住む世界都市あるいはコスモポリスといった一つの包摂力のある共同体内部での紛争を認識することによって、その一体性を確認することができる。この地平の拡張は、対立をはらみ(conflicted)かつ矛盾している(conflictual)啓蒙のコスモポリタニズムが存在していなかったら、概念的に可能ではなかったであろう。その両義性は、同じ程度に楽観的なものなのだが、我々自身の普遍的な人間の共同体に対する期待と不安に活力を与え続けている。アンソニー・パグデンは、「共通の人間性における啓蒙思想の中心的な信条、つまり共同体、家族、教区、あるいは郷土(*patria*)よりも大きな何らかの世界の認識は、依然として素朴で不完全なものではあるかもしれないが、それはまた間違いなく五〇年前よりも……現在の我々すべての人生により多く共有されているものである」と主張している(66)。パグデンの示す啓蒙的なコスモポリタニズムが持続している事例は、大部分は穏やかなものである。グローバル・ガヴァナンス、憲法愛国主義、多文化主義、そして国際連盟のような国際機関、あるいは一九四八年の世界人権宣言のような基本的な文書である。しかしその一方で啓蒙思想の全体像にはその影があり(67)、それゆえ啓蒙的コスモポリタニズムには、ダークサイドが存在する。その遺産の中には、対立と同様に和解、戦争と同様に平和、そして内戦と同様に文明と洗練の哲学としてのコスモポリタニズムという落ち着きのない概念が存在するのである。

原注

＊本稿は Joan-Pau Rubiés and Neil Safier, eds., *Cosmopolitanism and the Enlightenment* (Cambridge, forthcoming) に掲載予定の論文を改稿したものである。本稿の前のヴァージョンへのコメントとして、特に Stella Ghervas, Eva Marlene Hausteiner, Joan-Pau Rubiés and Neil Safier そしてハンティントン・ライブラリー、ロンドン・スクール・オブ・エコノミクス、ベルリンのフンボルト大学、ロンドンのノートルダム大学とクイーン・メアリー大学でのレクチャーへの参加者に謝意を表する。

(1) Immanuel Kant, 'Toward Perpetual Peace' (1795), in Kant, *Practical Philosophy*, trans. Mary J. Gregor (Cambridge, 1996), p. 317.

(2) Anthony Pagden, *The Burdens of Empire: 1539 to the Present* (Cambridge, 2015), p. 206; more generally, see Jürgen Habermas, 'Kant's Idea of Perpetual Peace with the Benefit of Two Hundred Years' Hindsight,' in James Bohman and Matthias Lutz-Bachmann, eds., *Perpetual Peace: Essays on Kant's Cosmopolitan Ideal* (Cambridge, MA, 1997), pp. 113-53; Pauline Kleingeld, 'Kant's Theory of Peace,' in Paul Guyer, ed., *The Cambridge Companion to Kant and Modern Philosophy* (Cambridge, 2006), pp. 477-504.

(3) Michaele Ferguson, 'Unsocial Sociability: Perpetual Antagonism in Kant's Political Thought,' in Elisabeth Ellis, ed., *Kant's Political Theory: Interpretations and Applications* (University Park, PA, 2012), pp. 150–69; Sankar Muthu, 'Productive Resistance in Kant's Political Thought: Domination, Counter-Domination, and Global Unsocial Sociability,' in Katrin Flikschuh and Lea Ypi, eds., *Kant and Colonialism* (Oxford, 2014), pp. 68–98; Muthu, 'A Cosmopolitanism of Countervailing Powers: On Resistance against Global Domination in Kant's and Cugoano's Political Thought,' in Rubiés and Safier, eds., *Cosmopolitanism and the Enlightenment*.

(4) Jerry W. Sanders, 'Cosmopolitanism as a Peace Theory,' in Nigel J. Young, ed., *The Oxford International Encyclopedia of Peace*, 4 vols. (Oxford, 2010), I, pp. 497–501.

(5) Jeremy Waldron, 'What is Cosmopolitan?,' *The Journal of Political Philosophy*, 8 (2000), 228, 229 (quoting Tennyson's *Locksley Hall*).

(6) Gerard Delanty, 'Cosmopolitanism and Violence: The Limits of Global Civil Society,' *European Journal of Social Theory*, 4 (2001), 41–52; Mary Kaldor, 'Cosmopolitanism and Organized Violence,' in Steven Vertovec and Robin Cohen, eds., *Conceiving Cosmopolitanism: Theory, Context and Practice* (Oxford, 2002), pp. 268–78; Patrick Hayden, *Cosmopolitan Global Politics* (Aldershot, 2005), pp. 67–94 ('War, Peace, and the Transformation of Security'); Robert Fine, 'Cosmopolitanism and Violence: Difficulties of Judgment,' *British Journal of Sociology*, 57 (2006), 49–67; Bruce Robbins, *Perpetual War: Cosmopolitanism from the Viewpoint of Violence* (Durham, NC, 2012); Cécile Fabre, *Cosmopolitan War* (Oxford, 2012), p. 4 ('cosmopolitans for their part would do well to start thinking more deeply than they have done so far about war'); Jonathan Quong, David Rodin, Anna Stilz, Daniel Statman, Victor Tadros and Cécile Fabre, 'Symposium on Cécile Fabre's *Cosmopolitan War*,' *Law and Philosophy*, 33 (2014), 265–425; Paul Gilroy, 'Cosmopolitanism and Conviviality in an Age of Perpetual War,' in Nina Glick Schiller and Andrew Irving, eds., *Whose Cosmopolitanism? Critical Perspectives, Relationalities and Discontents* (New York, 2015), pp. 232–44; Tom Bailey, ed., 'Special Issue: Contestatory Cosmopolitanism,' *Critical Horizons*, 17, 1 (2016), 1–148; Dina Gusejnova, ed., *Cosmopolitanism in Conflict: Imperial Encounters from the Seven Years' War to the Cold War* (London, 2018).

(7) Jacqueline Rose, 'Wounded Cosmopolitanism,' in Glick Schiller and Irving, eds., *Whose Cosmopolitanism?*, p. 48.

(8) Fabre, *Cosmopolitan War*, pp. 16, 130–31.

(9) カント以前の啓蒙的コスモポリタニズムについては，特に以下の文献を参照のこと。Thomas J. Schlereth, *The Cosmopolitan Ideal in Enlightenment Thought: Its Form and Function in the Ideas of Franklin, Hume, and Voltaire, 1694–1790* (Notre Dame, IN, 1977); Sophia Rosenfeld, 'Citizens of Nowhere in Particular: Cosmopolitan Writing and Political Engagement in Eighteenth-Century Europe,' *National Identities*, 4 (2002), 25–43.

(10) Istvan Hont, *Politics in Commercial Society: Jean-Jacques Rousseau and Adam Smith*, ed. Béla Kapossy and Michael Sonenscher (Cambridge, MA, 2015).

(11) Emer de Vattel, *The Law of Nations* (1758), ed. Béla Kapossy and Richard Whatmore (Indianapolis, 2008), p. 268 (II. 1. 16).

(12) Walter Rech, *Enemies of Mankind: Vattel's Theory of Collective Security* (Leiden, 2013), pp. 209–13, 216–20.

(13) 闘争的コスモポリタニズムの古典古代のルーツについては以下を参照のこと。Owen Goldin, 'Conflict and Cosmopolitanism in Plato and the Stoics,' *Apeiron*, 44 (2011), 264–86.

(14) Franco Venturi, 'The European Enlightenment' (1960), in Venturi, *Italy and the Enlightenment: Studies in a Cosmopolitan Century*, ed. S. J. Woolf (London, 1972), pp. 12, 16–22.

(15) Pauline Kleingeld, *Kant and Cosmopolitanism: The Philosophical Ideal of World Citizenship* (Cambridge, 2012), pp. 40–72 ('Kant and Cloots on Global Peace'); Alexander Bevilacqua, 'Conceiving the Republic of Mankind: The Political Thought of Anacharsis Cloots,' *History of European Ideas*, 38 (2012), 550–69.

(16) 啓蒙的コスモポリタニズム内の平和主義の系譜は以下を参照のこと。Schlereth, *The Cosmopolitan Ideal in Enlightenment Thought*, pp. 117–25; Stella Ghervas, 'La paix par le droit, ciment de la civilisation en Europe? La perspective du siècle des Lumières,' in Antoine Lilti and Céline Spector, eds., *Penser l'Europe au XVIIIe siècle: commerce, civilisation, empire* (Oxford, 2014), pp. 47–70.

(17) Anthony Pagden, *The Fall of Natural Man: The American Indian and the Origins of Comparative Ethnology*, rev. edn. (Cambridge, 1986), pp. 17–24; Annabel Brett, *Changes of State: Nature and the Limits of the City in Early Modern Natural Law* (Princeton, NJ, 2011).

(18) Anthony Pagden, 'The "Defence of Civilization" in Eighteenth-Century Social Theory,' *History of the Human Sciences*, 1 (1988), 33–45.

(19) David Harvey, *Rebel Cities: From the Right to the City to the Urban Revolution* (London, 2012).

(20) David Armitage, *Civil Wars: A History in Ideas* (New York, 2017)〔デイヴィッド・アーミテイジ『〈内戦〉の世界史』平田雅博・阪本浩・細川道久訳, 岩波書店, 二〇一九年〕。

(21) コスモポリタニズムの「文明」という言葉との関係については以下を参照のこと。Anthony Pagden, 'Stoicism, Cosmopolitanism, and the Legacy of European Imperialism,' *Constellations*, 7 (2000), 3–22; Pagden, 'The Genealogies of European Cosmopolitanism and the Legacy of European Universalism,' in Ronald G. Asch, Wulf Eckart Voß and Martin Wrede, eds., *Frieden und Krieg in der Frühen Neuzeit: Die europäische Staatenordnung und die außeuropäische Welt* (Munich, 2001), pp. 467–83.

(22) Anthony Pagden, *Worlds at War: The 2,500-Year Struggle between East and West* (Oxford, 2008), pp. 90–91.

(23) Silvia Clavadetscher-Thürlemann, *Πόλεμος δίκαιος und bellum iustum. Versuch einer Ideengeschichte* (Zürich, 1985), pp. 178–83; Phillip Wynn, *Augustine On War and Military*

Service (Minneapolis, 2013), pp. 128–31.

(24) Paul Jal, '"Hostis (Publicus)" dans la littérature latine de la fin de la République,' *Revue des études anciennes*, 65 (1963), 53–79; Robert Brown, 'The Terms *Bellum Sociale* and *Bellum Civile* in the Late Republic,' in Carl Deroux, ed., *Studies in Latin Literature and Roman History*, 11 (Brussels, 2003), pp. 94–120.

(25) Charles de Secondat, baron de Montesquieu, *Reflections on the Causes of the Rise and Fall of the Roman Empire* (1734), Eng. trans. (Edinburgh, 1775), p. 61.

(26) Florus, *Epitome* (2. 13. 4–5), in Florus, *Epitome of Roman History*, trans. Edward Seymour Foster (Cambridge, MA, 1929), p. 267 (translation adapted).

(27) Armitage, *Civil Wars*, pp. 93–128〔アーミテイジ『〈内戦〉の世界史』八三―一一七頁〕。

(28) Freyja Cox Jensen, *Reading the Roman Republic in Early Modern England* (Leiden, 2012), pp. 56–73; Nicholas Phillipson, *Adam Smith: An Enlightened Life* (London, 2010), p. 18 and plates 2–3.

(29) David Armitage, 'Every Great Revolution Is a Civil War,' in Keith Michael Baker and Dan Edelstein, eds., *Scripting Revolution: A Historical Approach to the Comparative Study of Revolutions* (Palo Alto, CA, 2015), pp. 57–68.

(30) Victor Hugo, *Les misérables*, trans. Charles Edward Wilbour, 5 vols. (New York, 1862), IV, pp. 164–65.

(31) Franck Laurent, '"La guerre civile? qu'est-ce à dire? Est-ce qu'il y a une guerre étrangère?"', in Claude Millet, ed., *Hugo et la guerre* (Paris, 2002), pp. 133–56; Michèle Lowrie and Barbara Vinken, 'Correcting Rome with Rome: Victor Hugo's *Quatrevingt-treize*,' in Basil Dufallo, ed., *Roman Error: Classical Reception and the Problem of Rome's Flaws* (Oxford, 2018), pp. 179–90.

(32) Jaime Torres Bodet, 'Why We Fight,' *UNESCO Courier*, 11, 10 (1 November 1949), 12.

(33) Voltaire, *Le siècle de Louis XIV* (1756), quoted in Anthony Pagden, 'Europe: Conceptualizing a Continent,' in Pagden, ed., *The Idea of Europe: From Antiquity to the European Union* (Cambridge, 2002), p. 37; Vattel, *The Law of Nations*, eds. Kapossy and Whatmore, p. 496 (III. 3. 47).

(34) François de Salignac de la Mothe Fénelon, *Fables and Dialogues of the Dead. Written in French by the Late Archbishop of Cambray* (1712), Eng. trans. (London, 1722), p. 183.

(35) Kant, 'Toward Perpetual Peace,' in Kant, *Practical Philosophy*, trans. Gregor, p. 330.

(36) Jean-Jacques Rousseau, *A Project for Perpetual Peace*, Eng. trans. (London, 1761), p. 9 ('...presque la cruauté des guerres civiles').

(37) Louis Antoine Fauvelet de Bourrienne, *Mémoires de M. de Bourrienne, ministre d'état; sur Napoléon, le Directoire, le Consulat, l'Empire et la Restauration*, 10 vols. (Paris, 1829–30), V, p. 207: 'La Turquie exceptée, l'Europe n'est qu'une province du monde; quand nous battons, nous ne faisons que de la guerre civile.'

(38) 例えば次を参照のこと。G. K. Chesterton's contribution to

Paul Hymans, Paul Fort and Arnoud Rastoul, eds., *Pax Mundi: Livre d'or de la Paix* (Geneva, 1932); Richard Nicolaus Coudenhove-Kalergi, *Europe Must Unite* (Glarus, 1939), title-page.

(39) Anthony Pagden, 'Fellow Citizens and Imperial Subjects: Conquest and Sovereignty in Europe's Overseas Empires,' *History and Theory, Theme Issue*, 44: *Theorizing Empire* (2005), 32-33; Wim Klooster, *Revolutions in the Atlantic World: A Comparative History* (New York, 2009), pp. 11-44.

(40) William Bollan, *The Freedom of Speech and Writing upon Public Affairs, Considered: with an Historical View of the Roman Imperial Laws against Libels* (London, 1766), pp. 158-59; Richard Price, Observations on the Nature of Civil Liberty (London, 1776), p. 91; Adam Smith, *An Inquiry into the Nature and Causes of the Wealth of Nations* (1776), ed. R. H. Campbell and A. S. Skinner, 2 vols. (Oxford, 1976), II, p. 622 (IV. vii. c).

(41) Bernard Romans, *To the Hon^e. Jno. Hancock Esqre. President of the Continental Congress; This Map of the Seat of Civil War in America is Respectfully Inscribed* [Philadelphia, 1775]; *Newport Mercury*, 24 April 1775, quoted in T. H. Breen, *American Insurgents, American Patriots: The Revolution of the People* (New York, 2010), pp. 281-82; *Civil War: a Poem. Written in the Year 1775* [n.p., n.d. (1776?)], sig. A2^r; David Hartley, *Substance of a Speech in Parliament, upon the State of the Nation and the Present Civil War with America* (London, 1776), p. 19; John Roebuck, *An Enquiry, whether the Guilt of the Present Civil War in America, Ought to be Imputed to Great Britain or America* [n.p., n.d. (1776?)].

(42) 'A Declaration...Seting Forth the Causes and Necessity of Taking Up Arms' (6 July 1775), in *A Decent Respect to the Opinions of Mankind: Congressional State Papers, 1774-1776*, ed. James H. Hutson (Washington, D.C., 1976), p. 97.

(43) David Armitage, *The Declaration of Independence: A Global History* (Cambridge, MA, 2007), pp. 34-35〔デイヴィッド・アーミテイジ『独立宣言の世界史』平田雅博・岩井淳・菅原秀二・細川道久訳、ミネルヴァ書房、二〇一二年、三七―三九頁〕。

(44) Armitage, *Civil Wars*, pp. 121-58〔アーミテイジ『〈内戦〉の世界史』一一一―一四四頁〕。

(45) Vattel, *The Law of Nations*, ed. Kapossy and Whatmore, pp. 105, 469 (I. 4. 51; III. 1. 1-2).

(46) Vattel, *The Law of Nations*, ed. Kapossy and Whatmore, pp. 644-45 (III. 18. 292).

(47) Vattel, *The Law of Nations*, ed. Kapossy and Whatmore, p. 645 (III. 18. 293).

(48) Armitage, *The Declaration of Independence*, pp. 38-41〔アーミテイジ『独立宣言の世界史』四一―四四頁〕。

(49) Edmund Burke, *Thoughts on French Affairs* (1791), in Edmund Burke, *Further Reflections on the Revolution in France*, ed. Daniel E. Ritchie (Indianapolis, 1992), p. 207; より一般的なものとしては以下を参照のこと。 Iain Hampsher-Monk, 'Edmund Burke's Changing Justification for Intervention,' *The Historical Journal*, 48 (2005), 65-100.

(50) Vattel, *The Law of Nations*, ed. Kapossy and Whatmore, p. 291 (II. 4. 56); compare ibid., p. 627 (III. 16. 253).

(51) Kant, 'Toward Perpetual Peace,' in Kant, *Practical Philosophy*, trans. Gregor, p. 326.

(52) Immanuel Kant, 'Natural Right Course Lecture Notes by Feyerabend' (1784), in Kant, *Lectures and Drafts on Political Philosophy*, ed. and trans. Frederick Rauscher and Kenneth R. Westphal (Cambridge, 2016), p. 177.

(53) Kant, 'Toward Perpetual Peace,' in Kant, *Practical Philosophy*, trans. Gregor, pp. 319–20; Andrew Hurrell, 'Revisiting Kant and Intervention,' in Stefano Recchia and Jennifer M. Welsh, eds., *Just and Unjust Military Intervention: European Thinkers from Vitoria to Mill* (Cambridge, 2013), p. 198. この節が示すように、ハーバーマスが、カントが「『永遠平和のために』の中で、権力者と国家の間で遂行される戦争は考えていたが、内戦のようなものはまだ考えてはいなかった」と想定していたが、これはまったく正しいという訳ではなかった。As this passage shows, Habermas was not quite correct in assuming that Kant, in 'Toward Perpetual Peace,' 'was thinking of wars conducted between ministers and states, but not yet anything like civil wars': Habermas, 'Kant's Perpetual Peace with the Benefit of Two Hundred Years' Hindsight,' in Bohman and Lutz-Bachmann, eds., *Perpetual Peace*, p. 115.

(54) Edmund Burke, *First Letter on a Regicide Peace* (20 October 1796) and Burke, *Second Letter on a Regicide Peace* (1796), in *The Writings and Speeches of Edmund Burke*, IX: The *Revolutionary War, 1794–1797. Ireland*, ed. R. B. McDowell (Oxford, 1991), pp. 187, 267; David Armitage, *Foundations of Modern International Thought* (Cambridge, 2013), pp. 163–69〔デイヴィッド・アーミテイジ『思想のグローバル・ヒストリー――ホッブズから独立宣言まで』平田雅博・山口園子・細川道久・岡本慎平訳、法政大学出版局、二〇一五年、二三二―二三九頁〕。

(55) 'Piú che ad una guerra fra nazioni, noi assistiamo ad una mondiale guerra civile': Gaetano Salvemini, 'Non abbiamo niente da dire' (4 September 1914), in Gaetano Salvemini, *Come siamo andati in Libia e altri scritti dal 1900 al 1915*, ed. Augusto Torre (Milan, 1963), p. 366.

(56) John Maynard Keynes, *The Economic Consequences of the Peace* (1919) (Harmondsworth, 1988), p. 5.

(57) Carl Joachim Friedrich, *Foreign Policy in the Making: The Search for a New Balance of Power* (New York, 1938), pp. 223–53 ('International Civil War').

(58) M. N. Roy, *War and Revolution: International Civil War* (Madras, 1942), pp. 46–54, 83–91, 96, 108–09.

(59) John F. Kennedy, 'State of the Union Address (11 January 1962), in *Public Papers of the Presidents of the United States: John F. Kennedy. Containing the Public Messages, Speeches, and Statements of the President, 1961–1963*, 3 vols. (Washington, D.C., 1962–63), II, p. 9.

(60) Carl Schmitt, *Theory of the Partisan* (1962), trans. G. L. Ulmen (New York, 2007), p. 95.

(61) Students for a Democratic Society, *The Port Huron Statement* (1962) (New York, 1964), p. 27.

(62) Hannah Arendt, *On Revolution* (1963) (Harmondsworth, 1990), p. 17.

(63) Carlo Galli, *Political Spaces and Global War* (2001-02) trans. Elizabeth Fay (Minneapolis, 2010), pp. 171-72; Heike Härting, *Global Civil War and Post-colonial Studies*, Institute on Globalization and the Human Condition, McMaster University, *Globalization Working Papers*, 06/3 (May 2006); Dietrich Jung, 'Introduction: Towards Global Civil War?,' in Jung, ed., *Shadow Globalization, Ethnic Conflicts and New Wars: A Political Economy of Intra-state War* (London, 2003), pp. 1-6.

(64) Michael Hardt and Antonio Negri, *Multitude: War and Democracy in the Age of Empire* (New York, 2004), p. 341.

(65) Giorgio Agamben, *State of Exception*, trans. Kevin Attell (Chicago, 2005), pp. 2-3; Agamben, *Stasis: Civil War as a Political Paradigm*, trans. Nicholas Heron (Stanford, 2015).

(66) Anthony Pagden, *The Enlightenment—And Why It Still Matters* (Oxford, 2012), p. 413.

(67) Peter Hulme and Ludmilla Jordanova, eds., *The Enlightenment and Its Shadows* (London, 1990); Genevieve Lloyd, *Enlightenment Shadows* (Oxford, 2013).

訳　注

〔1〕 古典古代においては、city という言葉は、社会的な共同体としての「都市」と、政治的共同体としての「都市国家」という含意が存在する。翻訳に当たって、文脈によって訳し分けた。

〔2〕 social war であれば、古代史における同盟都市戦争だが、本文では 'social' wars と記述されているので、このように訳した。

〔3〕 一七七六年七月の独立宣言とは、正式には「一七七六年七月四日、大陸会議に参集した一三のアメリカ連合諸邦の全会一致の宣言(In Congress, July 4, 1776, The unanimous Declaration of the thirteen United States of America)」という。それゆえ、「アメリカ合衆国」ではなく、「アメリカ連合諸邦」と訳している。

執筆者・訳者紹介

岡本充弘(おかもと　みちひろ)　東洋大学名誉教授。西洋史。『過去と歴史』(御茶の水書房、二〇一八年)、『開かれた歴史へ』(御茶の水書房、二〇一三年)

小川幸司(おがわ　こうじ)　長野県蘇南高等学校長。歴史教育。『世界史との対話』(全三巻、地歴社、二〇一一―一二年)、「「問いをともに考える」世界史へ」(『学術の動向』第二一巻第五号、二〇一六年)

キャロル・グラック(Carol Gluck)　コロンビア大学教授。近代日本史、思想史。『歴史で考える』(梅﨑透訳、岩波書店、二〇〇七年)、*Words in Motion* (Duke University Press, 2009)

梅﨑　透(うめざき　とおる)　フェリス女学院大学教授。アメリカ史。楊海英編『中国が世界を動かした「1968」』(共著、藤原書店、二〇一九年)、「「1968年」のアメリカ例外主義」(『思想』第一一二九号、二〇一八年)

岸本美緒(きしもと　みお)　お茶の水女子大学名誉教授。中国明清史。『風俗と時代観』(研文出版、二〇一二年)、『明清交替と江南社会』(東京大学出版会、一九九九年)

スヴェン・ベッカート(Sven Beckert)　ハーヴァード大学教授。アメリカ史、経済史。*Empire of Cotton* (Alfred A. Knopf, 2014); *Slavery's Capitalism* (共著, University of Pennsylvania Press, 2016)

竹田　泉(たけだ　いずみ)　成城大学教授。経済史。『麻と綿が紡ぐイギリス産業革命』(ミネルヴァ書房、二〇一三年)

ディペシュ・チャクラバルティ(Dipesh Chakrabarty)　シカゴ大学教授。インド史。*The Calling of History* (The University of Chicago Press, 2015); *Provincializing Europe* (Princeton University Press, 2008)

坂本邦暢(さかもと　くにのぶ)　明治大学講師。初期近代の哲学・科学史。*Julius Caesar Scaliger, Renaissance Reformer of Aristotelianism* (Brill, 2016)

小田原琳(おだわら　りん)　東京外国語大学准教授。イタリア近現代史、ジェンダー史。「〈境界〉を創りだす力」(東京歴史科学研究会編『歴史を学ぶ人々のために』岩波書店、二〇一七年)、「「平和の犯罪」としての戦時・植民地主義ジェンダー暴力」(『ジェンダー史学』第一二号、二〇一六年)

井野瀬久美惠（いのせ　くみえ）　甲南大学教授。イギリス近現代史、大英帝国史。『大英帝国という経験』（講談社、二〇〇七年／講談社学術文庫、二〇一七年）、『植民地経験のゆくえ』（人文書院、二〇〇四年）

川島啓一（かわしま　けいいち）　同志社中学校・高等学校教諭。歴史教育。「どんな「問い」を生徒は学習すべきか？」（前川修一ほか編『歴史教育「再」入門』清水書院、二〇一九年）、「報告：ジェンダー視点をどう取り入れるか？」（『ジェンダー史学』第一四号、二〇一八年）

リンダ・コリー（Linda Colley）　プリンストン大学教授。イギリス史。『イギリス国民の誕生』（川北稔監訳、名古屋大学出版会、二〇〇〇年）、『虜囚』（中村裕子ほか訳、法政大学出版局、二〇一六年）

デイヴィッド・アーミテイジ（David Armitage）　ハーヴァード大学教授。思想史、国際関係史。『〈内戦〉の世界史』（平田雅博ほか訳、岩波書店、二〇一九年）、『これが歴史だ！』（平田雅博ほか訳、刀水書房、二〇一七年）

石川敬史（いしかわ　たかふみ）　帝京大学教授。アメリカ革命史、アメリカ政治思想史。「アメリカ革命期における主権の不可視性」（『年報政治学』二〇一九年度第Ⅰ号）、「ジョン・アダムズの混合政体論における近世と近代」（『アメリカ研究』第五三号、二〇一九年）

[編者]

成田龍一

日本女子大学名誉教授．近現代日本史．『近現代日本史との対話』(集英社新書，2019年)，『「戦後」はいかに語られるか』(河出書房新社，2016年)

長谷川貴彦

北海道大学教授．近現代イギリス史．『イギリス現代史』(岩波新書，2017年)，『現代歴史学への展望』(岩波書店，2016年)

〈世界史〉をいかに語るか――グローバル時代の歴史像

2020年2月18日　第1刷発行
2020年9月4日　第2刷発行

編　者　成田龍一（なりたりゅういち）　長谷川貴彦（はせがわたかひこ）

発行者　岡本　厚

発行所　株式会社　岩波書店
〒101-8002 東京都千代田区一ツ橋2-5-5
電話案内 03-5210-4000
https://www.iwanami.co.jp/

印刷・精興社　製本・牧製本

ISBN 978-4-00-061389-7　Printed in Japan